STRICKEN

Grundlagen · Muster · Modelle

STRICKEN

Grundlagen · Muster · Modelle

NGV

Inhalt

Etwas Warmes braucht der Mensch...

... und ein mit Liebe handgestrickter Paar Socken wärmt nicht nur die Füße, sondern auch die Seele. Nicht zuletzt deshalb erlebt das Stricken in unserer technischen, schnelllebigen Zeit gerade eine neue Blüte. Doch die alte Handarbeitstechnik hat noch viele andere positive Seiten.

Das Stricken ist eine jahrhundertealte Technik, die sich im Laufe der Zeit vielfach gewandelt, aber bis heute nichts von ihrer Beliebtheit verloren hat. Die ersten als gesichert geltenden Funde von Strickarbeiten, Socken aus dem islamischen Ägypten, datieren aus dem 12. Jahrhundert, und ein Gemälde von Meister Bertram, das um 1390 entstand, zeigt Maria, die mit einem Nadelspiel am Rock Jesu strickt. Spätestens seit dem Ende des 14. Jahrhunderts muss also diese Technik in Deutschland bekannt gewesen sein, wie die Volkskundlerin Sylvia Greiner in ihrem Buch „Kulturphänomen Stricken" (Verlag B.A. Greiner, Remshalden 2002) schreibt.
Seitdem hat diese alte Handarbeitskunst viele Höhen und Tiefen erlebt. In den 1970er Jahren beispielsweise herrschte ein wahrer Strick-Boom: Schülerinnen strickten im Bus, in der Straßenbahn und sogar in der Schule, Studentinnen (und damals auch oft Studenten) im Hörsaal. Egal, ob man beim Arzt warten musste oder sich abends mit Freunden traf – das Strickzeug war immer dabei.
Später flaute der Strickboom vorübergehend ab, doch inzwischen hat er einen neuen Höhepunkt erreicht. Heute vertreiben sich Filmstars in den Drehpausen die Zeit mit Garn und Nadeln, im Internet tauschen Strickerinnen aus aller Welt Tipps und Erfahrungen aus, und in vielen Ländern ist es schick, sich im Strick-Café zu treffen, um bei Cappuccino oder Latte macchiato die Nadeln klappern zu lassen. Accessoires, Jacken oder Pullover im Handstricklook sind auf den Laufstegen der großen Modemetropolen zu sehen, und selbst gestrickte Socken stehen auf der Hitliste der gefragtesten Weihnachtsgeschenke ganz oben.
Lassen Sie sich von der allgemeinen Strickbegeisterung anstecken! In diesem Buch finden Sie alles, was Sie wissen müssen, damit schon Ihre ersten Projekte perfekt gelingen.
Im ersten Teil „Grundlagen" stellen wir Ihnen die verschiedenen Garne und Nadeln, nützliche Hilfsmittel und alle Grundtechniken vor. So lernen Sie, wie Sie Maschen anschlagen, rechte und linke Maschen stricken, Zu- und Abnahmen arbeiten und die Maschen schließlich abketten. Darüber hinaus erfahren Sie, wie verschiedene Muster – etwa mit Zöpfen, Noppen oder farbigen Motiven – entstehen und wie Sie Ihren Modellen mit Pompons, Quasten oder Strickkordeln den letzten Schliff verleihen. Egal, ob Sie das Stricken von der Pike auf erlernen wollen oder Ihre letzten Strickversuche einige Jahre zurückliegen: Hier können Sie jederzeit alles Wissenswerte nachschlagen und Ihre Kenntnisse auffrischen.
Der zweite Teil ist ganz den Strickmustern gewidmet, mit denen Sie Ihre eigenen Projekte individuell gestalten können. Wählen Sie unter 175 Vorschlägen: einfachen Strukturmustern aus rechten und linken Maschen, plastischen Aran- und kunstvollen Ajourmustern, aber auch mehrfarbigen Einstrickmustern.
Alle Muster sind farbig abgebildet und können nach einer übersichtlichen Strickschrift bzw. einem Zählmuster und der Anleitung leicht nachgearbeitet werden. Damit Sie das Gelernte auch gleich anwenden können, finden Sie ab Seite 126 attraktive Modelle zum Nachstricken.
Wenn Sie Ihre Fertigkeiten an einem Schal oder einer Kissenhülle mit Strukturmuster trainiert haben, können Sie sich bald an etwas anspruchsvollere Projekte wie Socken oder Kinderkleidung wagen.
Mit ein wenig Übung peppen Sie dann Ihre Garderobe durch Ihre eigene Designerstrickmode auf. Stöbern Sie in Handarbeitsgeschäften nach effektvollen Garnen, blättern Sie Bücher und Zeitschriften durch und entwerfen Sie Ihre ganz persönlichen Unikate, die es nirgendwo zu kaufen gibt.
Wir wünschen Ihnen viel Freude an Ihrem neuen Hobby!

Grundlagen

Stricken ist leichter, als Sie glauben!
Auf den folgenden Seiten lernen Sie die Grundlagen kennen, die Sie beherrschen sollten, um Ihre Traummodelle zu verwirklichen. Anhand von Schritt-für-Schritt-Fotos können sich Einsteiger mit der Arbeitsweise vertraut machen, aber auch erfahrenere Strickerinnen können in diesem Kapitel alle wichtigen Techniken nachschlagen.

Stricknadeln

Neben dem Garn gehören die Stricknadeln zur unverzichtbaren Grundausstattung beim Stricken. Doch das Angebot ist unübersichtlich: Es gibt Nadeln aus Holz, Metall und Kunststoff, lange und kurze Nadeln mit einer oder zwei Spitzen, aber auch mit Kunststoffseilen. Welche sind nun die richtigen für Ihr Projekt?

1 Lange, gerade Stricknadeln

Sie sind der Klassiker: lange, gerade Stricknadeln mit einer Spitze an einem und einem Knopf am anderen Ende. Der Knopf verhindert, dass die Maschen vom hinteren Ende der Nadel rutschen. Es gibt solche Stricknadeln in Längen von 25 bis 40 cm und Stärken von 2,0 bis 25 mm aus Holz, Bambus, Kunststoff, Aluminium oder Stahl mit Kunststoffüberzug. Die dicksten Nadeln werden nur aus Kunststoff hergestellt, weil massive Metallnadeln zu schwer wären. Man unterscheidet zwischen Jackenstricknadeln, die auf der ganzen Länge dieselbe Stärke aufweisen, und Schnellstricknadeln, bei denen nur der vordere Teil der angegebenen Stärke entspricht, während sich der Schaft dahinter verjüngt. Auf diese Weise werden die Maschen zwar in der gewünschten Größe gebildet, lassen sich aber auf dem dünneren Schaft mühelos verschieben. Ein gravierender Nachteil der langen, geraden Stricknadeln besteht darin, dass das Gewicht der ganzen Strickarbeit an den Nadeln hängt und beim Stricken bewegt werden muss. Viele Strickerinnen klagen dabei über Verspannungen und Schmerzen in den Schultern.

2 Flex-Stricknadeln

Leichter als mit Jacken- oder Schnellstricknadeln lassen sich große Teile – etwa Vorder- oder Rückenteile von Pullovern – auf sogenannten Flex-Stricknadeln arbeiten. Bei diesem Typ ist eine kurze Nadel mit einem etwa 60 cm langen Kunststoffkabel verbunden, das mit einem Knopf oder Ring abschließt. Auf dem Kunststoffseil gleiten die Maschen problemlos, und das Abschlussstück sichert die Maschen wie bei den geraden Stricknadeln. Der größte Teil der Strickarbeit ruht am Kunststoffseil auf dem Schoß der Strickerin, ohne Arme und Schultern zu belasten.

3 Zopf- und Hilfsnadeln

Beim Stricken von Zöpfen und ähnlichen Mustern müssen vorübergehend einige Maschen vor oder hinter die Arbeit gelegt werden. Diese Zopfmaschen hebt man normalerweise auf eine kurze Hilfsnadel aus beschichtetem Aluminium ab, von der sie nach dem Verzopfen leicht abgestrickt werden können. Damit die „geparkten" Maschen nicht verloren gehen, haben viele Zopfnadeln einen Knick in der Mitte.

3
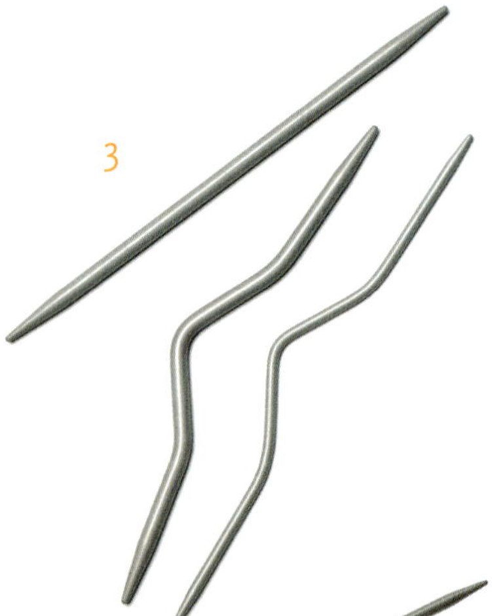

1
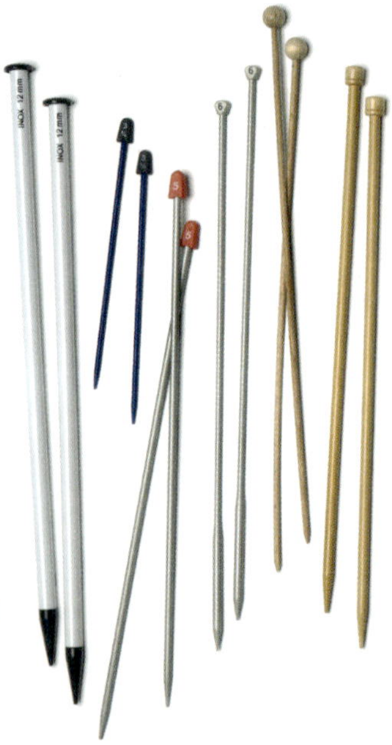

2
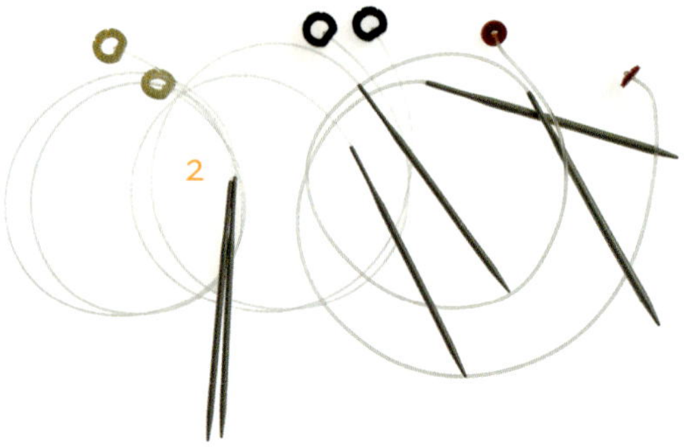

2
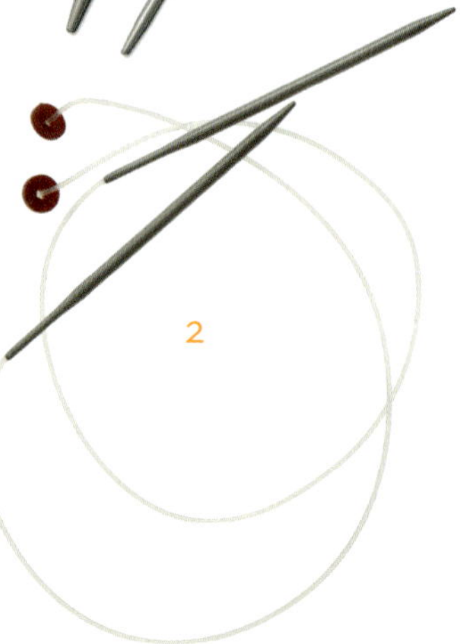

4 Rundstricknadeln

Bei Rundstricknadeln sind zwei kurze Nadeln durch ein mehr oder weniger langes Kunststoffkabel verbunden. Auf dem Markt sind Aluminiumnadeln mit oder ohne Beschichtung in Stärken zwischen 1,5 und 7 mm mit Kunststoffseilen von 30 bis 250 cm Länge sowie Bambus- oder Edelholznadeln von 3 mm Stärke aufwärts mit 40 bis 80 cm langem Seil. Dickere Nadeln von 8 bis 15 mm Stärke werden aus Gewichtsgründen meist aus Kunststoff hergestellt und mit 80 bzw. 100 cm langem Kabel angeboten.
Wichtigstes Einsatzgebiet der Rundstricknadeln sind, wie der Name schon sagt, schlauchförmig in Runden gestrickte Projekte. Viele Strickerinnen schätzen diesen Nadeltyp aber auch zum Stricken in hin- und hergehenden Reihen, weil wie bei Flex-Stricknadeln das Gewicht der Strickarbeit auf dem Schoß liegt.

5 Nadelspiele

Beidseitig spitze Strumpf- oder Handschuhstricknadeln werden in sogenannten Spielen aus vier oder fünf Nadeln verkauft. Dabei werden die Maschen auf drei bzw. vier Nadeln verteilt, zur Runde geschlossen und mit der vierten bzw. fünften Nadel abgestrickt. Außer für Socken oder Handschuhe braucht man solche Nadeln auch für alle anderen Teile, deren Umfang für eine Rundstricknadel zu gering ist, oder für den Beginn flach in Runden gestrickter Spitzendeckchen. Strumpfstricknadeln sind zwischen 1,5 und 8 mm stark und 10, 12, 15 oder 20 cm lang und bestehen aus Stahl, Aluminium, Kunststoff, Bambus oder Holz. Die kürzesten Nadeln, die zum Teil aus Edelholzabfällen aus der Musikinstrumentenproduktion hergestellt werden, eignen sich besonders gut zum Stricken von Handschuhfingern oder Puppensöckchen. Nadelspiele in Stärken zwischen 5,5 und 8 mm werden im Allgemeinen aus Kunststoff angefertigt.

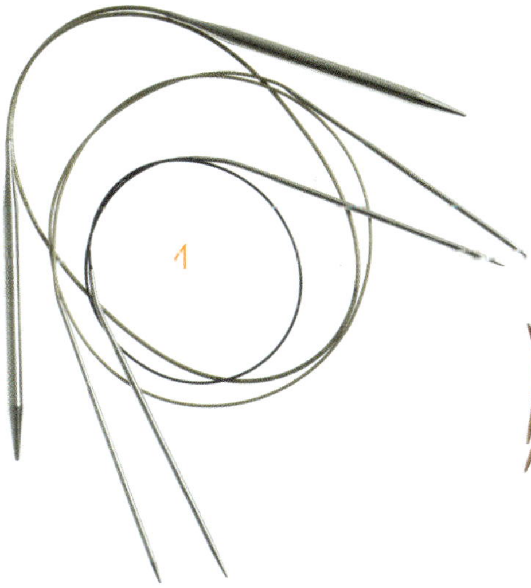
4

5

Welches Material ist das richtige?

So breit wie das Spektrum der Typen ist auch das der Materialien für Stricknadeln. Die traditionellen blanken Stahlstricknadeln wurden in den vergangenen Jahrzehnten mehr und mehr durch Nadeln aus beschichtetem Aluminium abgelöst, auf denen die Maschen gut gleiten – zu gut, wie manche Strickerinnen finden. Vor allem bei lockerem Gestrick rutschen die Maschen leicht von Metallnadeln.
Deshalb schwören viele Strickerinnen auf Holz- oder Bambusnadeln, auf denen die Maschen zwar gleiten, aber weniger leicht unkontrolliert von der Nadel fallen. Vor allem Menschen mit Gelenkproblemen schätzen die Holz- und Bambusnadeln, weil sie leichter sind als Metallnadeln und sich wärmer anfühlen. Seit einiger Zeit werden alle wichtigen Nadeltypen – Jacken-, Rundstrick- und Strumpfstricknadeln – aus Bambus und Holz angeboten. Wer das Besondere sucht, greift zu Nadeln aus Rosen- oder Ebenholz. Achten Sie aber auf jeden Fall auf Qualität: Hochwertige Bambus- und Holznadeln sind absolut glatt, sodass sich keine Fasern des Garnes in Unebenheiten verhaken oder Sie sich sogar einen Splitter einziehen können. Wenn nach längerem Gebrauch raue Stellen entstehen, können Sie die Nadeln mit feinem Sandpapier wieder glätten.
Kunststoff ist das bevorzugte Material für die superdicken Nadeln, mit denen modische Kleidungsstücke aus dicken Garnen gestrickt werden. Die dicksten dieser Nadeln sind innen hohl.

Strickzubehör

Für den Einstieg ins Stricken reichen ein Knäuel Garn und ein Paar Stricknadeln. Aber mit etwas Erfahrung werden Sie einige nützliche Hilfsmittel zu schätzen wissen. Sie brauchen keineswegs alle – und schon gar nicht alle auf einmal – zu kaufen, aber es lohnt sich, von Projekt zu Projekt die Ausstattung des Handarbeitskorbes allmählich zu erweitern.

1 Maßband

Ein gutes Maßband gehört in jeden Strickkorb. Sie brauchen es zum Maßnehmen ebenso wie zum Ausmessen der Maschenprobe oder Ihrer Strickarbeit. Wie bei allem Handwerkszeug lohnt es sich nicht, an der Qualität zu sparen. Minderwertige Maßbänder leiern aus und messen dann ungenau oder werden unleserlich. Ob Sie ein traditionelles Maßband wie das abgebildete Modell oder ein Maßband bevorzugen, das auf Knopfdruck in einer Kunststoffkapsel verschwindet, ist Geschmackssache.

1

2 Schere oder Fadenabschneider

Investieren Sie in eine gute, spitze und scharfe Schere, die Sie nur für Ihre Handarbeiten verwenden! Sobald Papier oder gar Pappe damit geschnitten wird, sind die Klingen stumpf und schneiden Fäden nicht mehr sauber und fransenfrei ab. Wenn Sie nur Fäden kappen wollen, können Sie sich auch einen speziellen Fadenabschneider zulegen.

2

3 Spannstecknadeln

Gestrickte Einzelteile – etwa für einen Pullover – sollten vor dem Zusammennähen gespannt werden, um leichte Unregelmäßigkeiten auszugleichen und die Teile exakt auf die richtigen Maße zu bringen. Normale Stecknadeln verschwinden dabei leicht zwischen den Maschen des Gestricks. Besser eignen sich lange Spannstecknadeln mit großen Köpfen, die leicht zu erkennen sind und die Strickarbeit sicher fixieren.

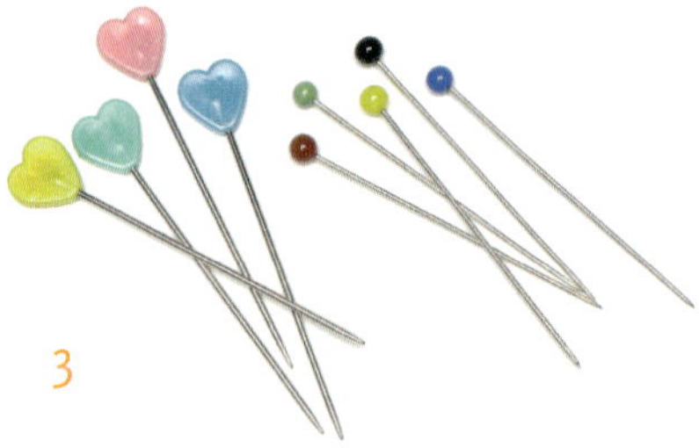

3

4 Wollnadeln

Zum Zusammennähen von Strickteilen verwendet man verhältnismäßig dicke Nadeln mit großem Öhr, durch das auch stärkere Garne leicht hindurchpassen. Geeignet sind große Sticknadeln ohne Spitze, der Fachhandel hält aber auch spezielle Wollnadeln bereit.

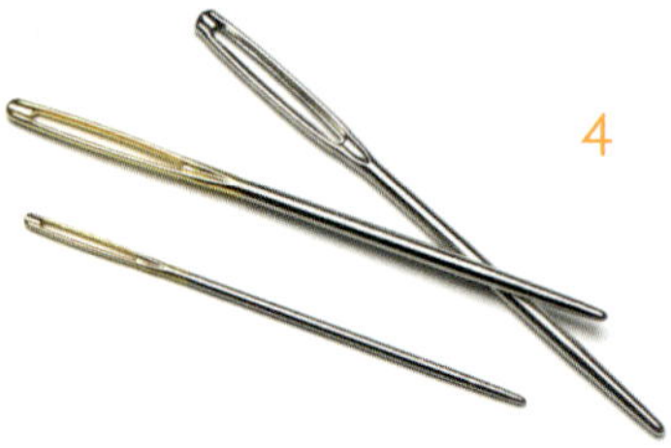

4

5 Markierungsringe

Zu- oder Abnahmen, Musterrapporte oder andere wichtige Stellen in der Strickarbeit kann man mit kontrastfarbenen Fadenschlingen, Büroklammern oder Sicherheitsnadeln kennzeichnen. Praktischer sind jedoch Kunststoffringe mit einer Öffnung zum Einhängen in die Maschen. Neben diesen funktionellen Ringen werden speziell über das Internet seit einiger Zeit auch kunstvolle Maschenmarkierer mit Perlendekor angeboten.

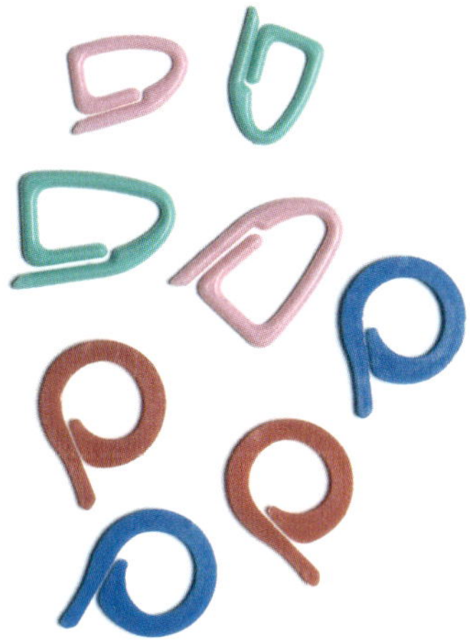
5

6

7 + 8 Maschenraffer

Einige wenige stillgelegte Maschen können Sie auf eine Sicherheitsnadel heben. Größere Mengen von Maschen, beispielsweise bei einem Halsausschnitt, legen Sie besser auf einem Maschenraffer still. Es gibt Modelle, die an überdimensionale Sicherheitsnadeln erinnern (Abbildung unten), aber auch Stricknadeln mit angeschweißtem Kabel und Nadelschützer, auf denen sich beispielsweise die Maschen für einen ganzen Rollkragen „parken" lassen (Abbildung rechts).

9 Nadelmaß

Nicht auf allen Stricknadeln ist die Stärke aufgedruckt oder aufgeprägt. Um die Stärke trotzdem festzustellen, können Sie die Nadeln durch die Löcher eines Nadelmaßes oder einer Nadellehre stecken: Das Loch, durch das die Nadel gerade durchpasst, gibt die Stärke an. Es gibt Nadelmaße in unterschiedlichen Formen. Manchmal liegen auch verpackten Nadeln gelochte Kartonblätter bei. Allerdings weiten sich deren Löcher nach mehrmaligem Durchstechen leicht und liefern dann ungenaue Ergebnisse. Haltbarer und genauer sind Nadelmaße aus Kunststoff.

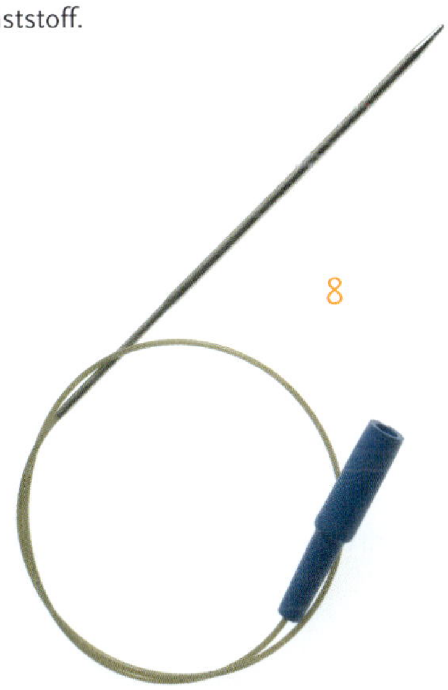
8

6 Nadelschützer

Sollen Maschen auf einer Nadel stillgelegt werden, steckt man am besten auf jedes Nadelende eine Kappe, die verhindert, dass die Maschen herunterfallen. Es gibt inzwischen neben den klassischen Hütchen Nadelschützer in verschiedenen lustigen Formen: Bären, Socken oder Handschuh und Mütze. Viele dieser Modelle halten auch ein ganzes Nadelspiel zusammen. Notfalls können Sie stillgelegte Maschen auf einer Nadel auch mit halbierten Weinkorken sichern, die Sie auf die Nadelenden spießen.

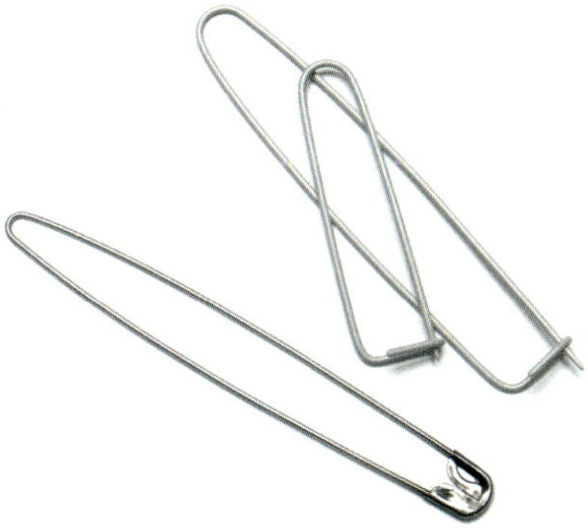
7

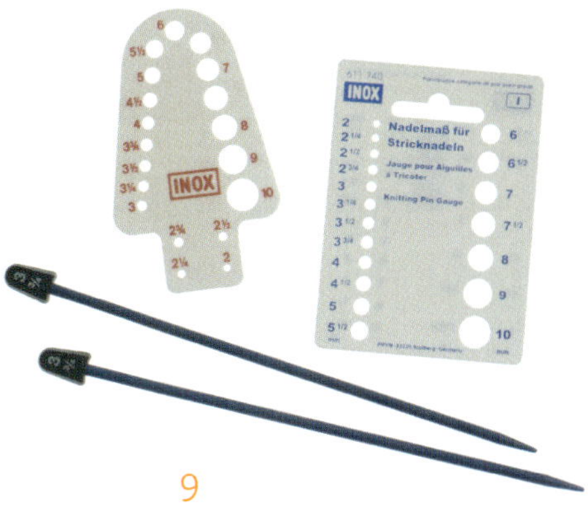

9

10 Zählrahmen

Für mehrere Zwecke lässt sich der Zählrahmen mit Strickrechner einsetzen: Der Winkel-Ausschnitt markiert exakt 10 cm in Höhe und Breite – also das Maß für die Maschenprobe. Sie brauchen nur noch die Maschen und Reihen innerhalb des Ausschnitts zu zählen. Wenn Sie dann den Zeiger auf die ermittelte Maschenzahl einstellen, können Sie ablesen, wie viele Maschen Sie für eine bestimmte Strickbreite anschlagen müssen. Zusätzlich können Sie anhand der unterschiedlich großen Löcher die Stärke Ihrer Nadeln überprüfen.

10

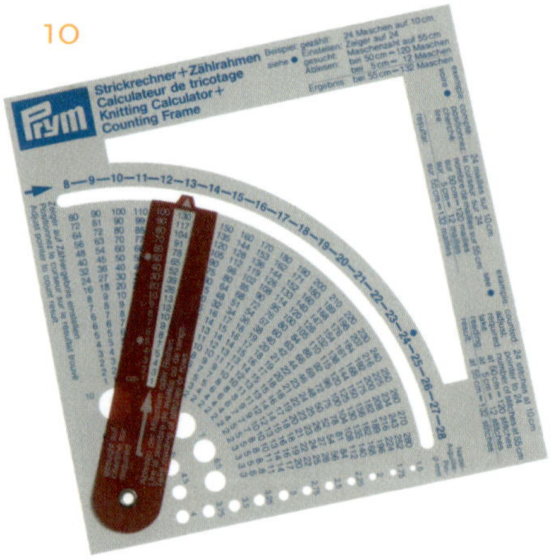

11 Strickrechner

Beim Strickrechner stellen Sie ebenfalls die Maschenzahl auf 10 cm ein und können dann in der Tabelle die erforderliche Anschlagzahl für die gewünschte Strickbreite ablesen.

11

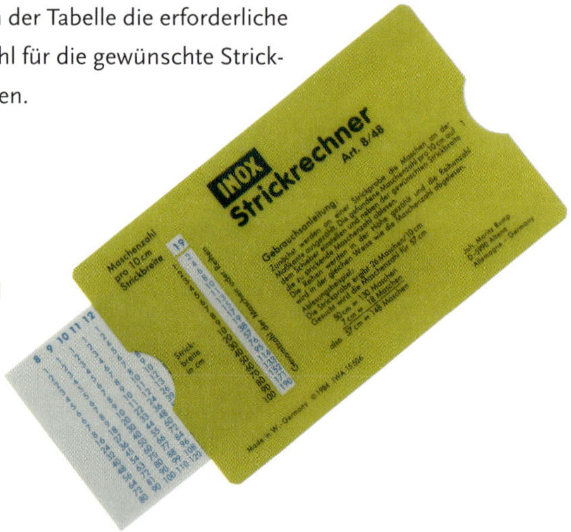

12 Reihenzähler

Es gibt Strickerinnen, die ständig einen Notizblock neben sich liegen haben, auf dem sie bereits gestrickte Reihen notieren. Denselben Zweck erfüllen Reihenzähler, die auf die Nadel gesteckt und nach jeder Reihe oder Runde um eine Zahl weitergedreht werden.

12

13 Garnspulen

Zum mehrfarbigen Stricken in Jacquard- oder Intarsientechnik brauchen Sie häufig keine ganzen Garnknäuel, sondern nur geringe Garnmengen in jeder Farbe. Auf die fischförmigen Spulen aus farbigem Kunststoff, die es in zwei Größen gibt, können Sie die erforderlichen Mengen aufwickeln.

13

Praxis-Tipp

Stricknadeln mit Beleuchtung

Was zunächst eher wie ein Gag wirkt, erweist sich bei schlechter Beleuchtung oder dunklen Garnen durchaus als nützlich: Stricknadeln mit beleuchteten Spitzen („Knit Lite"). Winzige Batterien am unteren Ende der Kunststoffnadeln, die es in den Stärken 3,5 bis 4,5 gibt, versorgen die Leuchtspitzen mit Strom.

14 Strickfingerhüte

Damit sich beim Stricken in Jacquardtechnik die Fäden in verschiedenen Farben nicht verheddern, kann man sie durch die Öffnungen in einem Strickfingerhut auf dem linken Zeigefinger führen. Es gibt Kunststofffingerhüte mit vier Öffnungen und Fingerhüte aus spiralförmig aufgewickeltem Draht mit zwei Ösen für das Garn.

Wer beim langen Stricken durch die Reibung des Garns über einen wundgescheuerten linken Zeigefinger klagt, kann mit einem Streifen Klebefilm oder mit einem speziellen Fingerschutz aus farbigem Kunststoff Abhilfe schaffen.

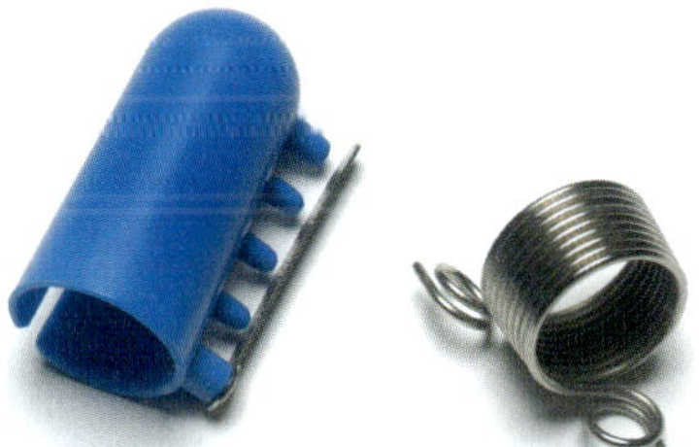

14

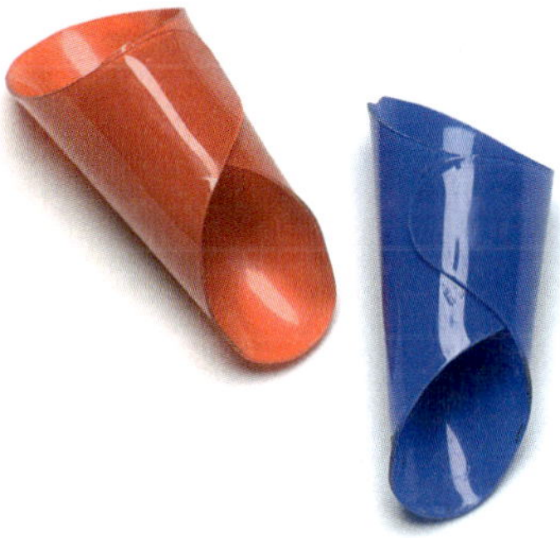

16

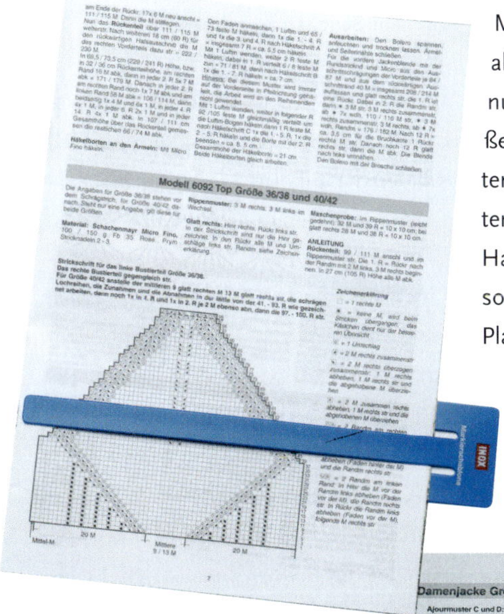

16 Markierschablone

Bei umfangreicheren Anleitungen oder Strickschriften ist es oft nicht einfach, den Überblick über die bereits gestrickten Reihen zu halten. Mit einer Markierschablone können Sie jederzeit die gerade zu strickende Reihe oder Runde markieren. Anschließend verschieben Sie die Schablone um eine Reihe nach oben.

17 Lupenlineal

Mit einem Lupenlineal können Sie die aktuelle Stelle in Ihrer Anleitung nicht nur markieren, sondern auch vergrößern. Manche Modelle sind mit Magneten versehen, sodass sie auf Metallplatten haften. Solche Metallplatten für Handarbeitsvorlagen finden Sie im gut sortierten Handarbeitsfachhandel. Die Platten werden mit ein bis zwei Magnetstreifen geliefert, mit denen Sie ebenfalls die gerade zu strickende Reihe in Ihrer Anleitung oder Strickschrift kennzeichnen können.

17

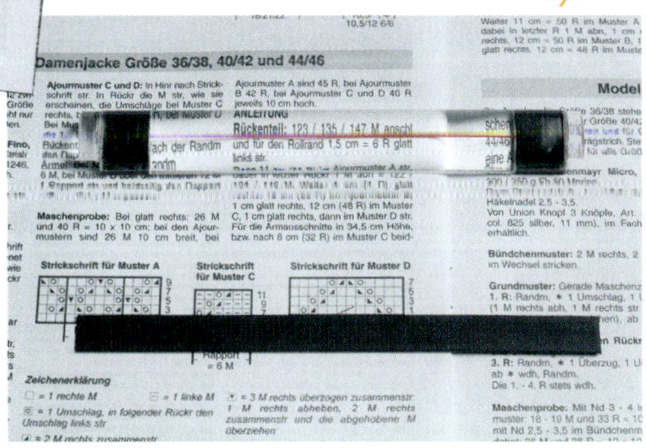

18 Häkelnadeln

Eine Häkelnadel brauchen Sie nicht nur, wenn Sie beispielsweise die Kanten Ihrer Strickarbeit umhäkeln wollen, sondern auch als Nothelfer zum Auffassen und Hochhäkeln gefallener Maschen. Es ist daher sinnvoll, zwei oder drei Häkelnadeln in unterschiedlichen Stärken im Handarbeitskorb zu haben.

15 Knäuelhalter

In einer Kunststoffdose mit Loch im transparenten Deckel ist der Garnknäuel während des Strickens sicher aufbewahrt. Gerade bei sehr glatten Garnen, deren Knäuel sich leicht während des Strickens auflösen, lohnt sich die Anschaffung. An der Kordel können Sie den Knäuelhalter bequem über den Arm oder die Armlehne Ihres Sessels hängen.

15

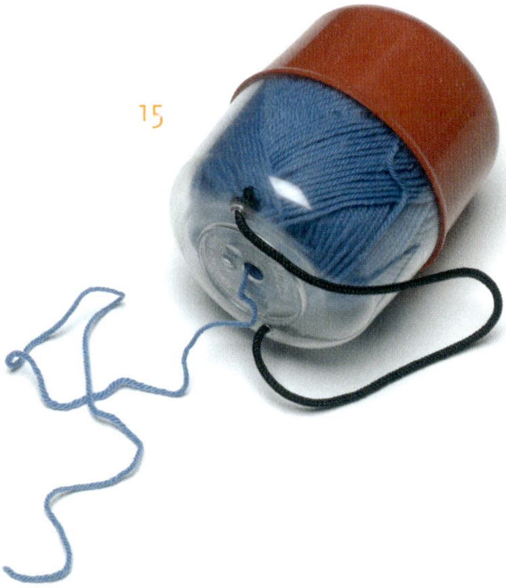

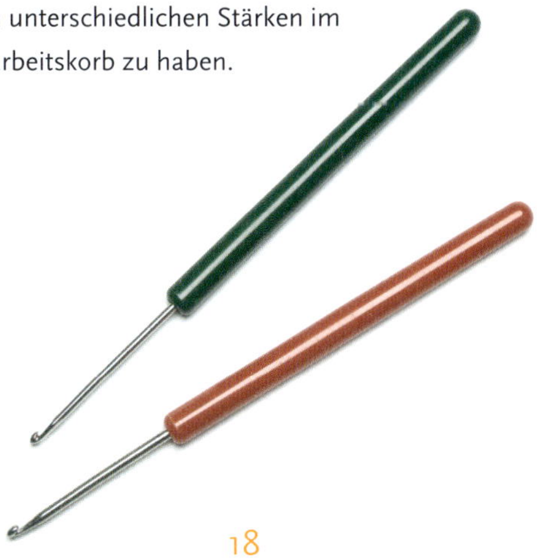

18

Strickgarn

Wenn Sie ein gut sortiertes Handarbeitsgeschäft betreten, werden Sie von der Fülle unterschiedlichster Garne sicher überwältigt: Da gibt es glatte und flauschige Garne, solche mit Fransen, Noppen oder eingearbeiteten Pailletten, aber auch Bändchen aus Stoff oder lederähnlichen Materialien.

Welches Material sich für Ihr Projekt eignet, hängt von verschiedenen Faktoren ab. Sofern Sie ein Modell aus einer Zeitschrift oder einem Buch nachstricken wollen, halten Sie sich am besten möglichst genau an die Materialangabe in der Anleitung. Tipps für das Austauschen von Garnen finden Sie auf Seite 17.
Wenn Sie noch keine Garnempfehlung haben, sollten Sie sich folgende Fragen stellen, bevor Sie das Material kaufen:

1. Was wollen Sie stricken?
Für Wohnaccessoires eignen sich andere Garne als für Kleidung, die auf der Haut getragen und häufiger gewaschen wird.

2. Für wen stricken Sie?
Ein edles Seidengarn ist möglicherweise das richtige Material, wenn Sie einen festlichen Pullover für sich selbst stricken wollen. Kleidung für Babys oder Kleinkinder arbeiten Sie besser aus strapazierfähigen, maschinenwaschbaren Garnen.

3. Wie gut stricken Sie?
Anfänger kommen normalerweise mit schlichten, fest verzwirnten Garnen aus Schurwolle oder einer Kombination aus Wolle und Kunstfasern am besten zurecht. Effektgarne mit langen Fransen, Flausch und Noppen, ungleichmäßig versponnene Dochtgarne und extrem glatte, rutschige Garne, zum Beispiel aus Seide oder Viskose, erfordern einige Erfahrung.

Die Materialien

Grundsätzlich unterscheidet man zwischen Naturfaser- und Kunstfasergarnen. Zu den Naturfasern zählen tierische Fasern wie Tierhaare oder Seide, aber auch pflanzliche Fasern wie Baumwolle und Leinen. Kunstfasern, auch als Chemie- oder Synthetikfasern bezeichnet, können aus unterschiedlichen chemisch geschaffenen Substanzen wie Polyester, Polyacryl, Polyamid oder Elasthan bestehen.

Tierische Fasern

Die wichtigste tierische Faser, aus der Strickgarne hergestellt werden, ist **Schafwolle**. Durch die natürliche Kräuselung jedes einzelnen Haares ist Wolle elastisch und wärmt gut. Dazu trägt auch die schuppenartige Oberfläche der Haare bei, unter der Luft eingeschlossen wird. Ebenfalls zu Strickgarnen verarbeitet werden die Wolle des Angorakaninchens, der Mohair- oder Angoraziege, der Kaschmirziege, des Alpakas, des Lamas und des Kamels.
Wolle besteht aus Eiweiß und wird daher von Motten angegriffen, sofern sie unbehandelt ist. Außerdem filzt Wolle schon bei etwa 45 °C. Deshalb rüsten die Garnhersteller viele Wollgarne so aus, dass sie mottenresistent sind und in der Waschmaschine gewaschen werden können. Häufig wird Wolle mit Synthetikfasern gemischt, um sie formbeständiger und strapazierfähiger zu machen oder bestimmte Effekte zu erzielen. So bestehen die klassischen Sockengarne meist aus 75 % Schurwolle und 25 % Polyamid.
Es gibt aber auch viele Strickgarne, bei denen der Synthetikanteil überwiegt. Wollgarne können sehr fein, aber auch extrem dick sein. Dünne Garne sind meist aus mehreren Einzelfäden verzwirnt, während dicke Garne oft aus einem einzelnen Faden bestehen („Dochtgarne"). Bisweilen werden solche Garne auch gezielt ungleichmäßig versponnen, sodass sie wie handgesponnen wirken.

Wollgarn aus 100 % Merinowolle

Wollgarn aus 100 % Alpakawolle

Extradickes einfädiges Garn aus 100 % Wolle

Voluminöses Mischgarn aus 70 % Polyacryl und 30 % Schurwolle

Ebenfalls zu den tierischen Fasern gehört **Seide**, der Faden, aus dem die Raupe des Seidenspinners ihren Kokon herstellt. Ein Kokon kann bis zu 3000 m Seidenfaden liefern. Am wertvollsten ist die vom Kokon abgewickelte Haspelseide. Weniger kostbar sind Schappeseide aus versponnenen Fadenstücken vom Kokon und Bourretteseide aus versponnenen Abfällen der Seidenproduktion. Seidengarne bestechen durch ihren edlen Glanz. Sie sind jedoch teuer und erfordern sorgfältige Pflege. Anfänger sollten daher lieber auf weniger kostspielige Garne zurückgreifen. Seit einiger Zeit werden sogar Sockengarne mit Seidenanteil angeboten, die in der Waschmaschine gewaschen werden können. Sie verbinden die Vorzüge von Schurwolle, Seide und einem 25-prozentigen Polyamidanteil, der für Stabilität und Strapazierfähigkeit sorgt.

Sockengarn aus 55 % Schurwolle, 25 % Polyamid und 20 % Seide

Pflanzliche Fasern

Gerade für Sommerkleidung und Accessoires sind Garne aus **Baumwolle** sehr beliebt. Seltener verstrickt werden Garne aus **Leinen**. Baumwolle wird aus den Samenfasern in den Fruchtkapseln der Baumwollpflanze, Leinen aus dem Stängel der Flachspflanze gewonnen. Modelle aus Baumwoll- oder Leinengarnen fühlen sich angenehm kühl an und glänzen dezent. Allerdings sind die Garne ziemlich schwer und unelastisch. Deshalb leiern Kleidungsstücke aus Baumwollgarnen leicht aus. Aus dem gleichen Grund sollten sie nur liegend getrocknet und noch feucht in Form gezogen werden.
Auch Baumwolle wird häufig mit Synthetikfasern gemischt, sodass leichtere Garne mit angenehmen Trageeigenschaften entstehen.

Sommerliches Garn aus 55 % Baumwolle und 45 % Polyacryl

Praxis-Tipp

Garne austauschen

Nicht immer können Sie für Ihr Modell das in der Anleitung genannte Originalgarn verwenden: Vielleicht ist es in Ihrem Handarbeitsgeschäft nicht vorrätig, vielleicht gibt es aber auch die von Ihnen gewünschte Farbe nicht. Kein Grund zu verzweifeln! In den meisten Fällen lässt sich ein geeignetes Alternativgarn ausfindig machen. In guten Anleitungen werden nicht nur Name, Hersteller und Farbe des Originalgarns genannt, sondern auch Materialzusammensetzung und Lauflänge. Falls diese Angaben nicht aus der Anleitung hervorgehen, geben Sie einfach Namen und Hersteller in eine Internet-Suchmaschine ein, und Sie bekommen im Nu die fehlenden Informationen angezeigt. (Möglicherweise finden Sie auf diese Weise auch einen Versandhändler, der das Garn führt.) Suchen Sie nun nach einem Garn, dessen Materialzusammensetzung und Lauflänge denen des Originalgarns möglichst nahekommen. Auch an der empfohlenen Nadelstärke und an der Maschenprobe können Sie sich orientieren. Problematisch kann die Suche nach Alternativgarnen werden, wenn das Originalmodell mit einem außergewöhnlichen, modischen Effektgarn gestrickt ist, das möglicherweise nur von einem einzigen Hersteller angeboten wird oder nur eine Saison lang auf dem Markt ist. Lassen Sie sich in solchen Fällen im Fachgeschäft beraten.

Synthetikfasern

Einst galten reine Synthetikgarne als Billig-Alternative zu Wollgarnen. Das hat sich grundlegend geändert. Inzwischen sind hochwertige Kunstfasergarne auf dem Markt, die sich perfekt für die aktuelle und alltagstaugliche Strickmode eignen. Gerade reine **Mikrofasergarne** sind derzeit außerordentlich beliebt – nicht nur bei Menschen, die Wolle als unangenehm auf der Haut empfinden. Synthetikfasern lassen zudem Designerträume wahr werden, denn sie können nahezu beliebig eingefärbt und versponnen werden, sodass vom hochglänzenden, glatten Garn bis zu pelzartigen Flauschgarnen alles möglich ist.

Neben den typischen Chemiefasern **Polyacryl**, **Polyamid**, **Polyester** und der dehnbaren Faser **Elasthan** nimmt **Viskose** eine Sonderstellung ein. Sie basiert auf dem natürlichen Rohstoff Zellulose, der durch Natronlauge und Schwefelkohlenstoff zu einer Spinnlösung verflüssigt und durch Spinndüsen zu Fasern bzw. Fäden verarbeitet wird. Viskosegarne glänzen besonders schön, sind aber extrem glatt, sodass es nicht ganz einfach ist, ein gleichmäßiges Maschenbild zu erzielen.

Mikrofasergarn aus 100 % Polyacryl, darunter: Mischgarn aus 52 % Polyamid, 25 % Viskose und 23 % Baumwolle

Effektgarne

Seit einiger Zeit kommen ständig neue Strickgarne mit interessanten Strukturen auf den Markt, aber auch die Palette der klassischen Socken- und Sportgarne wird durch allerlei Neuheiten erweitert – beispielsweise durch speziell bedruckte Garne, bei denen Ringel- und Jacquardeffekte während des Strickens direkt aus dem Knäuel kommen, aber auch Garne mit winzigen, weichen Pompons, die das Maschenbild beleben, aber beim Tragen der Socken im Schuh nicht stören.

Die seit Jahrzehnten beliebten **Flauschgarne** haben seit einiger Zeit Zuwachs durch Effektgarne mit mehr oder weniger langen Fransen bekommen. Manche dieser Garne wirken verstrickt wie ein Pelz. **Fransengarne** gibt es einfarbig, aber auch in vielen mehrfarbigen Varianten. Sie eignen sich für Pullover, aber vor allem für Stolen, Schals, Accessoires und zum Kombinieren mit anderen Garnen.

Bändchengarne spielen in der Maschenmode ebenfalls seit langem eine wichtige Rolle. Sie können aus gestrickten oder gewebten Stoffbändern oder aus lederartigen Streifen bestehen. Besonders effektvoll lassen sich sogenannte **Leiterbändchen** einsetzen, bei denen zwischen zwei Randfäden kleine Stoffquadrate eingearbeitet sind.

Eine persianerartige Struktur ergeben **Bouclégarne**, während **Chenillegarne** an Nickystoff oder Samt erinnern, wenn sie verstrickt sind. In manche Garne sind Noppen oder dekorative Verdickungen eingearbeitet, andere enthalten Perlen oder Pailletten.

Die modischen Nachfahren der **Tweedgarne**, für die Einzelfäden in zwei oder mehr Farben miteinander verzwirnt werden, präsentieren sich heute als pfiffige Materialkombinationen, beispielsweise aus Flausch- und Bändchengarn, aus unterschiedlich strukturierten Fasern oder als Bündel aus mehreren Effektfäden, die von einem dünnen Faden zusammengehalten werden. Oft bekommen solche extravaganten Garne durch gold- und silberglänzende Akzente eine besonders festliche Note.

Sockengarn mit winzigen, weichen Pompons aus 43 % Schurwolle, 32 % Polyamid und 25 % Polyester

Mehrfarbiges Fransengarn aus 100 % Polyester

Leiterbändchengarn aus 100 % Polyamid

Praxis-Tipp

Achten Sie auf die Partie!
Die Farbpartienummer gibt Auskunft über das Farbbad, in dem das Garn gefärbt wurde. Der Farbton kann von einem Farbbad zum anderen leicht differieren, und diese Unterschiede fallen oft beim fertig gestrickten Kleidungsstück ins Auge. Achten Sie deshalb beim Kauf des Materials für ein Modell unbedingt darauf, dass alle Knäuel aus einer einzigen Farbpartie stammen.

Modisches Tweedgarn aus 60 % Polyacryl und 40 % Schurwolle

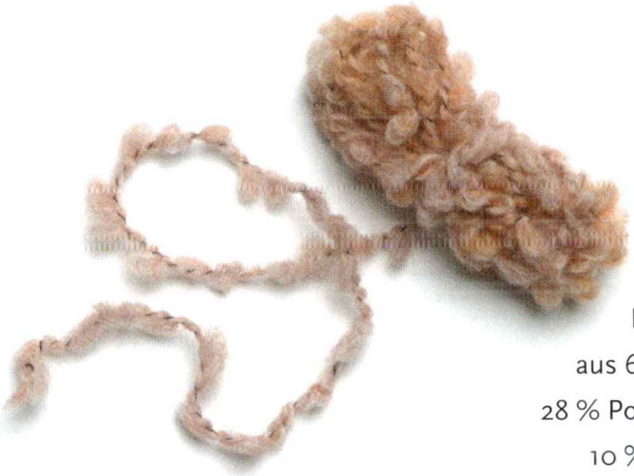

Bouclégarn aus 62 % Wolle, 28 % Polyacryl und 10 % Polyamid

Effektgarn aus 65 % Baumwolle, 27 % Polyamid und 8 % Polyester

Effektgarn aus 47 % Polyamid, 18 % Mohair, 18 % metallisiertem Polyester und 17 % Polyacryl

Wichtige Informationen auf der Garnbanderole
Die Garnbanderole oder das Einstecketikett nennt Ihnen alle wichtigen Informationen über Ihr Garn. Um diese Angaben auch später noch parat zu haben, empfiehlt es sich, zu jedem Modell einen Garnrest zusammen mit einer Banderole und eventuell mit der Maschenprobe aufzubewahren.

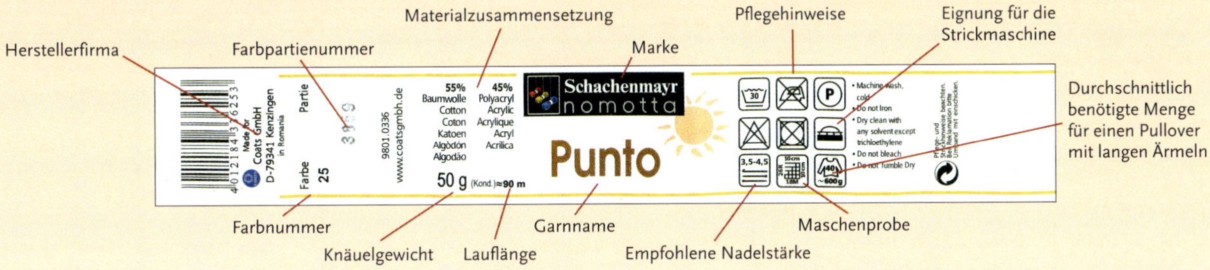

Stricken nach Anleitung

Strickanleitungen erscheinen manchen Neulingen wie ein Buch mit sieben Siegeln. Dabei ist es nicht schwer, nach Anleitung zu stricken, wenn man erst einmal weiß, worauf man achten muss. Zählmuster und Strickschriften verdeutlichen die Arbeitsweise.

Normalerweise enthält jede Strickanleitung neben einem oder mehreren Farbfotos des jeweiligen Modells folgende Informationen:

- Größe(n)
- Material, Nadeln und Zubehör
- Maschenprobe
- Strickanleitung

Dazu kommen oft weitere Angaben zu den Strickmustern sowie Schnittverkleinerungen, Strickschriften und/oder Zählmuster. All diese Informationen zusammen ermöglichen es, das abgebildete Modell originalgetreu nachzustricken.

Größe (1)

War es früher üblich, jedes Modell nur in einer einzigen Größe zu beschreiben, so nennen heute viele Strickanleitungen alle notwendigen Angaben für mehrere Größen. Es gibt Anleitungen, in denen die Informationen für bis zu sechs verschiedene Größen zusammengefasst sind. Seit einiger Zeit werden auch immer häufiger die amerikanischen Größen S (small = klein), M (medium = mittel) und L (large = groß), oft auch mit Zwischengrößen wie XS (extra small = extra klein) oder XL (extra large = extra groß) verwendet. Um festzustellen, welche Größe für Sie die Richtige ist, sollten Sie nicht einfach Ihre übliche Konfektionsgröße wählen, sondern sich vorher informieren, welche Maße den Größenangaben zugrunde liegen. Diese Maße können Sie der Schnittverkleinerung (siehe Seite 21) entnehmen. In manchen Büchern und Zeitschriften stehen die Maße für Oberweite, Ärmellänge und Gesamtlänge auch tabellarisch aufgelistet beim jeweiligen Modell.

Am besten messen Sie einen Pullover ab, der Ihnen (oder demjenigen, für den Sie stricken) perfekt passt und ähnlich geschnitten ist wie Ihr Wunschmodell, und vergleichen die Maße mit den Angaben in Ihrer Anleitung. Achten Sie besonders auf die Oberweite: Einen Pullover, der zu knapp oder allzu locker sitzt, werden Sie nicht gerne tragen.

Material, Nadeln und Zubehör (2)

Die Materialangaben zu einem Modell können variieren. Auf jeden Fall müssen die erforderliche Garnmenge und die Garnstärke genannt sein. Solche knappen Angaben genügen allerdings nur für sehr einfache Modelle, bei denen Passform, Struktur und Fall keine große Rolle spielen, also beispielsweise für Stricktiere. Gerade bei Kleidungsstücken kommt es auf möglichst genaue Informationen über das verwendete Garn an, damit das Modell auch so gelingt, wie auf dem Foto zur Anleitung abgebildet. Meist stehen deshalb in der Materialliste neben dem Namen des Garnes und des Herstellers auch die Zusammensetzung des Garnes und die Lauflänge, sodass Sie gegebenenfalls nach einem Alternativgarn suchen können, wenn Sie das Originalgarn nicht bekommen oder aus anderen Gründen nicht verwenden wollen.

Die Materialzusammensetzung ist wichtig, weil sich beispielsweise ein Woll- oder Wollmischgarn nicht ohne Weiteres durch ein reines Synthetik- oder Baumwollgarn ersetzen lässt (siehe auch Praxis-Tipp Seite 17).

Die Lauflänge sagt aus, wie viele Meter Garn ein Knäuel enthält: Je höher die Lauflänge, desto mehr Meter Garn enthält der Knäuel und desto dünner und/oder leichter ist das Material.

Dicke Garne aus schwerem Material wie Baumwolle haben demnach eine sehr geringe Lauflänge.

Achten Sie unbedingt darauf, auf welches Knäuelgewicht sich die Lauflänge bezieht! Die meisten Knäuel wiegen 50 g, doch werden sehr dicke Garne oft in 100-g-Knäueln verkauft, während sehr feine, kostbare Garne bisweilen nur als 25-g-Knäuel angeboten werden. Die Angabe „LL 200 m/50 g" bedeutet demnach, dass ein Knäuel des entsprechenden Garnes 50 g schwer ist und der Faden 200 m lang ist.

Bei der Garnangabe stehen meist auch die Informationen über die empfohlene Nadelstärke sowie über zusätzlich benötigtes Material wie Knöpfe oder Reißverschlüsse. Dass Sie eine Hilfsnadel für Zopfmuster, eine Wollnadel zum Zusammennähen, ein Maßband und eine Schere zum Abschneiden des Fadens besitzen, wird normalerweise vorausgesetzt und deshalb oft nicht eigens erwähnt.

Maschenprobe (3)

Die Maschenprobe (siehe auch Seite 24) ist eine entscheidende Information in Ihrer Strickanleitung. Nur wenn Sie mit

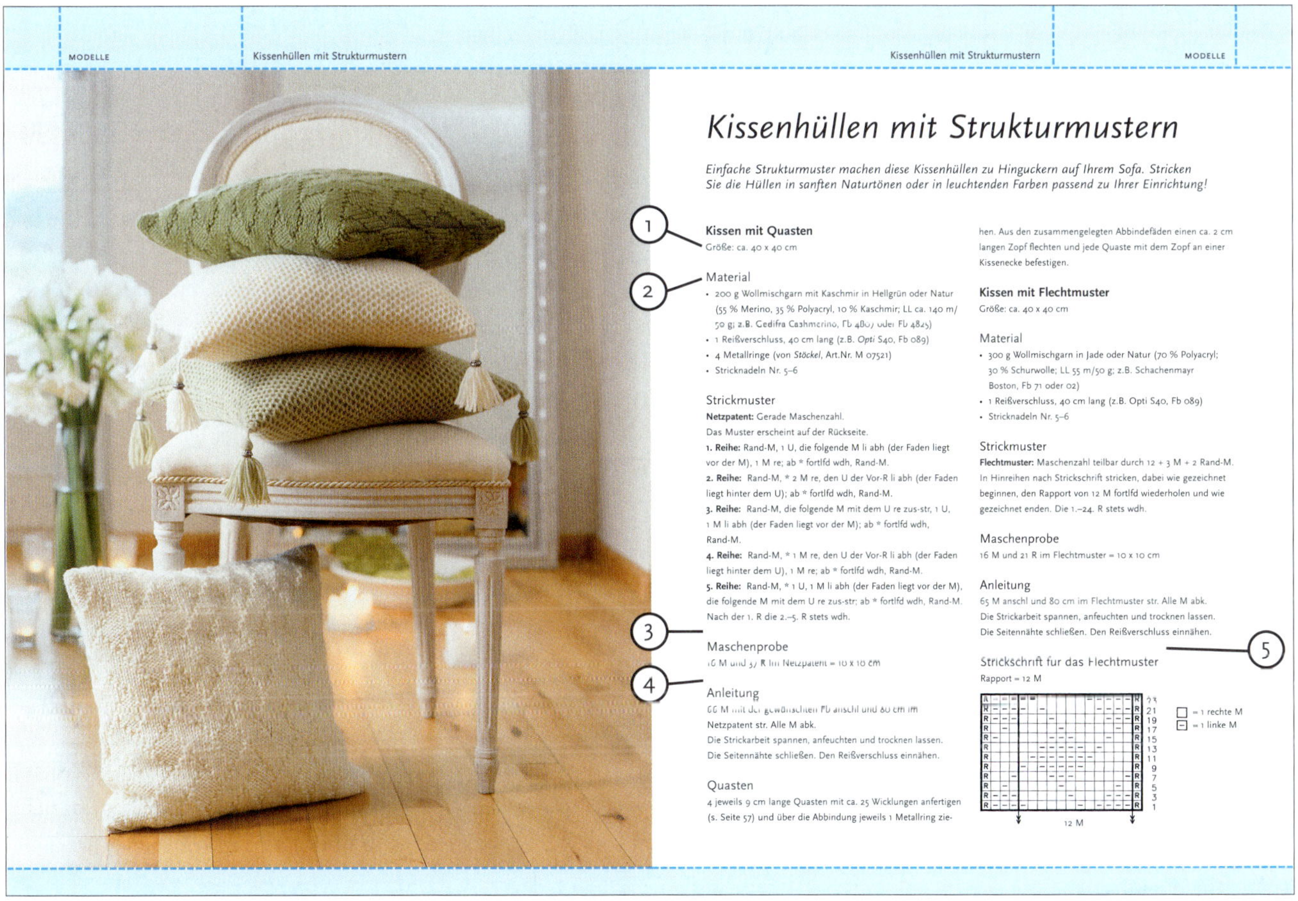
MODELLE | Kissenhüllen mit Strukturmustern | Kissenhüllen mit Strukturmustern | MODELLE

Kissenhüllen mit Strukturmustern

Einfache Strukturmuster machen diese Kissenhüllen zu Hinguckern auf Ihrem Sofa. Stricken Sie die Hüllen in sanften Naturtönen oder in leuchtenden Farben passend zu Ihrer Einrichtung!

1 **Kissen mit Quasten**
Größe: ca. 40 x 40 cm

2 Material
- 200 g Wollmischgarn mit Kaschmir in Hellgrün oder Natur (55 % Merino, 35 % Polyacryl, 10 % Kaschmir; LL ca. 140 m/50 g; z.B. Gedifra Cashmerino, Fb 4807 oder Fb 4825)
- 1 Reißverschluss, 40 cm lang (z.B. *Opti* S40, Fb 089)
- 4 Metallringe (von *Stöckel*, Art.Nr. M 07521)
- Stricknadeln Nr. 5–6

Strickmuster
Netzpatent: Gerade Maschenzahl.
Das Muster erscheint auf der Rückseite.
1. Reihe: Rand-M, 1 U, die folgende M li abh (der Faden liegt vor der M), 1 M re; ab * fortlfd wdh, Rand-M.
2. Reihe: Rand-M, * 2 M re, den U der Vor-R li abh (der Faden liegt hinter dem U); ab * fortlfd wdh, Rand-M.
3. Reihe: Rand-M, die folgende M mit dem U re zus-str, 1 U, 1 M li abh (der Faden liegt vor der M); ab * fortlfd wdh, Rand-M.
4. Reihe: Rand-M, * 1 M re, den U der Vor-R li abh (der Faden liegt hinter dem U), 1 M re; ab * fortlfd wdh, Rand-M.
5. Reihe: Rand-M, * 1 U, 1 M li abh (der Faden liegt vor der M), die folgende M mit dem U re zus-str; ab * fortlfd wdh, Rand-M.
Nach der 1. R die 2.–5. R stets wdh.

3 Maschenprobe
16 M und 37 R im Netzpatent = 10 x 10 cm

4 Anleitung
66 M mit der gewünschten Fb anschl und 80 cm im Netzpatent str. Alle M abk.
Die Strickarbeit spannen, anfeuchten und trocknen lassen.
Die Seitennähte schließen. Den Reißverschluss einnähen.

Quasten
4 jeweils 9 cm lange Quasten mit ca. 25 Wicklungen anfertigen (s. Seite 57) und über die Abbindung jeweils 1 Metallring ziehen. Aus den zusammengelegten Abbindefäden einen ca. 2 cm langen Zopf flechten und jede Quaste mit dem Zopf an einer Kissenecke befestigen.

Kissen mit Flechtmuster
Größe: ca. 40 x 40 cm

Material
- 300 g Wollmischgarn in Jade oder Natur (70 % Polyacryl; 30 % Schurwolle; LL 55 m/50 g; z.B. Schachenmayr Boston, Fb 71 oder 02)
- 1 Reißverschluss, 40 cm lang (z.B. Opti S40, Fb 089)
- Stricknadeln Nr. 5–6

Strickmuster
Flechtmuster: Maschenzahl teilbar durch 12 + 3 M + 2 Rand-M. In Hinreihen nach Strickschrift stricken, dabei wie gezeichnet beginnen, den Rapport von 12 M fortlfd wiederholen und wie gezeichnet enden. Die 1.–24. R stets wdh.

Maschenprobe
16 M und 21 R im Flechtmuster = 10 x 10 cm

Anleitung
65 M anschl und 80 cm im Flechtmuster str. Alle M abk.
Die Strickarbeit spannen, anfeuchten und trocknen lassen.
Die Seitennähte schließen. Den Reißverschluss einnähen.

5 Strickschrift für das Flechtmuster
Rapport = 12 M

Ihrem Garn und Ihren Stricknadeln dieselbe Maschen- und Reihenzahl auf 10 x 10 cm erzielen, wie in der Anleitung genannt, entsprechen auch die Maße Ihres Projektes denen des Originalmodells.

Strickanleitung (4)

Die Arbeitsweise vom Maschenanschlag bis zur Fertigstellung wird in der eigentlichen Strickanleitung beschrieben. Um den Text überschaubar und kurz zu halten, werden in den Anleitungen meist Abkürzungen (siehe Seite 22) verwendet, die Ihnen zunächst vielleicht verwirrend vorkommen mögen. Mit ein wenig Erfahrung kennen Sie die gebräuchlichsten Abkürzungen bald auswendig.
Außerdem verweisen viele Anleitungen auf Strickschriften oder Zählmuster, in denen Muster oder Zu- und Abnahmen grafisch dargestellt werden.
Die Angaben für die verschiedenen Größen sind meist durch Schrägstriche voneinander getrennt; bisweilen findet man auch die Informationen für die kleinste Größe vor der Klammer und diejenigen für die übrigen Größen in der Klammer. Um während des Strickens den Überblick zu behalten, markieren Sie am besten die Angaben für Ihre Größe mit einem Leuchtstift. Gegebenenfalls kopieren Sie dazu Ihre Anleitung.
Die Anleitung beschreibt nicht nur, wie Ihr Modell gestrickt wird, sondern auch, wie Sie es fertigstellen, also wie Sie die Teile zusammennähen, Blenden anstricken, einen Reißverschluss einsetzen, Fransen einknüpfen oder Pompons anbringen.

Schnittverkleinerung

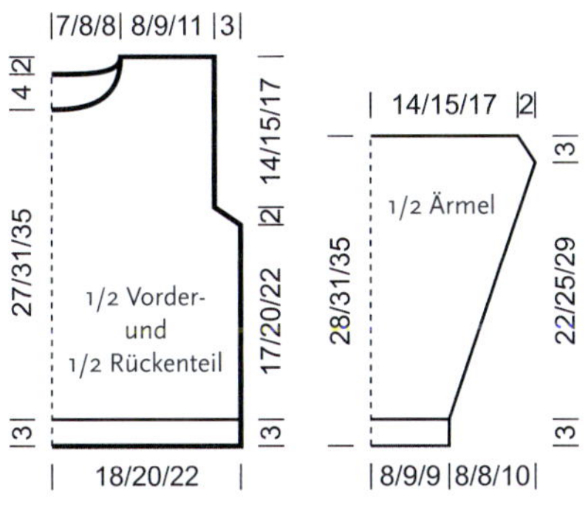

Die Schnittverkleinerung zeigt die einzelnen Teile Ihres Modells maßstabsgetreu und mit den Maßangaben versehen.
So können Sie die Form Ihres Strickteils jederzeit mit der Vorlage vergleichen und feststellen, ob die Maße stimmen.

Strickschriften und Zählmuster (5)

Strickschriften und Zählmuster sind Grafiken, die meist das Strickmuster, oft aber auch ganze Strickteile samt den für Arm- und Halsausschnitte oder Ärmelschrägen notwendigen Zu- und Abnahmen abbilden.

In Strickschriften werden die einzelnen Maschentypen und Maschenkombinationen durch Symbole in einem Kästchenraster dargestellt (siehe Abbildung unten). Viele Strickerinnen arbeiten lieber nach solchen Grafiken als nach Anleitungen, in denen jede einzelne Reihe beschrieben wird, weil sie sich anhand der Strickschrift das Maschenbild besser vorstellen können.

Strickschrift

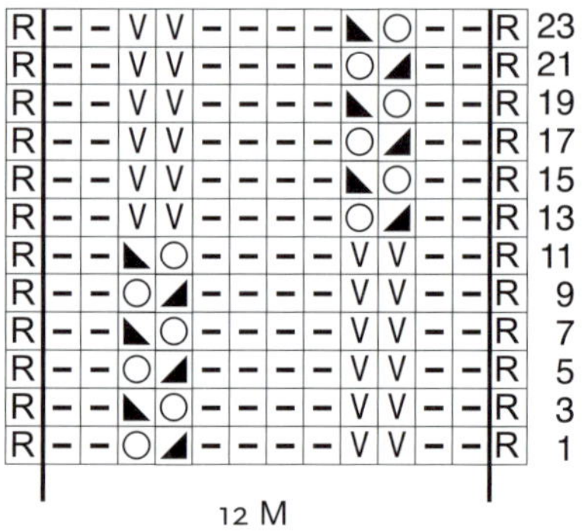

12 M

Zählmuster

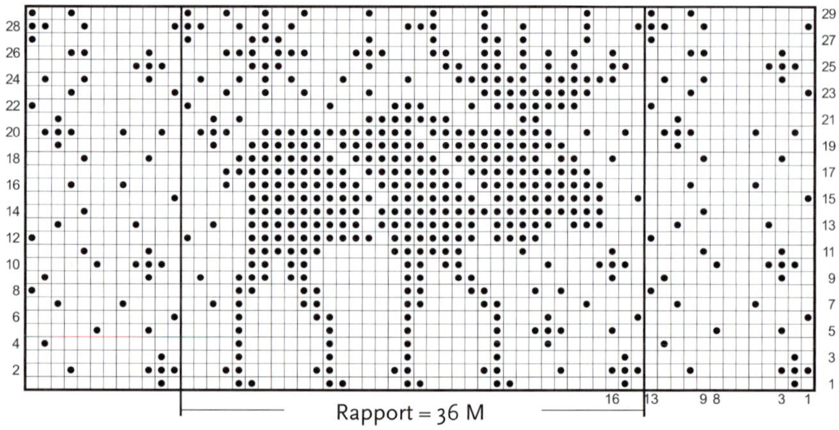

Zählmuster werden vor allem für farbige Einstrickmuster in Jacquard- oder Intarsientechnik verwendet. Dabei entspricht ebenfalls jedes Karo eines Rasters einer Masche, jedoch wird üblicherweise durchgehend glatt rechts gestrickt. Deshalb werden die Kästchen in den Farben des Strickgarns ausgefüllt oder mit Symbolen für die einzelnen Farben gekennzeichnet.

Strickschriften und Zählmuster zeigen die Strickarbeit meist so, wie sie auf der rechten Seite erscheint. Man arbeitet sie von unten nach oben Reihe für Reihe ab. Die ungeraden Reihen werden von rechts nach links, die geraden von links nach rechts gelesen. Arbeitsbeginn ist demnach in der rechten unteren Ecke der Grafik.

Manche Strickschriften zeigen nur die ungeraden Reihen, also die Hinreihen, bei denen man die rechte Seite der Arbeit vor Augen hat. Dann steht in der Anleitung, wie die Maschen in den geraden Reihen gestrickt werden müssen, beispielsweise durchweg links oder „wie sie erscheinen", also rechte Maschen rechts, linke Maschen links.

Abkürzungen

abh	abheben
abk	abketten
Abn	Abnahme
abn	abnehmen
abstr	abstricken
abw	abwechselnd
anschl	anschlagen
arb	arbeiten
aufn	aufnehmen
einarb	einarbeiten
Fb	Farbe
Fh	Faden hinter die Nadel legen
fortlfd	fortlaufend
Fv	Faden vor die Nadel legen
gestr	gestrickt
Hilfs-Nd	Hilfsnadel
Hin-R	Hinreihe(n)
li	linke/links
li verschr	links verschränkt
M	Masche(n)
M-Zahl	Maschenzahl
Nd	Nadel(n)
R	Reihe(n)
Rand-M	Randmasche(n)
R-Beginn	Reihenbeginn
Rd-Beginn	Rundenbeginn
Rd-Ende	Rundenende
Rd	Runde(n)
re	rechte/rechts
R-Ende	Reihenende
re verschr	rechts verschränkt
Rück-R	Rückreihe(n)
str	stricken
U	Umschlag
übz	überzogen
verschr	verschränkt
vord	vordere
wdh	wiederholen
weiterarb	weiterarbeiten
weiterstr	weiterstricken
Zopf-Nd	Zopfnadel
Zun	Zunahme
zun	zunehmen
zus-str	zusammenstricken

Zeichenerklärung

R Rand-M

- 1 M li ☐ 1 M re

= 1 M kraus re (in Hin- und Rück-R re str)

○ 1 U

⊝ 1 U, in der Rück-R den U re verschr str

◢ 2 M re zus-str ◣ 2 M re übz zus-str

▲ 3 M re übz zus-str (2 M zus wie zum Rechtsstricken abh, die folgende M re str, dann die abgehobene M über die gestrickte M ziehen)

■ 3 M re zus-str

◿ 2 M li zus-str ◺ 2 M li verschr zus-str

△ 3 M li zus-str

3 aus 1 M 3 M herausstr (1 M re, 1 U, 1 M re)

V 1 M re verschr, in der Rück-R die M li verschr str

P 1 Patent-M (in Rück-R 1 M re, in Hin-R 1 M re, dabei 1 R tiefer einstechen)

N 1 Noppe (aus 1 M [1 M re, 1 U, 1 M re, 1 U, 1 M re] herausstr, wenden, 5 M li str, wenden, 5 M re str, dann die 4., 3., 2. und 1. M über die 5. M ziehen)

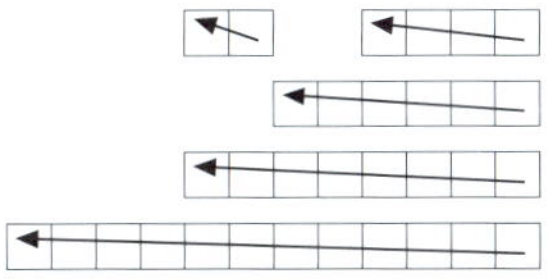
1/2/3/4/6 M auf einer Hilfs-Nd vor die Arbeit legen, 1/2/3/4/6 M re str, dann die M der Hilfs-Nd re str

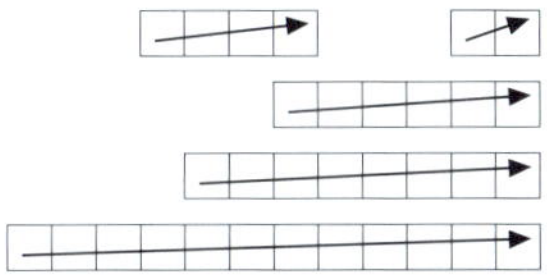
1/2/3/4/6 M auf einer Hilfs-Nd hinter die Arbeit legen, 1/2/3/4/6 M re str, dann die M der Hilfs-Nd re str

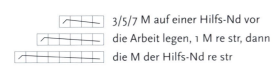

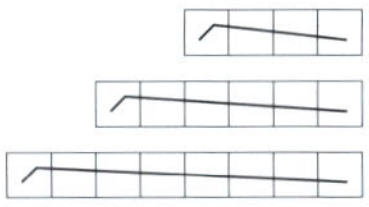
3/5/7 M auf einer Hilfs-Nd vor die Arbeit legen, 1 M re str, dann die M der Hilfs-Nd re str

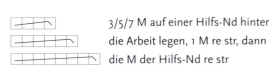

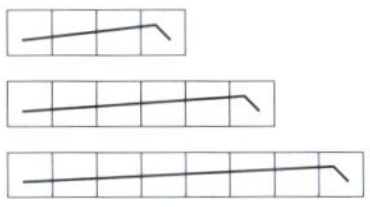
3/5/7 M auf einer Hilfs-Nd hinter die Arbeit legen, 1 M re str, dann die M der Hilfs-Nd re str

4 M auf einer Hilfs-Nd vor die Arbeit legen, 2 M re str, dann die M der Hilfs-Nd re str

2 M auf einer Hilfs-Nd hinter die Arbeit legen, 4 M re str, dann die M der Hilfs-Nd re str

1 M auf einer Hilfs-Nd vor die Arbeit legen, 1 M li str, dann die 1 M der Hilfs-Nd re str

2 M auf einer Hilfs-Nd vor die Arbeit legen, 1 M li str, dann die 2 M der Hilfs-Nd re str

3 M auf einer Hilfs-Nd vor die Arbeit legen, 1 M li str, dann die 3 M der Hilfs-Nd re str

2 M auf einer Hilfs-Nd vor die Arbeit legen, 2 M li str, dann die 2 M der Hifs-Nd re str

4 M auf einer Hilfs-Nd vor die Arbeit legen, 2 M li str, dann die 4 M der Hilfs-Nd re str

1 M auf einer Hilfs-Nd hinter die Arbeit legen, 1 M re str, dann die 1 M der Hilfs-Nd li str

1 M auf einer Hilfs-Nd hinter die Arbeit legen, 2 M re str, dann die 2 M der Hilfs-Nd li str

1 M auf einer Hilfs-Nd hinter die Arbeit legen, 3 M re str, dann die 1 M der Hilfs-Nd li str

2 M auf einer Hilfs-Nd hinter die Arbeit legen, 4 M re str, dann die 2 M der Hilfs-Nd li str

4 M auf einer Hilfs-Nd vor die Arbeit legen, 1 M li, 2 M re, 1 M li str, dann die M der Hilfs-Nd 1 M li, 2 M re, 1 M li str

4 M auf einer Hilfs-Nd hinter die Arbeit legen, 1 M li, 2 M re, 1 M li str, dann die M der Hilfs-Nd 1 M li, 2 M re, 1 M li str

3 M auf einer Hilfs-Nd hinter die Arbeit legen, die folgenden 3 M auf einer 2. Hilfs-Nd vor die Arbeit legen, 3 M re str, die 3 M der 2. Hilfs-Nd re str, dann die M der 1. Hilfs-Nd re str

3 M auf einer Hilfs-Nd hinter die Arbeit, die folgenden 3 M auf einer 2. Hilfs-M re str, die 3 M der 2. Hilfs-Nd re str, dann die M der 1. Hilfs-Nd re str

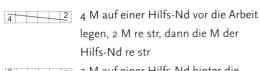

4 M auf einer Hilfsnadel vor die Arbeit legen, 3 M re str, die li M der Hilfsnadel heben und li str, dann die 3 M der Hilfsnadel re str

Maschenprobe

Wohl kein Arbeitsschritt beim Stricken ist so unbeliebt wie die Maschenprobe. Aber wenn Ihr Kleidungsstück später wirklich gut sitzen soll, müssen Sie sich die Zeit für ein Probequadrat nehmen, denn schon geringe Abweichungen beeinträchtigen die Passform.

Die Maschenprobe gibt Auskunft darüber, wie viele Maschen und Reihen auf 10 cm Strickbreite und -höhe kommen. Die Maschen- und Reihenzahl hängt von verschiedenen Faktoren ab. Entscheidend sind

- Garnstärke,
- Nadelstärke und
- individuelle Stricktechnik.

Dass weniger Maschen und Reihen auf 10 x 10 cm gestrickt werden müssen, wenn man mit voluminösem Garn und dicken Nadeln arbeitet, leuchtet auf Anhieb ein. Doch die Maschenprobe variiert auch von Strickerin zu Strickerin stark und hängt bisweilen sogar bei einer einzigen Strickerin von der Tagesform ab. Manche Strickerinnen ziehen den Faden bei jeder Masche stark an, stricken also sehr fest, während andere extrem locker arbeiten. Aber auch Stress, Müdigkeit oder Ablenkung – beispielsweise durch das Fernsehen beim Stricken – können sich auf die Maschenprobe auswirken.

Angaben in der Anleitung

In der Anleitung zu Ihrem Wunschmodell finden Sie eine Angabe zur Maschenprobe, die etwa folgendermaßen lauten könnte:

30 Maschen und 42 Reihen mit Nadeln Nr. 2–3 glatt rechts gestrickt = 10 x 10 cm

Das bedeutet, dass 30 Maschen in der Breite und 42 Reihen in der Höhe ein Quadrat von 10 x 10 cm Seitenlänge ergeben. Nur wenn Sie beim Stricken dieselbe Maschen- und Reihenzahl erzielen, wird Ihr Modell am Ende den in der Anleitung angegebenen Maßen entsprechen. Schon ein oder zwei Maschen weniger oder mehr auf 10 cm Breite können über die gesamte Breite des Kleidungsstücks eine Abweichung von ein bis zwei Konfektionsgrößen ergeben.
Auch auf der Garnbanderole ist meist eine durchschnittliche Maschenprobe für glatt rechtes Gestrick mit der empfohlenen Nadelstärke abgedruckt.

Probequadrat stricken

Um die Maschenprobe zu ermitteln, stricken Sie mit dem Originalgarn für Ihr Modell und der empfohlenen Nadelstärke ein Probequadrat. Dafür schlagen Sie mindestens zehn Maschen mehr an, als für die Breite von 10 cm angegeben, und stricken im angegebenen Muster, bis Ihr Probestück quadratisch ist. Damit das Quadrat sich an den Kanten nicht einrollt, empfiehlt es sich speziell bei glatt rechtem Gestrick, am oberen und unteren Ende einige Reihen und an den Seitenkanten einige Maschen kraus rechts zu stricken. Allerdings muss der im Originalmuster gestrickte Teil in der Mitte etwas größer als 10 x 10 cm sein. Das fertige Probequadrat spannen Sie leicht, ohne es zu dehnen (falls das nicht ausdrücklich in der Anleitung verlangt wird) und dämpfen es oder feuchten es an und lassen es trocknen, bevor Sie die Maschenprobe auszählen.

Maschen und Reihen auszählen

Legen Sie das Probequadrat flach hin und messen Sie eine Strecke von 10 cm horizontal über eine Maschenreihe ab. Legen Sie das Maßband in der Mitte und nicht am Rand an, um ein möglichst gleichmäßiges Maschenbild als Grundlage für Ihre Messung zu haben. Markieren Sie Anfang und Ende der 10-cm-Strecke mit Stecknadeln.
Nun zählen Sie die Maschen zwischen den Nadeln. Bei rechten Maschen gilt jede V-Form als eine Masche; zählen Sie auch eventuelle halbe Maschen mit.

Anschließend messen Sie vertikal über eine „Säule“ von Maschen ebenfalls eine 10 cm lange Strecke ab und markieren

Anfang und Ende mit Stecknadeln. Zählen Sie die Reihen zwischen den Nadeln einschließlich halber Reihen aus.

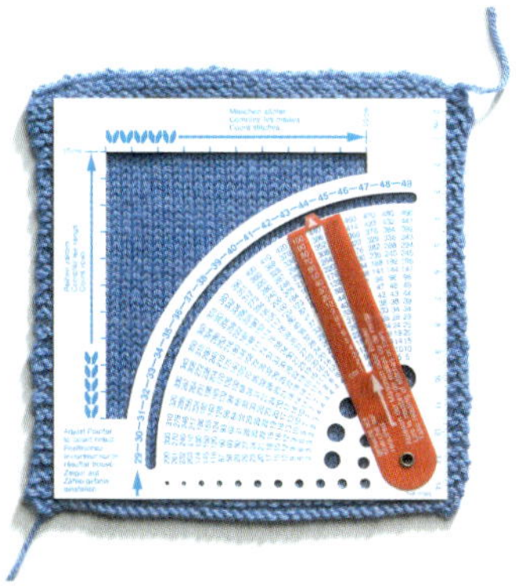

Ein Zählrahmen erleichtert das Auszählen der Maschenprobe: Die geraden Innenkanten links und oben begrenzen exakt einen Ausschnitt von 10 cm in der Höhe und in der Breite, sodass Sie nur noch die Maschen entlang der jeweiligen Kante zählen müssen.

Nadelstärke ermitteln

Vergleichen Sie Ihre Maschenprobe mit der Angabe in der Anleitung: Stimmen die Maschen- und Reihenzahlen überein, so können Sie sofort mit Ihrem Projekt beginnen und die empfohlene Nadelstärke verwenden.

Wenn Sie mehr Maschen und Reihen auf 10 x 10 cm gearbeitet haben, als in der Anleitung angegeben, so stricken Sie besonders fest. Fertigen Sie ein zweites Probequadrat mit etwas dickeren Nadeln an und zählen Sie anschließend Maschen und Reihen erneut aus. Wiederholen Sie dieses Verfahren, bis die Maschenprobe stimmt.

Haben Sie jedoch weniger Maschen und Reihen auf 10 x 10 cm gearbeitet, als in der Anleitung steht, so stricken Sie besonders locker. Stricken Sie das zweite Probequadrat mit etwas dünneren Nadeln und überprüfen Sie die Maschenprobe erneut. Auch in diesem Fall wiederholen Sie den Vorgang, bis Ihre Maschenprobe mit den Angaben in der Anleitung übereinstimmt.

Diese drei Probequadrate wurden mit dem gleichen Garn, aber mit unterschiedlichen Nadelstärken gestrickt: (von links nach rechts) Nadeln Nr. 4, Nr. 3 und Nr. 2. Der Größenunterschied ist nicht zu übersehen.

Maschen anschlagen

Am Beginn jeder Strickarbeit müssen Maschen angeschlagen werden, in die dann die erste eigentliche Strickreihe gearbeitet wird. Am gebräuchlichsten ist bei uns der Kreuzanschlag, doch gibt es daneben einige andere interessante Techniken.

Kreuzanschlag

Für den Kreuzanschlag brauchen Sie einen Anfangsfaden, dessen Länge sich nach der Zahl der anzuschlagenden Maschen richtet. Messen Sie pro Masche 1,5 bis 2 cm Garn ab und geben Sie 20 bis 30 cm zu.

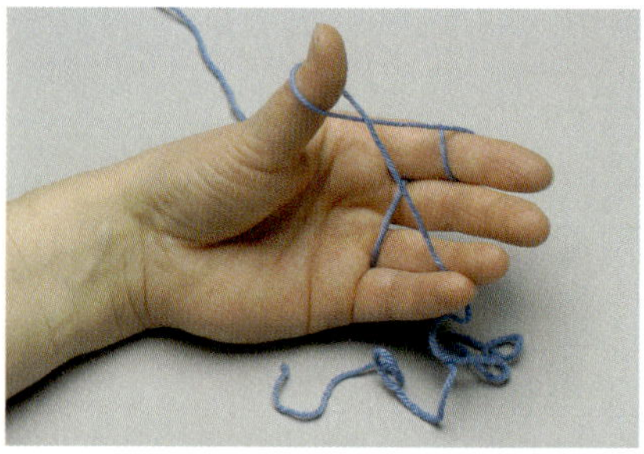

Den vom Knäuel kommenden Faden von hinten zwischen dem kleinen Finger und dem Ringfinger der linken Hand nach vorne und zwischen Mittel- und Zeigefinger wieder nach hinten führen. Dann den Faden einmal um den Zeigefinger wickeln. Das lange Fadenende hängt vom Zeigefinger herab. Dieses Fadenende von vorne nach hinten um den Daumen legen und zwischen Ringfinger und kleinem Finger fixieren.

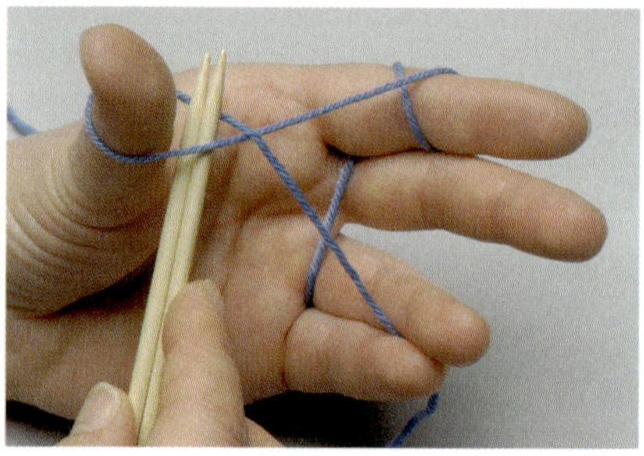

* Von unten in die Daumenschlinge einstechen.

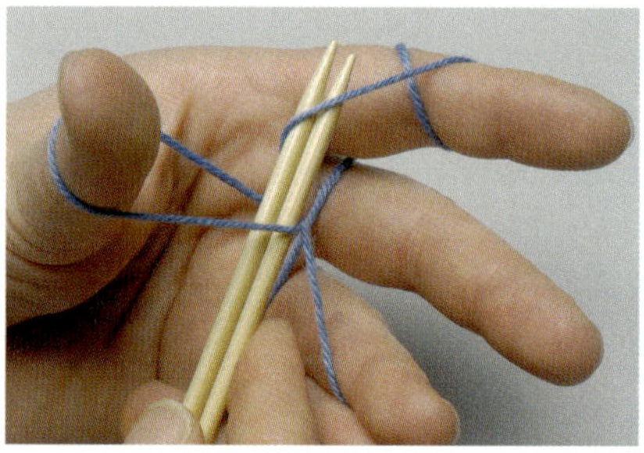

Die Nadeln von rechts nach links unter dem Faden durchführen, der vom Daumen zum Zeigefinger führt.

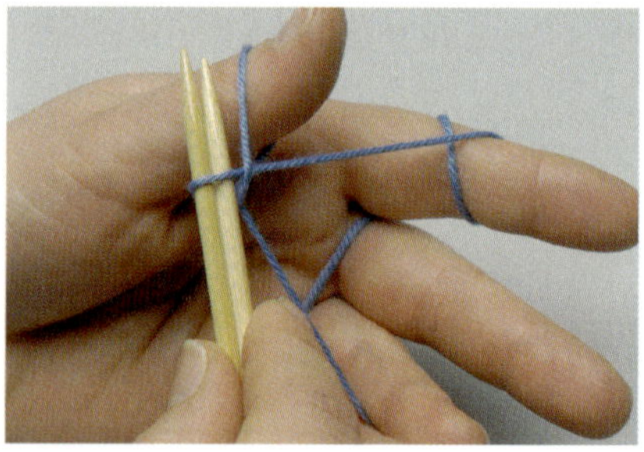

Den Faden durch die Daumenschlinge ziehen.

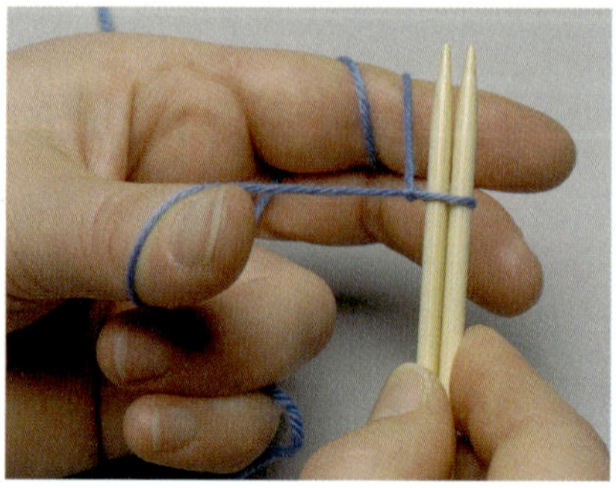

Die Schlinge vom Daumen gleiten lassen, den Daumen unter das lange Fadenende schieben, das zum Ringfinger führt, den Faden straffen und dadurch die Schlingen auf der Nadel bzw. den Nadeln als 1. Masche festziehen.

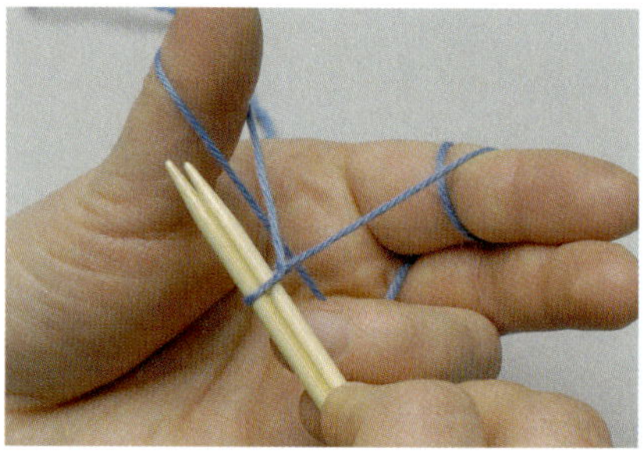

Den Daumen wieder in seine ursprüngliche Position bringen, sodass sich das lange Fadenende wieder als Schlinge herumlegt.

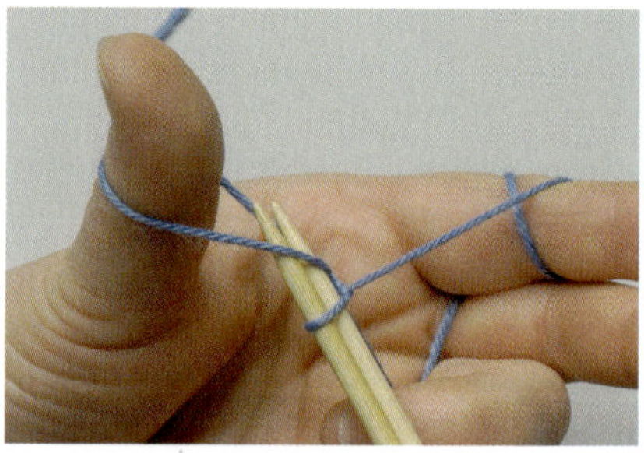

Die Arbeitsschritte ab * fortlaufend wiederholen, bis die gewünschte Maschenzahl angeschlagen ist.

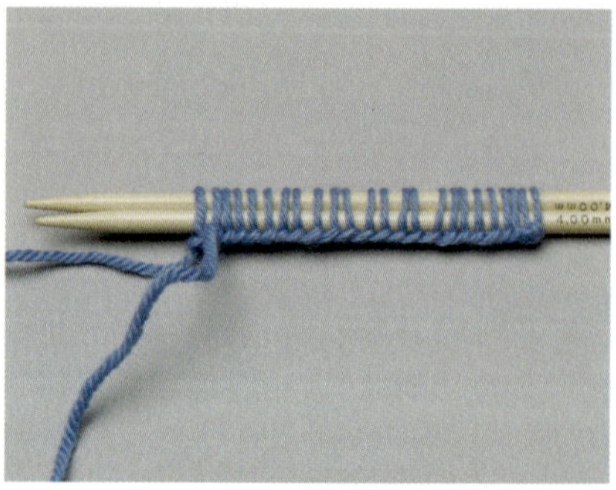

Die fertige Anschlagreihe: Ziehen Sie eine der beiden Nadeln vorsichtig heraus, bevor Sie die 1. Reihe Ihres Modells stricken.

Kreuzanschlag mit doppeltem Faden

Dieser dekorative Anschlag wird mit einem einfachen und einem doppelten Faden gearbeitet. Der doppelte Faden soll mindestens doppelt so lang sein, wie der gewünschte Anschlagrand breit ist.

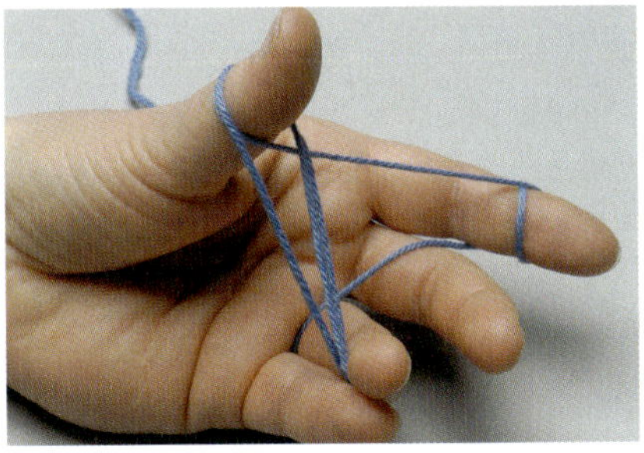

Den einfachen Faden (vom Knäuel) über den Zeigefinger, * den doppelten Faden von außen nach innen über den Daumen der linken Hand legen und mit den übrigen Fingern leicht festhalten.

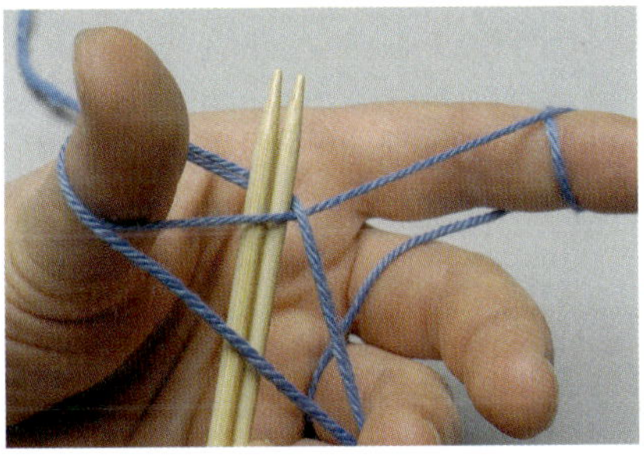

Für die 1. Masche von unten in die Daumenschlinge einstechen und den Faden, der zum Zeigefinger führt, mit dem Nadelpaar erfassen.

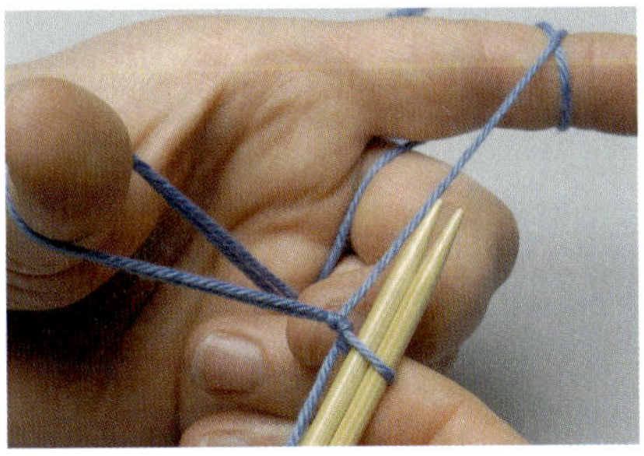

Den Faden mit den Nadeln durch die Schlinge holen und die 1. Masche festziehen.

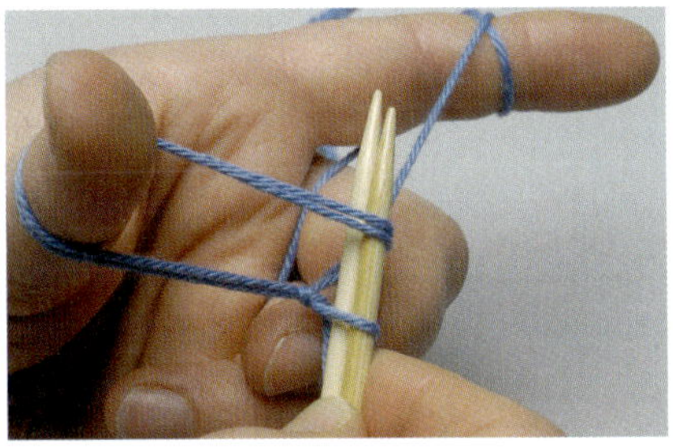

Für die 2. Masche den doppelten Faden von innen nach außen über den Daumen legen. Unter dem inneren Faden einstechen.

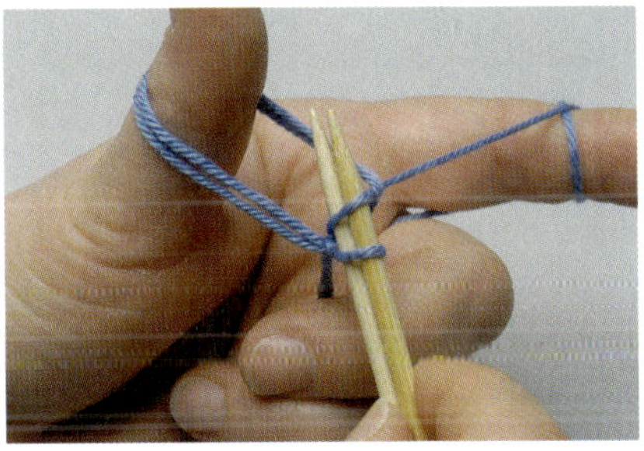

Den einfachen Faden durchholen und die Masche anziehen.
Die Arbeitsschritte ab * fortlaufend wiederholen, also im Wechsel für eine Masche den doppelten Faden von außen nach innen und für die nächste von innen nach außen um den Daumen legen und jeweils unter dem äußeren bzw. inneren Doppelfaden einstechen.

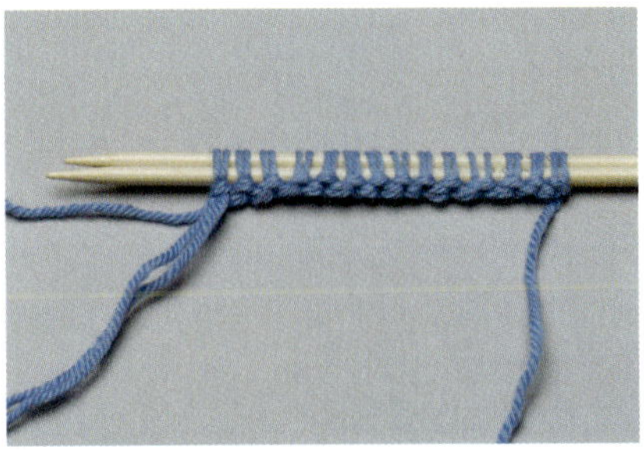

Die fertige Anschlagreihe zeigt Maschenpaare über breiten Quergliedern aus dem doppelten Faden. Als 1. Reihe eine Rückreihe links stricken, dann im Grundmuster laut Anleitung weiterarbeiten. Die beiden Querglieder bilden eine attraktive Kante.

Praxis-Tipp

Die Anschlagtricks der Strickprofis

Zum Anschlagen von Maschen im Kreuzanschlag verwendet man häufig zwei parallel gelegte Stricknadeln oder eine Nadel, die dicker ist als diejenigen, mit denen das eigentliche Projekt gestrickt werden soll. Auf diese Weise werden die Anschlagmaschen größer, sodass man in der ersten Strickreihe leichter einstechen kann.

Bei glatt rechtem Gestrick arbeitet man nach dem Anschlagen normalerweise eine Rückreihe linke Maschen, weil die Rückseite des Maschenanschlags an die charakteristischen „Höcker" linker Maschen erinnert.

Anschlagkanten, die später beim Tragen des Kleidungsstücks besonders stark strapaziert werden, verstärken Sie am besten, indem Sie den Daumenfaden doppelt nehmen, wie beim Kreuzanschlag mit doppeltem Faden beschrieben, und dann einen normalen Kreuzanschlag arbeiten.

Dadurch, dass das doppelt gelegte Fadenstück am Ende eine Schlaufe bildet, können Sie den Daumenfaden sogar notfalls verlängern, falls er sich während des Anschlagens als zu kurz erweist: Hängen Sie einfach in die Schlaufe einen weiteren doppelt gelegten Faden ein, dann können Sie weiter Maschen anschlagen und müssen nicht die ganze Anschlagreihe wieder auftrennen.

Italienischer Anschlag

Der italienische Anschlag ist eine Anschlagtechnik, die Pullovern, Jacken, Socken und Mützen ein besonders professionelles Aussehen verleiht, denn die Anschlagmaschen bilden dabei keine gerade Kante, sondern erscheinen abgerundet wie bei fertig gekauften Strickmodellen. Deshalb wird dieser Anschlag auch als „runder Anschlag“ bezeichnet. Italienisch angeschlagene Bündchen sind nicht nur besonders schön, sondern auch stärker dehnbar als beispielsweise im Kreuzanschlag begonnene Bündchen.
Für Modelle mit italienischem Anschlag brauchen Sie Stricknadeln in drei Stärken: Mit den dünnsten Nadeln und einem kontrastfarbenen Hilfsgarn wird eine Anschlagreihe konventionell gearbeitet, anschließend werden einige Reihen mit diesen dünnsten Nadeln gestrickt. Der Rest des Bündchens wird mit den Nadeln mittlerer Stärke gearbeitet, das eigentliche Modell dann mit den Nadeln, mit denen die richtige Maschenprobe erzielt wurde. Am besten eignet sich der italienische Anschlag für Bündchen im schmalen Rippenmuster (1 Masche rechts, 1 Masche links im Wechsel), aber mit einem kleinen Trick lässt er sich auch für Bündchen im breiten Rippenmuster (2 Maschen rechts, 2 Maschen links im Wechsel) verwenden. Wählen Sie als Hilfsgarn ein nicht zu dickes, glattes Baumwollgarn in einer leuchtenden Farbe, das sich später leicht aus dem Gestrick heraustrennen lässt.

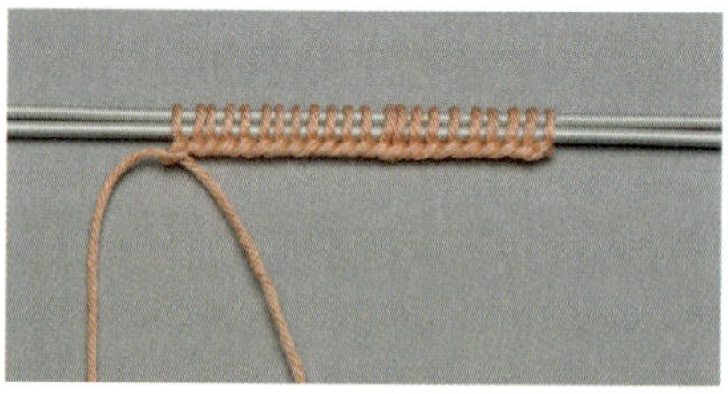

Mit dem kontrastfarbenen Hilfsfaden und den dünnsten Nadeln die Hälfte der erforderlichen Maschen (inklusive Randmaschen) plus 1 Masche konventionell anschlagen – beispielsweise im Kreuzanschlag – und die Fadenenden verknoten.

Statt die Maschen mit dem Hilfsfaden anzuschlagen, können Sie auch eine entsprechend lange Luftmaschenkette häkeln und die „Höcker“ auf der Rückseite der Luftmaschen als Maschen auf eine der dünnsten Nadeln auffassen.

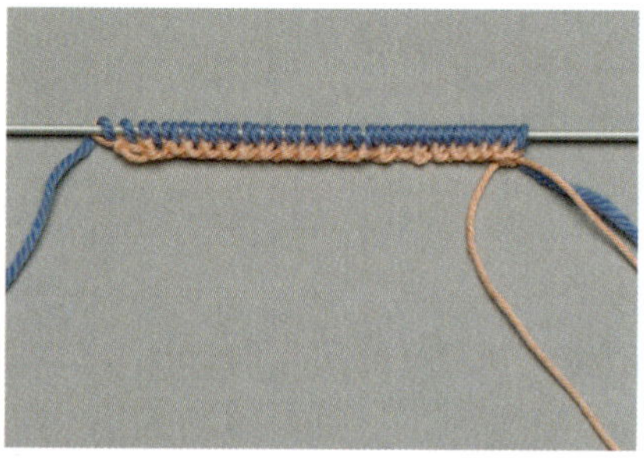

Die ersten 4 Reihen (bei dünneren Garnen 6 Reihen) werden mit dem Originalgarn, aber nach wie vor mit den dünnsten Nadeln gestrickt wie folgt:
1. Reihe: Randmasche, * 1 Umschlag, 1 Masche rechts; ab * fortlaufend wiederholen, enden mit 1 Umschlag, Randmasche.

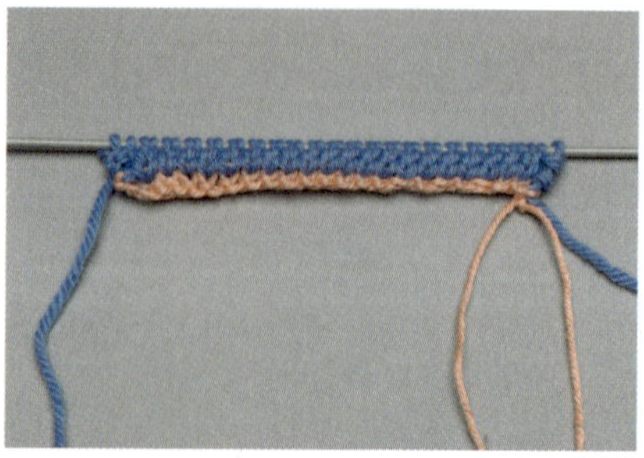

In den folgenden 3 Reihen die Umschläge bzw. die in der Vorreihe abgehobenen Maschen rechts stricken und die rechten Maschen der Vorreihe, die nun als linke Maschen erscheinen, links abheben (Faden vor der Arbeit).
2. Reihe: Randmasche, * den Umschlag der Vorreihe rechts stricken, 1 Masche links abheben (Faden vor der Nadel); ab * fortlaufend wiederholen, am Reihenende den Umschlag der Vorreihe rechts stricken, Randmasche.
3. Reihe: Randmasche, * 1 Masche links abheben (Faden vor der Nadel), 1 Masche rechts; ab * fortlaufend wiederholen, enden mit 1 Masche links abheben, Randmasche.
4. Reihe: Wie die 2. Reihe stricken, dabei jedoch statt der Umschläge die abgehobenen Maschen rechts stricken.
Bei dünneren Garnen wiederholen Sie die 3. und die 2. Reihe noch einmal.

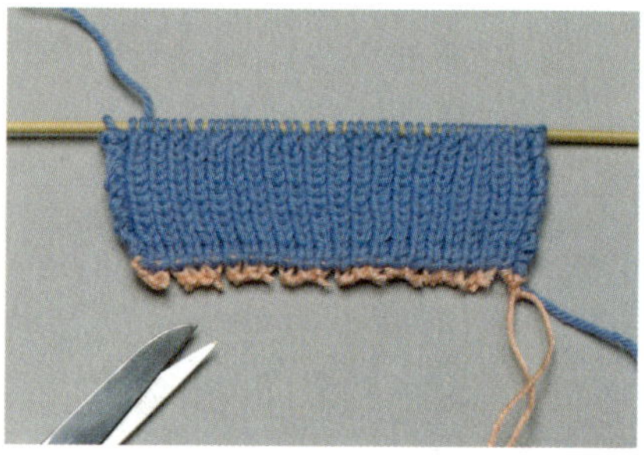

Zu den Bündchennadeln wechseln und das Bündchen wie gewohnt 1 Masche rechts, 1 Masche links im Wechsel stricken.
Den Hilfsfaden der Anschlagreihe vorsichtig an einigen Stellen durchschneiden und aus dem Gestrick trennen.

Das fertige Bündchen sieht perfekt aus und ist sehr elastisch.

Breites Rippenbündchen mit italienischem Anschlag

Für ein breites Rippenbündchen mit italienischem Anschlag schlagen Sie mit dem Hilfsfaden eine gerade Maschenzahl plus 1 Masche an und stricken die ersten 4 Reihen, wie oben beschrieben. In der 5. Reihe zu den etwas dickeren Bündchennadeln wechseln.

5. Reihe (= Hinreihe): Randmasche, * 1 Masche links, 1 Masche rechts, dann die übernächste Masche vor der nächsten Masche rechts stricken (rechte Nadel auf der Arbeitsvorderseite an der linken Masche vorbeiführen) und erst anschließend die übergangene linke Masche links stricken, beide Maschen von der linken Nadel gleiten lassen; ab * fortlaufend wiederholen und mit der Randmasche enden.

Von der 6. Reihe an wie gewohnt im Bündchenmuster 2 Maschen rechts, 2 Maschen links im Wechsel stricken.

Italienischer Anschlag in Runden

Z.B. für Socken oder Mützen müssen Sie den italienischen Anschlag in Runden arbeiten. Dazu die Hälfte der erforderlichen Maschenzahl mit dem Hilfsgarn und den dünnsten Nadeln anschlagen und die Maschen auf ein Nadelspiel verteilen. Zum Originalgarn wechseln, aber mit den dünnsten Nadeln weiterstricken.

1. Runde: * 1 Masche rechts, 1 Umschlag; ab * fortlaufend wiederholen.

2. Runde: * 1 Masche links abheben (Faden hinter der Nadel), 1 Masche links; ab * fortlaufend wiederholen.

3. Runde: * 1 Masche rechts, 1 Masche links abheben (Faden vor der Nadel).

4. Runde: Wie die 2. Runde stricken.

5. Runde: Wie die 3. Runde stricken.

In der 6. Runde zu den Bündchennadeln wechseln und im Rippenmuster weiterstricken.

Maschen aufschlingen

Diese Technik wendet man weniger zum Anschlagen einer ganzen Maschenreihe an, sondern nimmt eher am Ende einer Strickreihe mehrere Maschen zu. Hier sehen Sie dennoch die Arbeitsweise mit Anfangsschlinge.

Den Arbeitsfaden zu einem Ring legen, den vom Knäuel kommenden Faden mit der Stricknadel durchholen und als Anfangsschlinge auf die Nadel legen.

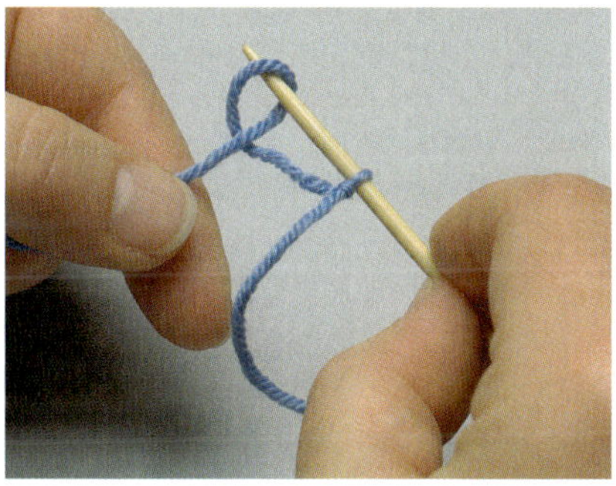

Den Arbeitsfaden über den linken Zeigefinger legen, die Schlaufe nach rechts drehen, sodass eine Schlinge entsteht.

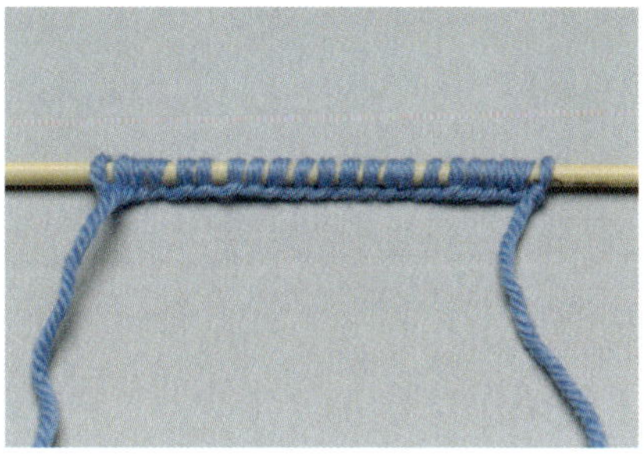

Diese Schlinge als 2. Masche auf die Nadel legen und festziehen.

Eine Reihe auf diese Weise aufgeschlungener Maschen ist relativ fest.

Maschen aufstricken

* Eine Anfangsschlinge arbeiten, wie beim Aufschlingen von Maschen beschrieben, aber auf der Nadel nicht ganz festziehen.

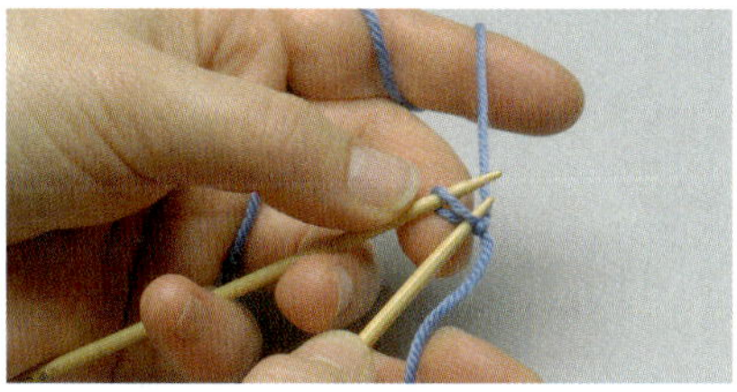

Von links nach rechts in die Masche einstechen.

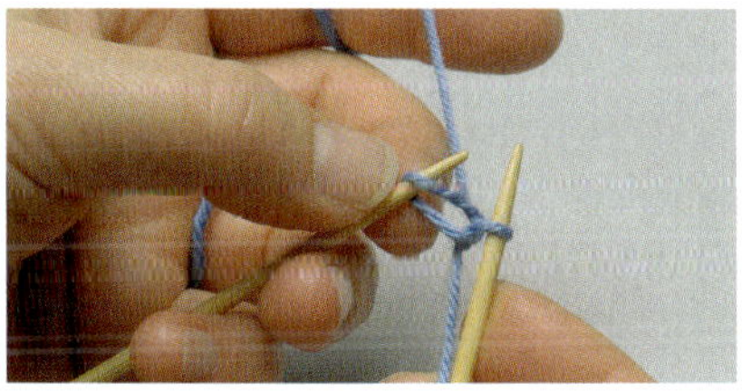

Den Arbeitsfaden um die Nadel legen und durch die Anfangsschlinge holen.

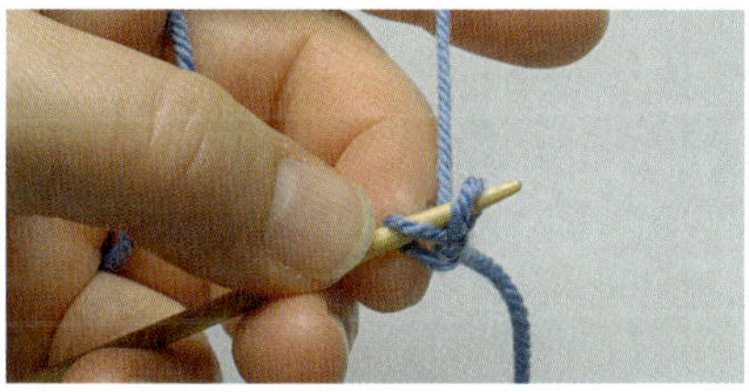

Diese neue Masche auf die linke Nadel heben. *

Weiter in die jeweils zuletzt gearbeitete Masche einstechen, eine neue Schlinge durchholen und auf die Nadel legen.

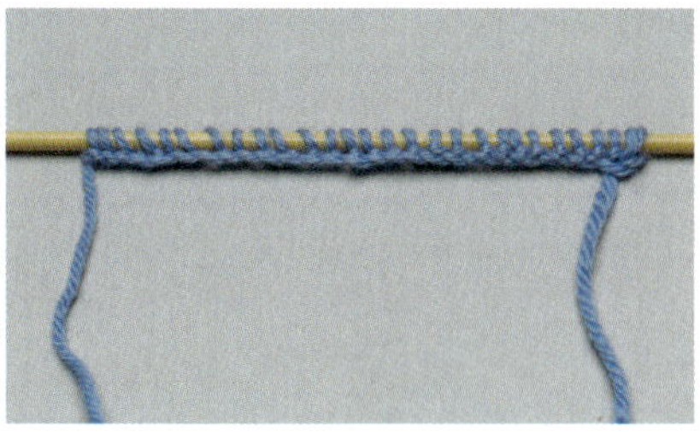

So sieht eine Anschlagreihe von Maschen aus, die aus der jeweils letzten Masche heraus aufgestrickt wurde.

Maschen abketten

Die Maschen der letzten Reihe oder Runde einer Strickarbeit müssen gesichert werden, damit sich das Gestrick nicht auflöst. Wie beim Anschlagen der Maschen gibt es auch für das Abketten mehrere Methoden.

Normalerweise werden die Maschen am Ende einer Strickarbeit abgekettet, um die letzte Reihe oder Runde zu sichern. In manchen Fällen allerdings lässt man die Maschen auf den Nadeln bzw. auf einem Maschenraffer und sichert sie beim Verbinden zweier Strickteile im Maschenstich (siehe Seite 41). Ob die Maschen locker oder fest abgekettet werden müssen, hängt vom jeweiligen Modell ab.
Am Halsausschnitt eines Pullovers beispielsweise müssen die Maschen fest, aber nicht zu stramm abgekettet werden, damit der Ausschnitt die Form hält, sich aber noch problemlos über den Kopf ziehen lässt. Bei einem Schal hingegen müssen die Maschen eher locker abgekettet werden.
Außer dem bewussten Anziehen oder Lockerlassen des Arbeitsfadens können Sie die Festigkeit des Abkettrandes durch die Wahl der Stricknadeln (bzw. der Häkelnadel, siehe „Maschen abhäkeln") beeinflussen: Verwenden Sie für einen festen Rand dünnere, für einen lockeren Rand dickere Stricknadeln zum Abketten. Hier lernen Sie zwei der wichtigsten Techniken zum Abketten von Maschen kennen: das Abketten durch Überziehen mit Stricknadeln und das Abhäkeln.

Abketten mit Stricknadeln

Üblicherweise werden die Maschen der letzten Reihe bzw. Runde mit den Stricknadeln durch Überziehen abgekettet. Achten Sie dabei darauf, den Faden nicht zu stark anzuziehen, damit die Kante nicht allzu fest und unelastisch wird. Soll beispielsweise für einen Armausschnitt eine bestimmte Zahl von Maschen abgekettet werden, so zählen die übergezogenen, nicht die gestrickten Maschen, denn am Ende des Abkettens bleibt immer eine Masche übrig.
Die Maschenkette, die sich beim Abketten bildet, erscheint auf der rechten Seite der Arbeit, wenn man in einer Hinreihe mit rechten Maschen abkettet. Das kann man vermeiden, indem man die Maschen beim Abketten entweder links strickt oder in einer Rückreihe abkettet. Am Ende der Abkettreihe können Sie das abgeschnittene Fadenende entweder auf der Rückseite der Arbeit vernähen oder zum Zusammennähen verwenden.

Die nächsten 2 Maschen auf der linken Nadel mustergemäß abstricken. Es liegen nun 2 Maschen auf der rechten Nadel.

Mit der linken Nadelspitze von links nach rechts in die hintere der beiden Maschen einstechen.

Diese Masche über die zuletzt gestrickte Masche und von der rechten Nadel ziehen.

Übrig bleibt eine einzelne Masche auf der rechten Nadel.

Die abgeketteten Maschen bilden eine saubere, feste Kante. Den Faden abschneiden und mit der Stricknadel durch die letzte Masche holen. Das Fadenende fest anziehen und entweder auf der Rückseite vernähen oder zum späteren Zusammennähen hängen lassen.

Maschen abhäkeln

Beim Abhäkeln der Maschen kann man durch die Wahl der Häkelnadelstärke entscheiden, wie fest oder locker der Abkettrand werden soll: Dem mit Stricknadeln abgeketteten Rand entspricht das Abhäkeln mit einer Häkelnadel derselben Stärke wie die Stricknadeln, mit denen das Modell gearbeitet wurde. Soll der Rand besonders fest werden, verwendet man eine dünnere Häkelnadel, soll er lockerer werden, nimmt man eine dickere Nadel. Achtung! Beim Abhäkeln wird durch jede Masche der Arbeitsfaden durchgeholt. Ziehen Sie nicht die jeweils nächste Masche durch die vorhergehende durch! Die Festigkeit des Abkettrandes können Sie auch dadurch beeinflussen, dass Sie den Faden mehr oder weniger stark anziehen.

Die Häkelnadel wird mustergemäß eingestochen, also bei rechten Maschen von links nach rechts, bei linken Maschen von rechts nach links.

Die Häkelnadel mustergemäß in die nächste Masche auf der Stricknadel einstechen (siehe Praxis-Tipp).

Auch in die zweite Masche auf der Stricknadel mustergemäß einstechen. Den Arbeitsfaden holen und durch beide Maschen durchziehen.

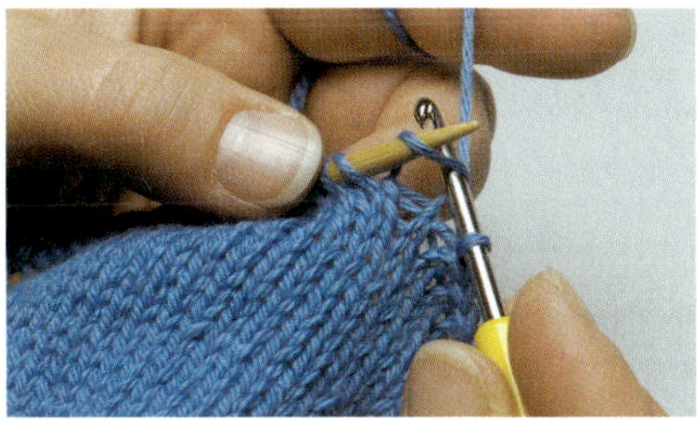

Nach dem Durchziehen des Arbeitsfadens bleibt immer 1 Schlinge auf der Häkelnadel. In die nächste Masche auf der Stricknadel mustergemäß einstechen.

Den Arbeitsfaden mit der Häkelnadel erfassen ...

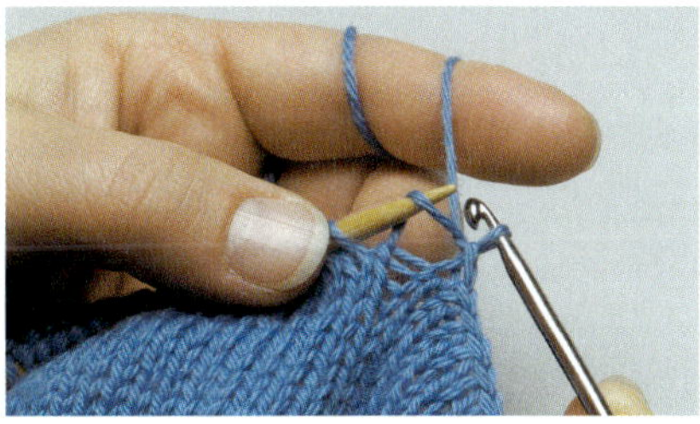

... und durch die Masche sowie durch die Schlinge auf der Häkelnadel ziehen.

Übrig bleibt wieder 1 Schlinge auf der Häkelnadel. Den Faden abschneiden, mit der Häkelnadel durch die letzte Masche führen und fest anziehen. Wie beim Abketten mit Stricknadeln können Sie das Fadenende vernähen oder zum Zusammennähen hängen lassen.

Praxis-Tipp

Die Abkett-Tricks der Strickprofis

Stricken Sie beim Abketten die Maschen mustergemäß ab – also rechte Maschen rechts, linke Maschen links. Die Abkettränder von Blenden, Bündchen oder Rollkragen mit Rippenmuster werden besonders elastisch, wenn man sie mustergemäß, also im Maschenrhythmus abkettet.

Das Gleiche gilt für patentgestrickte Teile: Hier werden die Umschläge der Vorreihe mit den zugehörigen rechten Maschen zusammengestrickt. Linke Maschen strickt man links. Um zu verhindern, dass Patentmuster an den Abkettkanten ausleiern, kann man die vorletzte Reihe 1 Masche rechts, 1 Masche links im Wechsel ohne Umschläge stricken und in der folgenden Reihe alle Maschen durch Überziehen oder durch Zusammenstricken abketten.

*Wenn die Abkettkante außergewöhnlich fest und unelastisch werden soll, können Sie die Maschen auch durch Zusammenstricken statt durch Überziehen abketten: * In die ersten bzw. nächsten beiden Maschen auf der linken Nadel von rechts nach links einstechen und die Maschen rechts verschränkt zusammenstricken. Die einzelne Masche zurück auf die linke Nadel heben; ab * fortlaufend wiederholen. Am Ende der Abkettreihe den Faden abschneiden und durch die letzte Masche ziehen.*

Diese Methode des Abkettens durch Zusammenstricken eignet sich auch für Zopfmuster.

Rechte und linke Maschen

Alle Strickmuster basieren auf rechten und linken Maschen. Diese beiden Grundmaschenarten sind die zwei Seiten derselben Medaille: Die rechte Masche erscheint auf der Arbeitsrückseite als linke Masche und umgekehrt.

Rechte Maschen

Rechte Maschen werden wohl am häufigsten gestrickt und sind ganz einfach zu arbeiten, wenn man die Technik erst einmal beherrscht. Erfahrene Strickerinnen brauchen dabei nicht einmal mehr hinzusehen. Rechte Maschen erkennt man an ihrer typischen V-Form. Wenn Sie Maschen in einer Reihe zählen wollen, zählen Sie am besten jeweils die untere Spitze einer solchen V-Form als eine Masche. Arbeitet man in Reihen nur rechte Maschen, so entsteht das kraus rechte Muster mit seinen charakteristischen Rippen. Für das gebräuchlichste Strickmuster, „glatt rechts", wird stets eine Reihe rechte Maschen und eine Reihe linke Maschen im Wechsel gearbeitet.

Der Arbeitsfaden liegt hinter der Arbeit. Unter dem vorderen Maschenglied der nächsten Masche auf der linken Nadel von links nach rechts einstechen.

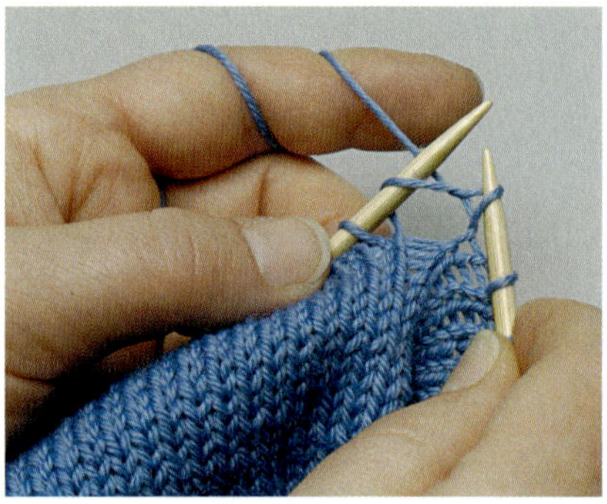

Mit der rechten Nadel den Arbeitsfaden von oben erfassen und durch die Masche ziehen.

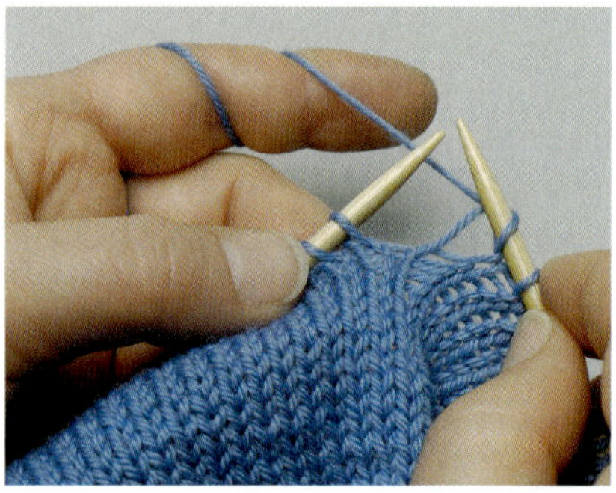

Die durchgezogene Schlinge liegt nun als neue Masche auf der rechten Nadel.

Die alte Masche von der linken Nadel gleiten lassen.
Nun kann die nächste rechte Masche gestrickt werden.

Linke Maschen

Linke Maschen sind sozusagen die Kehrseite der rechten Maschen: Eine rechte Masche erscheint auf der Arbeitsrückseite als linke Masche. Man erkennt sie an den kleinen „Höckern".
Glatt linkes Gestrick erinnert an das kraus rechte Muster, aber die „Höcker" liegen enger nebeneinander und wirken feiner. Die Rippenstruktur ist nicht so stark ausgeprägt.

Der Faden liegt vor der Arbeit. Von rechts nach links unter dem vorderen Maschenglied der nächsten Masche auf der linken Nadel einstechen.

Mit der rechten Nadel den Arbeitsfaden von unten erfassen und durch die Masche ziehen.

Die durchgezogene Schlinge liegt nun als neue Masche auf der rechten Nadel. Die alte Masche von der linken Nadel gleiten lassen. Sie bildet nun deutlich erkennbar den für die linken Maschen typischen „Höcker“.

Die Masche ist fertig; nun kann die nächste linke Masche gearbeitet werden.

Praxis-Tipp

Verschränkte Maschen

Manchmal müssen Maschen rechts oder links verschränkt abgestrickt werden. Stechen Sie für eine rechts verschränkte Masche von rechts nach links in die nächste Masche ein (Faden hinter der Arbeit). Für eine links verschränkte Masche stechen Sie von hinten nach vorne in die nächste Masche ein (Faden vor der Arbeit). Dann den Faden wie gewohnt durch die Masche ziehen, die sich dabei verdreht.

Für das glatt rechte Muster arbeitet man in Reihen eine Reihe rechte Maschen und eine Reihe linke Maschen im Wechsel.

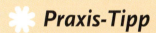

Strickt man in hin- und hergehenden Reihen jede Reihe rechts, so entsteht dieses kraus rechte Muster mit seinen markanten Rippen.

Glatt linkes Gestrick erinnert durch die kleinen „Höcker“ ein wenig an das kraus rechte Muster, wirkt aber feiner und weniger stark gerippt.

Eines der einfachsten Strickmuster ist das Perlmuster: 1 Masche rechts, 1 Masche links im Wechsel stricken. In der folgenden Reihe rechts erscheinende Maschen links abstricken und umgekehrt.

Randmaschen

Als Randmaschen bezeichnet man die erste und letzte Masche jeder Reihe. Je nachdem, ob die Ränder der Strickteile zusammengenäht oder mit einer Blende versehen werden, empfehlen sich unterschiedliche Methoden, diese Randmaschen zu stricken.

Es ist keineswegs egal, wie Sie beim Stricken in hin- und hergehenden Reihen die Randmaschen arbeiten. Manche Strickerinnen stricken die erste und letzte Masche jeder Reihe unabhängig vom Muster grundsätzlich rechts ab, sodass ein Knötchenrand entsteht (siehe Seite 35). Diese Methode eignet sich aber nur, wenn die Teile im Matratzenstich zusammengenäht werden sollen. Für offen sichtbare Kanten – etwa bei einem Schal – oder Teile, an die eine Blende oder ein Kragen angestrickt werden soll, gibt es bessere Lösungen. Am besten eignen Sie sich alle drei Techniken an und wählen jeweils die idealen Randmaschen für Ihr Projekt aus.

Kettrand

Der Kettrand sieht besonders sauber aus, eignet sich jedoch nur bedingt, wenn Strickteile zusammengenäht oder Blenden angestrickt werden sollen, weil sich dann an der Kante leicht Löcher bilden. Viele Strickerinnen haben im Handarbeitsunterricht nur diese Randmaschentechnik kennengelernt. Doch für Teile, deren Seitenränder zusammengenäht werden sollen, oder zum Anstricken von Blenden gibt es bessere Lösungen.

Die erste Masche der Reihe rechts verschränkt stricken.

Vor der letzten Masche den Faden vor die Arbeit legen und die Masche wie zum Linksstricken abheben.

Das Ergebnis sind saubere Seitenränder, deren Maschen an die Glieder einer Kette erinnern.

Blendenrand

Soll an ein Strickteil eine Blende angestrickt werden, so darf der Rand nicht stark auftragen. Der Blendenrand mit glatt rechts gestrickten Randmaschen fällt besonders flach aus und eignet sich deshalb beispielsweise gut für V-Ausschnitte.

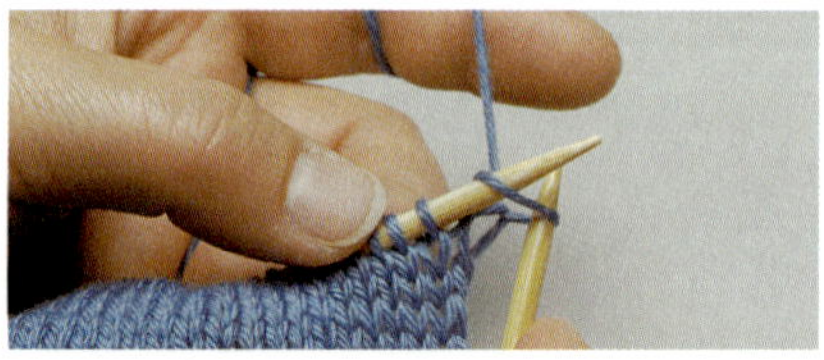

In einer rechts gestrickten Hinreihe die erste Masche rechts stricken.

Die letzte Masche der Reihe ebenfalls rechts stricken.

In der links gestrickten Rückreihe die erste Masche links stricken.

Die letzte Masche der Reihe ebenfalls links stricken.

Die glatt rechts gestrickten Randmaschen ergeben einen flachen Blendenrand. Bei glatt links gestrickten Teilen verfahren Sie genauso: In den links gestrickten Hinreihen arbeiten Sie die Randmaschen ebenfalls links, in den rechts gestrickten Rückreihen rechts.

Knötchenrand

Der Knötchenrand mit kraus rechts gestrickten Randmaschen ist die richtige Lösung für Teile, die zusammengenäht werden müssen, also beispielsweise für die Seitenränder von Vorder- und Rückenteil eines Pullovers. Der Rand wird fester als der Kettrand und bildet keine Löcher. Beim Zusammennähen im Matratzenstich (siehe Seite 40) kann man problemlos in die kleinen Knötchen am Rand einstechen, die dann wie die Zähne eines Reißverschlusses ineinandergreifen. Statt alle Randmaschen rechts zu stricken, können Sie sie auch durchweg links abstricken.

Die erste Masche der Reihe rechts abstricken.

Die letzte Masche der Reihe ebenfalls rechts stricken. Beide Randmaschen werden also in Hin- und Rückreihen rechts gestrickt.

Der so entstandene Knötchenrand erleichtert das Zusammennähen von Strickteilen.

Maschen aufnehmen

Um eine Blende oder einen Kragen an einen Pullover oder eine Jacke anzustricken, müssen Sie zunächst aus dem Rand der Arbeit Maschen aufnehmen.

Häufig müssen an bereits zusammengenähte Pullover oder Jacken nachträglich Blenden oder Knopfleisten quer angestrickt werden. Dazu werden aus der Kante des Strickteils Maschen aufgenommen – allerdings nicht, indem man einfach die Randmaschen auf eine Nadel hebt. Die Maschen werden mit dem Arbeitsfaden zwischen den Maschen des fertigen Strickteils herausgestrickt. Diese Technik wendet man auch an, um beim Stricken von Socken mit dreiteiligem Fersenkäppchen die Maschen aus den Kanten der Fersenwand aufzunehmen und den Fuß weiterzustricken.
Beim Aufnehmen von Maschen müssen Sie unbedingt auf gleichmäßige Abstände achten, damit sich das Gestrick weder verzieht noch Löcher bekommt.
Um die Arbeitsweise zu verdeutlichen, haben wir die neuen Maschen mit kontrastfarbenem Garn aufgenommen.

Mit der Stricknadel unter beiden Maschengliedern der Randmasche einstechen. Falls die Randmaschen so locker sind, dass sich dabei große Löcher bilden, können Sie auch eine halbe oder ganze Masche nach innen versetzt einstechen. Allerdings besteht dann die Gefahr, dass die Blende nicht flach liegt, sondern leicht umklappt.

Den Arbeitsfaden mit der Stricknadel als Schlinge durchholen. Er liegt nun als neue Masche auf der Nadel. Auf diese Weise fortfahren bis zum Ende der Kante.

Die neuen Maschen liegen nun quer zur Arbeitsrichtung des ursprünglichen Strickteils auf der Nadel.
Wenn alle Maschen aufgenommen sind, wenden Sie die Arbeit und stricken die Maschen wie gewohnt ab. Bei Halsausschnitten können Sie die mittleren Maschen auf einem Maschenraffer stilllegen, statt sie abzuketten. Sobald die Halsblende angestrickt werden soll, heben Sie diese stillgelegten Maschen wieder auf eine Stricknadel (z.B. auf eine Rundstricknadel) und nehmen zusätzlich aus dem Rand des Halsausschnittes Maschen auf, wie oben beschrieben. Achten Sie vor allem in Rundungen darauf, dass keine Löcher entstehen.

Maschen zunehmen

Bei fast allen Kleidungsstücken, aber auch bei vielen anderen Modellen müssen Maschen zugenommen werden, um das Strickteil zu formen. So werden beispielsweise an den Ärmelkanten Maschen zugenommen. Hier lernen Sie die wichtigsten Techniken kennen.

Es gibt verschiedene Möglichkeiten, Maschen zuzunehmen und dadurch die Maschenzahl auf der Nadel zu erhöhen. Meist wendet man sie an, wenn ein Strickteil nach und nach breiter werden soll, etwa bei Ärmelschrägen, oder um die Maschenzahl oberhalb eines Bündchens anzupassen.

Je nach Einsatzzweck können die Zunahmen auf unterschiedliche Weise gearbeitet werden. Lesen Sie in der Anleitung zu Ihrem Modell nach, ob eine bestimmte Technik empfohlen wird. In vielen Fällen können Sie selbst entscheiden, wie Sie die erforderlichen Maschen zunehmen wollen.

1 Masche aus dem Querfaden zunehmen

Zwischen zwei Maschen verläuft ein Querfaden, in älteren Anleitungen oft auch Querdraht genannt. Diesen Querfaden kann man auf die linke Nadel heben und als neue Masche abstricken. Je nachdem, wie man den Faden auf die Nadel legt und wie man ihn abstrickt, entsteht eine nach links oder rechts geneigte Zunahme. Auf diese Weise können Zunahmen symmetrisch gearbeitet werden – beispielsweise an den Seiten eines Pullovers oberhalb der Taille oder an den Ärmelschrägen. Um das zu demonstrieren, werden auf den folgenden Schritt-für-Schritt-Fotos rechts und links von einer Mittelmasche (mit Markierungsring) jeweils eine nach rechts und eine nach links geneigte Zunahme gearbeitet.

Die rechte Nadelspitze unter dem Querfaden einstechen.

Den Arbeitsfaden erfassen und durchziehen.

Für die nach rechts geneigte Abnahme den Querfaden so auf die linke Nadel heben, dass er von vorne nach hinten über die Nadel verläuft.

Den Querfaden von der linken Nadel gleiten lassen. Die zugenommene Masche liegt nun auf der rechten Nadel. Die Zunahme neigt sich nach rechts.

Die rechte Nadelspitze von links nach rechts unter dem vorderen Teil des Querfadens einstechen.

Die Mittelmasche rechts stricken. Dann die rechte Nadelspitze unter dem Querfaden einstechen.

Für die nach links geneigte Abnahme den Querfaden so auf die linke Nadel heben, dass er von hinten nach vorne über die Nadel verläuft.

Die rechte Nadel von rechts nach links unter dem Querfaden auf der linken Nadel einstechen.

Den Arbeitsfaden erfassen und durchziehen.

Den Querfaden von der linken Nadel gleiten lassen. Die zugenommene Masche liegt auf der rechten Nadel.

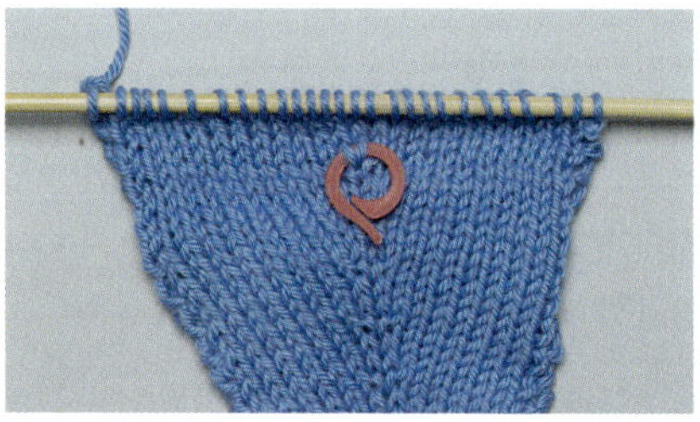

Links und rechts von der Mittelmasche (mit Markierungsring gekennzeichnet) sind die nach links bzw. rechts geneigten Zunahmen zu erkennen, die in jeder 4. Reihe gearbeitet wurden.

Vorderes und hinteres Maschenglied abstricken

Statt aus dem Querdraht zwischen zwei Maschen kann man auch aus einer einzigen Masche zwei (oder) mehr Maschen herausstricken, indem man abwechselnd unter dem vorderen und dem hinteren Maschenglied einsticht oder die Masche je einmal rechts und links abstrickt.

Unter dem vorderen Maschenglied einstechen und die Masche wie gewohnt rechts stricken, aber auf der linken Nadel lassen.

Unter dem hinteren Maschenglied einstechen und den Faden noch einmal durchholen.

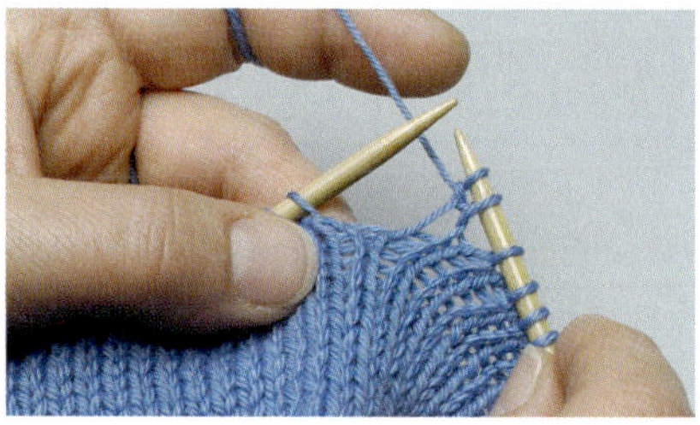

Die alte Masche von der linken Nadel gleiten lassen. Die beiden Maschen, die aus einer einzigen Masche herausgestrickt wurden, sind deutlich erkennbar.

1 Masche rechts und links abstricken

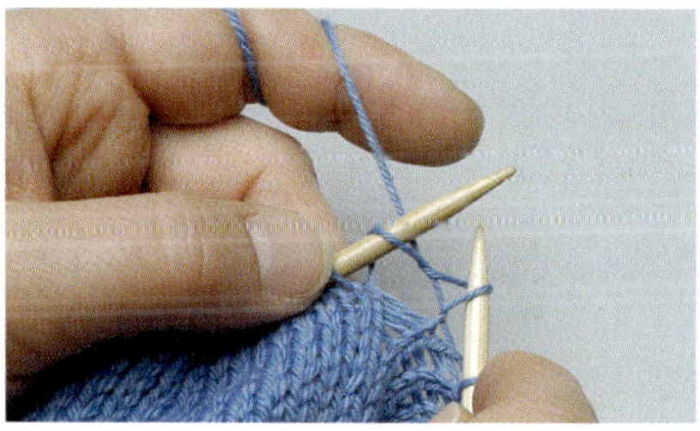

Unter dem vorderen Maschenglied einstechen und die Masche wie gewohnt rechts stricken, aber auf der linken Nadel lassen.

Den Arbeitsfaden vor die Nadel legen und dieselbe Masche links abstricken.

Erst jetzt die alte Masche von der linken Nadel gleiten lassen. Aus einer Masche wurden zwei Maschen herausgestrickt.

Maschen abnehmen

Nicht nur zum Formen von Strickteilen, beispielsweise an Arm- und Halsausschnitten, müssen Maschen abgenommen werden. Auch bei vielen Mustern werden Abnahmen gearbeitet.

Abnahmen kommen beim Stricken sehr häufig vor. So müssen beispielsweise für Arm- und Halsausschnitte Maschen abgenommen werden, um das Strickteil in die richtige Form zu bringen. Aber auch an der Spitze von Socken oder Handschuhfingern und bei Mützen arbeitet man Abnahmen. Und schließlich erfordern manche Muster, vor allem Lochmuster, das Abnehmen von Maschen als Ausgleich für Umschläge, um die Maschenzahl von Reihe zu Reihe konstant zu halten.

Wie beim Zunehmen von Maschen gibt es auch beim Abnehmen mehrere Möglichkeiten, wobei die Abnahmen in unterschiedliche Richtungen geneigt sind. Auf diese Weise lassen sich Abnahmen, etwa an der Bandspitze von Socken, symmetrisch arbeiten.

Für die folgende Schritt-für-Schritt-Anleitung wurden links und rechts von einer Mittelmasche (mit Markierungsring) zwei verschiedene Abnahmen gestrickt: Vor der Mittelmasche wurden zwei Maschen rechts zusammengestrickt, sodass sich die Abnahme nach rechts neigt. Nach der Mittelmasche wurden zwei Maschen rechts überzogen zusammengestrickt; diese Abnahme weist nach links. Bei Pullovern nimmt man die erforderlichen Maschen meist nicht direkt am Rand, sondern nach innen versetzt ab. Am Reihenbeginn strickt man demnach die Randmasche und eine weitere Masche vor der Abnahme. Danach strickt man bis vier Maschen vor Reihenende, arbeitet die Abnahme und endet mit einer Masche im Muster und der Randmasche.

2 Maschen rechts zusammenstricken

Unter den nächsten beiden Maschen auf der linken Nadel von links nach rechts einstechen.

Den Arbeitsfaden erfassen und durch beide Maschen durchziehen, als wären sie eine einzige Masche.

2 Maschen rechts überzogen zusammenstricken

In die nächste Masche auf der linken Nadel wie zum Linksstricken einstechen.

Die Masche auf die rechte Nadel abheben, ohne sie zu stricken.

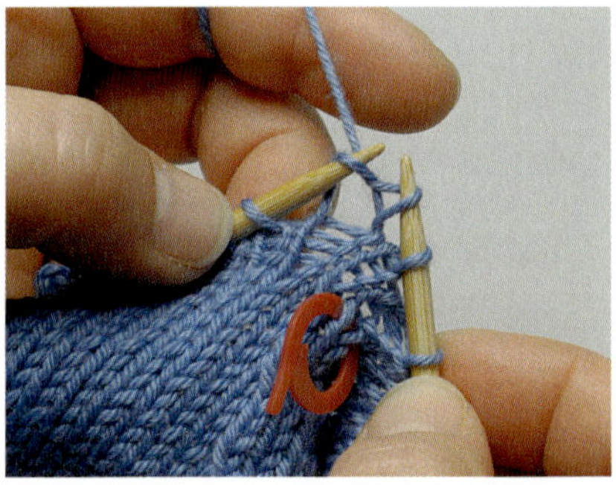

Die nächste Masche auf der linken Nadel rechts stricken.

Nun mit der linken Nadelspitze in die zuvor abgehobene Masche einstechen.

Die abgehobene Masche über die rechts gestrickte Masche ziehen.

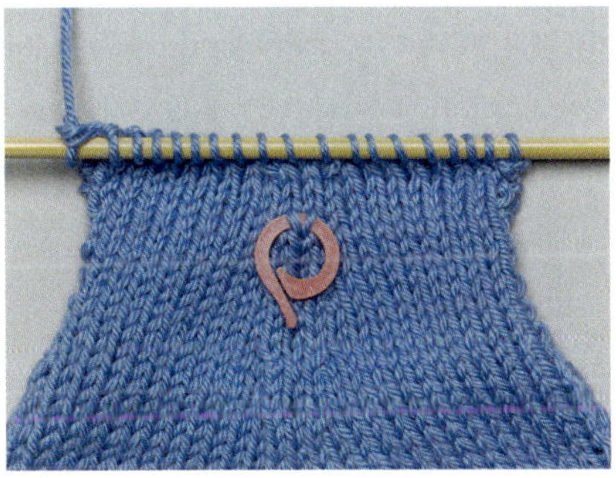

Rechts und links von der gekennzeichneten Mittelmasche (mit Markierungsring) sind die symmetrischen Abnahmen deutlich erkennbar. Sie wurden in jeder vierten Reihe gearbeitet.

3 Maschen rechts zusammenstricken

Um zwei Maschen auf einmal abzunehmen, kann man drei Maschen zusammenstricken.
Von links nach rechts unter den nächsten 3 Maschen auf der linken Nadel einstechen.

Den Arbeitsfaden durch alle 3 Maschen auf einmal durchholen.

Die 3 zusammengestrickten Maschen von der linken Nadel gleiten lassen.

3 Maschen rechts überzogen zusammenstricken

Die nächste Masche auf der linken Nadel abheben (je nach Anleitung wie zum Rechts- oder wie zum Linksstricken).

Unter den nächsten 2 Maschen auf der linken Nadel v. l. n. r. einstechen.

Den Arbeitsfaden durch beide Maschen zugleich holen und dadurch die 2 Maschen rechts zusammenstricken.

Die zuvor abgehobene Masche über die zusammengestrickte Masche ziehen.

Aus 3 Maschen ist nun eine einzige Masche geworden – 2 Maschen wurden abgenommen.

Praxis-Tipp

An Arm- und Halsausschnitten werden die Abnahmen normalerweise spiegelbildlich gearbeitet: Auf der rechten Seite strickt man 2 Maschen rechts zusammen, auf der linken Seite strickt man 2 Maschen rechts überzogen zusammen.

Strickteile zusammennähen

Einzelne Strickteile, beispielsweise für einen Pullover, können auf unterschiedliche Weise zusammengenäht werden. Welche Methode Sie wählen, hängt von verschiedenen Faktoren ab. So werden Seitennähte anders geschlossen als Schulternähte.

Es gibt verschiedene Techniken, Strickteile miteinander zu verbinden. Manche eignen sich ausschließlich für die Oberkante von Maschenreihen, andere nur für die Seitenränder des Gestricks. Wenn Sie eine besonders flache Naht wünschen, werden Sie sich eher für den Matratzenstich als für den Rückstich entscheiden, der wiederum eine besonders feste Verbindung ergibt.
Verwenden Sie zum Zusammennähen normalerweise das Garn, mit dem Sie auch gestrickt haben, damit die Naht möglichst wenig auffällt. Nur wenn das Strickgarn zu dick ist oder sich wegen eingesponnener Noppen, Fransen oder Schlaufen nicht zum Nähen eignet, greifen Sie zu einem glatten Garn in einer passenden Farbe. (Für die Schritt-für-Schritt-Fotos auf dieser Doppelseite haben wir bewusst Garn in einer Kontrastfarbe zum Zusammennähen verwendet, um die Arbeitsweise zu verdeutlichen.)

Rückstich

Mit Rückstichen lassen sich nahezu alle Strickteile verbinden – egal, in welchem Muster sie gearbeitet sind, ob es sich um Seiten- oder Oberkanten handelt. Allerdings dehnt sich die Naht kaum, vor allem wenn der Faden fest angezogen wird. Dadurch besteht die Gefahr, dass die Naht reißt, wenn beispielsweise der Pullover über den Kopf gezogen wird. Bei dickerem Gestrick kann die Nahtzugabe auf der Innenseite der Arbeit außerdem einen unbequemen Wulst bilden.

Die beiden Strickteile rechts auf rechts kantenbündig aufeinanderlegen und mit Stecknadeln fixieren. Genäht wird von rechts nach links. Eine Stichlänge links vom Beginn der Naht ausstechen, am Beginn der Naht einstechen und die Nadel unter dem Gestrick nach links führen. Eine Stichlänge vom ersten Ausstichpunkt entfernt wieder ausstechen und im ersten Ausstichpunkt wieder einstechen.

Auf diese Weise immer eine Stichlänge nach rechts zurückstechen, die Nadel unter dem Gestrick nach links führen und eine Stichlänge weiter wieder ausstechen.

Immer im gleichen Abstand zum Rand arbeiten und alle Stiche gleich groß machen.

Matratzenstich

Der Matratzenstich ergibt eine saubere, flache Naht, die nahezu unsichtbar ist. Mit etwas Übung gelingt sie so, dass sich die halben Maschen zu beiden Seiten der Naht zu einer kompletten Masche ergänzen. Genäht wird von rechts nach links bzw. von unten nach oben.
Die beiden Teile, die zusammengenäht werden sollen, mit der rechten Seite nach oben neben- oder wie hier übereinander auf die Arbeitsfläche legen, sodass die Kanten einander berühren.
Zu Beginn der Naht neben der Randmasche des einen Teils ausstechen, die Nadel zwischen den beiden Teilen nach unten führen und neben der Randmasche des zweiten Teils wieder ausstechen.
Mit der Nadel den ersten Querfaden des oberen Teils neben der Randmasche aufnehmen und den Faden durchziehen.
Der Matratzenstich kann jeweils unter einem oder unter zwei Querfäden neben der Randmasche der Strickteile gearbeitet werden. Wichtig ist, dass Sie den Faden niemals zu stark anziehen, damit sich die Naht nicht wirft.

Die Nadel unter einem bzw. zwei Querfäden des unteren Teils durchführen und den Faden vorsichtig anziehen.

Die Nadel unter dem nächsten Querfaden (bzw. den nächsten zwei Querfäden) des oberen Teils durchführen und den Faden wieder vorsichtig anziehen.

Auf diese Weise weiternähen. Jeweils nach einigen Stichen den Faden so straffen, dass die beiden Teile zusammengezogen werden: Die beiden halben Maschen links und rechts von der Naht ergänzen sich nun zu einer vollständigen Masche.

Maschenstich

Im Maschenstich können die Maschen an der Oberkante zweier Strickteile unauffällig verbunden werden. Normalerweise arbeitet man diese Verbindung, ohne die Maschen vorher abzuketten. Die Methode funktioniert jedoch auch bei abgeketteten Maschen, ergibt dann aber eine wulstigere Naht.
Die beiden Strickteile mit der rechten Seite nach oben so auf die Arbeitsfläche legen, dass die beiden Abkettkanten bzw. die beiden Stricknadeln parallel liegen. (Zur Unterscheidung der Techniken wurde die Naht an den abgeketteten Maschen mit gelbem, an den nicht abgeketteten Maschen mit orangefarbenem Garn gearbeitet.)

Bei abgeketteten Maschen in die zuletzt erfasste (bzw. erste) Masche des oberen Teils von oben nach unten einstechen und aus der links daneben liegenden Masche von unten nach oben ausstechen.

In die zuletzt erfasste (bzw. erste) Masche des unteren Teils von oben nach unten einstechen und aus der links daneben liegenden Masche von unten nach oben ausstechen. Den Faden immer wieder vorsichtig anziehen, damit sich die Naht schließt.

Bei nicht abgeketteten Maschen, die noch auf den Stricknadeln liegen, verfährt man ebenso. Die Stricknadeln liegen parallel, die glatt rechts gestrickte Außenseite der Arbeit liegt oben.

In die zuletzt erfasste (bzw. erste) Masche der oberen Nadel von oben nach unten einstechen und aus der links daneben liegenden Masche von unten nach oben ausstechen. Die beiden Maschen von der Stricknadel gleiten lassen.

In die entsprechende (= die zuletzt erfasste bzw. erste) Masche der unteren Nadel von oben nach unten ein- und aus der nächsten Masche zur Linken von unten nach oben wieder ausstechen.
Die Maschen von der Stricknadel gleiten lassen.

Auf diese Weise weiternähen und immer wieder den Faden vorsichtig anziehen, sodass sich die Naht schließt und die genähten Maschen wie eine zusätzliche Maschenreihe wirken.

Zopfmuster

Zu den beliebtesten Strickmustern gehören die Zopfmuster, mit denen sich Pullover und Westen, aber auch Socken, Trachtenstrümpfe und Wohnaccessoires wie Kissenhüllen oder modische Sofadecken dekorativ gestalten lassen.

Zopfmuster entstehen dadurch, dass bestimmte Maschen innerhalb einer Reihe oder Runde nicht in der vorgegebenen Reihenfolge abgestrickt werden. Dadurch, dass die Abfolge geändert wird, scheinen sich Maschengruppen kordelartig umeinander zu verdrehen.
Die Maschen, die erst später abgestrickt werden sollen, hebt man normalerweise auf eine Hilfs- oder Zopfnadel ab.
Je nachdem, ob man die Hilfsnadel mit diesen Maschen vor oder hinter die Arbeit legt, dreht sich der Zopf nach links oder rechts.

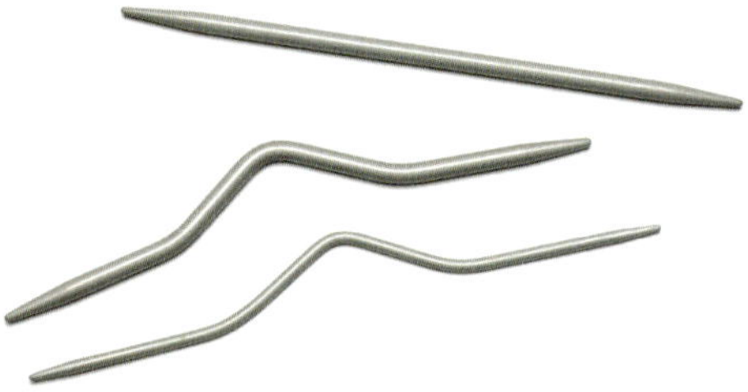

Besonders praktisch für das Stricken von Zopfmustern sind Hilfsnadeln mit Knick, die nicht so leicht aus den abgehobenen Maschen herausrutschen. Aber auch kurze Holzstricknadeln, wie sie zum Stricken von Handschuhfingern verwendet werden, eignen sich gut, weil sie weniger glatt und schwer sind als Metallnadeln und daher ebenfalls weniger leicht aus den Maschen gleiten. Zöpfe aus zwei Maschen lassen sich auch ohne Hilfsnadel stricken.
Meist werden Zopfmuster als Bänder aus rechten Maschen auf einem glatt links gestrickten Grund gearbeitet. Für die Zöpfe werden im Allgemeinen 4, 6 oder 8 Maschen miteinander verkreuzt. Zöpfe können aber auch asym-metrisch, also aus zwei Strängen mit unterschiedlicher Maschenzahl, gearbeitet werden.

Maschen mit Hilfsnadel verzopfen

Zopfmuster werden normalerweise bereits einige Reihen vor dem ersten Verzopfen eingeteilt, indem man entsprechend breite Bänder aus rechten Maschen auf einem glatt links gestrickten Grund arbeitet.
Wir stellen hier Zöpfe vor, bei denen jeweils 4 Maschen miteinander verkreuzt werden. Nach demselben Prinzip können Sie aber auch Zöpfe aus 6 oder 8 Maschen stricken.

Nach links gedrehter Zopf über 4 Maschen

In der Reihe bis zu den Zopfmaschen stricken. Die ersten 2 Zopfmaschen auf eine Hilfsnadel abheben und **vor** die Arbeit legen.

Die nächsten 2 Maschen rechts stricken.

Nun die zuvor abgehobenen 2 Maschen von der Hilfsnadel rechts abstricken.

Die Maschen der Hilfsnadel wechseln dadurch vor den beiden anderen Maschen nach links – der Zopf dreht sich nach links.

Nach rechts gedrehter Zopf über 4 Maschen

In der Reihe bis zu den Zopfmaschen stricken. Die ersten 2 Zopfmaschen auf eine Hilfsnadel abheben und **hinter** die Arbeit legen.

Die nächsten 2 Maschen rechts stricken.

Nun die zuvor abgehobenen 2 Maschen von der Hilfsnadel rechts abstricken.

Die Maschen der Hilfsnadel wechseln dadurch hinter den beiden anderen Maschen nach links – der Zopf dreht sich nach rechts.

An dieser Arbeitsprobe ist die unterschiedliche Drehrichtung der beiden Zöpfe gut zu erkennen: Beim rechten Zopf wurden die Maschen auf der Hilfsnadel vor die Arbeit gelegt, sodass sich der Zopf nach links dreht. Beim linken Zopf wurden die Maschen auf der Hilfsnadel hinter die Arbeit gelegt, mit dem Ergebnis, dass sich der Zopf nach rechts dreht.

Minizöpfe ohne Hilfsnadel

Bei Miniaturzöpfen, für die nur jeweils 2 Maschen verzopft werden müssen, erübrigt sich die Hilfsnadel. Solche Zöpfe lassen sich beispielsweise für dekorative Rippenmuster einsetzen.

Nach rechts gedrehter Zopf über 2 Maschen

In der Reihe bis zu den Zopfmaschen stricken.

Vor der 1. Masche auf der linken Nadel vorbei von links nach rechts, also wie zum Rechtsstricken, in die 2. Masche auf der linken Nadel einstechen.

Die Masche rechts abstricken, aber noch auf der Nadel lassen.

Nun von links nach rechts in die zuvor übergangene 1. Masche auf der linken Masche einstechen.

Diese Masche ebenfalls rechts abstricken.

Beide Maschen von der linken Nadel gleiten lassen: Sie haben nun die Plätze getauscht und bilden einen nach rechts gedrehten Minizopf.

Nach links gedrehter Zopf über 2 Maschen

In der Reihe bis zu den Zopfmaschen stricken und hinter der 1. Masche auf der linken Nadel vorbei von links nach rechts in die 2. Masche einstechen.

Diese 2. Masche rechts abstricken.

Nun von links nach rechts in die zuvor übergangene 1. Masche auf der linken Nadel einstechen.

Diese Masche ebenfalls rechts abstricken.

Erst jetzt beide Maschen von der linken Nadel gleiten lassen. Sie haben die Plätze getauscht und bilden einen nach links gedrehten Minizopf.

Die Arbeitsprobe zeigt rechts zwei nach rechts gedrehte und links zwei nach links gedrehte Miniaturzöpfe.

Praxis-Tipp

Zopfmuster abketten

Die Oberkante von Strickarbeiten mit Zopfmuster wirft oft Wellen, vor allem wenn die Zöpfe sehr breit sind. Um das zu vermeiden, strickt man beim Abketten die mittleren beiden Zopfmaschen bzw. bei breiteren Zöpfen mehrere Male zwei Maschen zusammen.

Noppen

Ebenso wie Zöpfe verleihen auch Noppen einer Strickarbeit plastische Struktur. Zöpfe und Noppen lassen sich gut miteinander kombinieren und sind beide Bestandteil vieler beliebter Aranmuster.

Glatt rechts gestrickte Noppe

Für Noppen werden aus einer Masche oder zwischen zwei Maschen der Vorreihe mehrere Maschen herausgestrickt und nach einigen Reihen wieder abgenommen. Die Noppenmaschen können glatt oder kraus rechts (siehe unten), aber auch glatt links gestrickt werden.

Aus einer Masche der Vorreihe oder -runde 5 Maschen herausstricken. Dazu abwechselnd 1 Masche rechts, 1 Masche links oder 1 Masche rechts, 1 Umschlag im Wechsel stricken. Die Zahl der herausgestrickten Maschen entscheidet über die Noppengröße.

Eine Rückreihe linke Maschen nur über die Noppenmaschen arbeiten.

Eine Rückreihe linke und eine Hinreihe rechte Maschen über die Noppenmaschen arbeiten.

In der Rückreihe über die Noppenmaschen 2 Maschen links zusammenstricken, 1 Masche links, 2 Maschen links zusammenstricken.

In der folgenden Hinreihe 1 Masche abheben, 2 Maschen rechts zusammenstricken, die abgehobene Masche überziehen.

Übrig bleibt eine einzige Masche auf der rechten Nadel. Die Noppenmaschen können auch durch Überziehen der 4., 3., 2. und 1. Masche über die 5. Masche abgenommen werden.

Die so gestrickten Noppen heben sich plastisch vom Untergrund ab.

Werden Hin- und Rückreihen über die Noppenmaschen rechts gestrickt, so entstehen kraus rechte Noppen.

Flachnoppe

Flachnoppen arbeitet man normalerweise auf glatt linkem Grund. Sie werden aus dem Querfaden zwischen zwei Maschen einige Reihen tiefer herausgestrickt und tragen weniger stark auf als die zuvor beschriebenen Noppen.

Unter dem Querfaden zwischen der zuletzt gestrickten und der nächsten Masche 3 Reihen tiefer einstechen (= 3 Querfäden über der Nadel).

Den Arbeitsfaden als Schlinge durchholen.

Die Schlinge auf die linke Nadel legen und rechts verschränkt abstricken.

Weitere 4 Schlingen auf dieselbe Weise heraufholen und rechts verschränkt abstricken. Dann die Reihe entlang linke Maschen weiterstricken.

In der Rückreihe rechte Maschen stricken bis zu den Noppenmaschen. Von rechts nach links in die Noppenmaschen und die darauf folgende Masche einstechen.

Die 6 Schlingen rechts verschränkt abstricken.

Die Flachnoppen zeigen deutlich weniger Struktur als die in Hin- und Herreihen gestrickten Noppen.

Jacquardtechnik

In Jacquard- oder Norwegertechnik können Sie fantasievolle farbige Muster einstricken, bei denen sich ein bestimmter Rapport innerhalb der Reihe fortlaufend wiederholt. Gestrickt wird meist mit zwei Farben in einer Reihe.

Während bei der Intarsientechnik (siehe Seite 48) für jede Farbfläche ein eigener kleiner Knäuel Garn verwendet wird, lässt man bei Stricken in Jacquardtechnik den Faden in der jeweils nicht gebrauchten Farbe locker auf der Rückseite der Arbeit mitlaufen.
Selten strickt man dabei mit mehr als zwei Farben pro Reihe. Um zu verhindern, dass sich die Fäden beider Knäuel miteinander verheddern, und jederzeit den gewünschten Faden zum Stricken bereit zu haben, kann man einen Strickfingerhut auf den linken Zeigefinger setzen. Es gibt Modelle aus Drahtwicklungen mit zwei Ösen und Kunststofffingerhüte mit mehreren Kanälen, durch die Fäden geführt werden können.

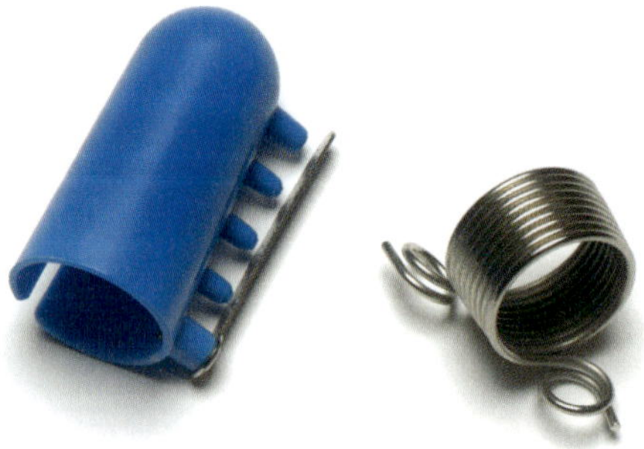

Gestrickt wird glatt rechts nach einem Zählmuster, in dem jedes Kästchen einer Masche in einer bestimmten Farbe entspricht. Die Farbe wird durch die Tönung des Kästchens oder durch ein Symbol dargestellt (siehe auch Seite 22).
Entscheidend beim Stricken in Jacquardtechnik ist es, den mitgeführten Faden nicht zu stark anzuziehen, damit die Strickarbeit sich nicht verzieht und elastisch bleibt. Durch die Zugfäden auf der Rückseite verliert das Gestrick ohnehin an Elastizität und wird dicker als eine einfarbige Strickarbeit.
Die Randmaschen strickt man am besten mit beiden Fäden ab, um von Anfang an auch beide zum farbigen Einstricken zur Verfügung zu haben. Die Knäuel legen Sie vor sich auf den Tisch und heben sie von Zeit zu Zeit umeinander herum, damit kein Garnsalat entsteht.
Wenn die Strickarbeit fertig ist, vernähen Sie die Fadenenden möglichst auf der Rückseite der Maschen in derselben Farbe.

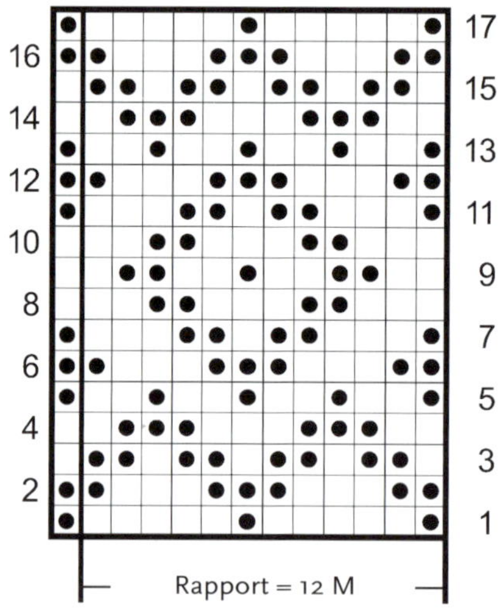

□ = 1 M in Orange
⊡ = 1 M in Blau

Jacquardmuster stricken

Den Strickfingerhut auf den Zeigefinger der linken Hand stecken und durch jede Öse einen der beiden Fäden führen. Achtung! Es sollte immer der gleiche Faden durch das vordere bzw. hintere Öhr laufen, damit die Fäden nicht miteinander verkreuzt werden. In den rechts gestrickten Hinreihen liegen beide Fäden hinter der Arbeit.

Die nächste Masche muss gemäß Zählmuster in Blau, die übernächste in Orange gestrickt werden. Der Faden in Orange läuft locker auf der Rückseite mit.

In die nächste Masche einstechen und den blauen Faden als Schlinge durchholen. Der Faden in Orange läuft locker auf der Rückseite mit.

In die folgende Masche einstechen und den orangefarbenen Faden als Schlinge durchholen. Diesmal wird der blaue Faden locker mitgeführt. Auf diese Weise nach Zählmuster weiterarbeiten.

Wenn der mitgeführte Faden auf der Rückseite mehr als 4 bis 5 Maschen überspannt, sollte er eingewebt werden, damit man etwa beim Anziehen eines Pullovers nicht in den Spannfäden hängen bleibt. Dazu den Strickfaden nicht wie gewohnt erfassen, sondern um den anderen Faden herumstechen.

Bei der nächsten Masche den Faden wieder erfassen, ohne um den kontrastfarbenen Faden herumzustechen. In Rückreihen ebenfalls einmal um den andersfarbigen Faden herumstechen und bei der nächsten Masche wie gewohnt einstechen.

Am Reihenende die Randmasche mit beiden Fäden zugleich abstricken.

In Rückreihen die Maschen in den Farben gemäß Zählmuster links abstricken und den jeweils nicht gebrauchten Faden locker vor der Arbeit mitführen.

Auf der Vorderseite der Arbeit erscheint das Muster in verschiedenen Farben.

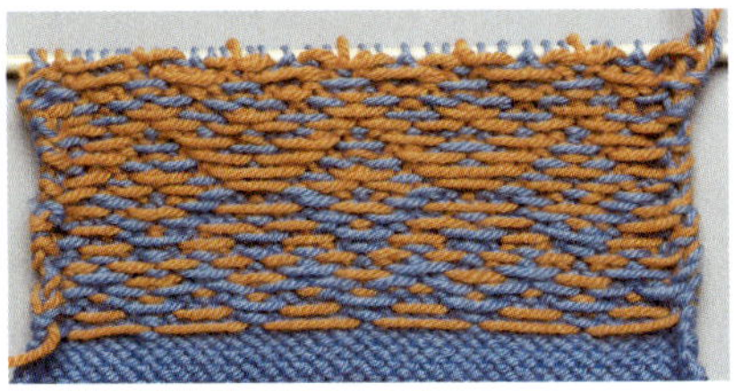

Auf der Arbeitsrückseite erkennt man die mitgeführten Spannfäden.

Praxis-Tipp

Maschenprobe nicht vergessen!
Im Vergleich mit einfarbigem, glatt rechtem Gestrick sind die Maschen beim Stricken in Jacquardtechnik höher, aber etwa genauso breit. Stricken Sie deshalb unbedingt eine Maschenprobe im gewählten Muster, denn die Ergebnisse einer glatt rechts gestrickten Maschenprobe gelten in diesem Fall nicht. Sie brauchen vermutlich ebenso viele Maschen in der Breite, jedoch weniger Reihen in der Höhe für ein Probequadrat von 10 x 10 cm.
Das ist auch der Grund dafür, dass Zählvorlagen mit einem quadratischen Karoraster das Muster leicht verzerrt darstellen. Manche Vorlagen für Jacquardmuster werden daher auf einem Raster aus rechteckigen Kästchen gedruckt, die höher als breit sind.

Intarsientechnik

Flächige Motive in verschiedenen Farben lassen sich am einfachsten in Intarsientechnik stricken. Dabei wird jede einzelne Farbfläche mit einem eigenen Knäuel gearbeitet.

Geometrische Muster mit großen Farbflächen, aber auch figürliche Motive – etwa für Kinderpullover – können in Intarsientechnik gestrickt werden. Anders als bei der Jacquardtechnik werden dabei die jeweils nicht benötigten Fäden nicht auf der Rückseite mitgeführt, sondern bleiben am Rand der entsprechenden Farbfläche hängen und werden auf dem Rückweg wieder aufgenommen. Deshalb eignet sich diese Technik auch nur für das Stricken in hin- und hergehenden Reihen. Bei großen Farbflächen lohnt es sich, einen ganzen Knäuel vorzusehen, bei kleineren hingegen sind winzige Knäuel praktischer. Wickeln Sie dafür etwas Garn auf eine Plastikspule auf, die es im Handarbeitsfachhandel zu kaufen gibt. Sie können aber auch improvisierte Spulen aus Kartonresten zuschneiden.

In der Intarsientechnik wird normalerweise glatt rechts gestrickt (Hinreihen rechts, Rückreihen links). Beim Farbwechsel müssen die Fäden auf der Rückseite verkreuzt werden, damit sich am Übergang keine Löcher bilden.

Für jede Farbfläche eine eigene Garnspule verwenden und die Spulen in der Reihenfolge anordnen, in der sie gebraucht werden.

In der Hinreihe bis zum ersten Farbwechsel stricken. Den alten Faden (hier blau) über den neuen (hier orange) legen und mit dem neuen Faden weiterstricken.

Bis zum nächsten Farbwechsel stricken. Die Fäden wieder verkreuzen, wie zuvor beschrieben, und mit dem Faden für die linke Fläche weiterstricken.

In der Rückreihe wieder bis zum ersten Farbwechsel stricken, die beiden Fäden miteinander verkreuzen und mit dem neuen Faden weiterstricken.

Beim zweiten Farbwechsel genauso verfahren.

Auf der Vorderseite der Arbeit sind drei sauber voneinander getrennte Farbflächen zu erkennen.

Die Farbwechsel erscheinen auf der Rückseite der Arbeit als zweifarbig gestrichelte, vertikale Linien.

Hebemaschentechnik

Hebemaschen sind eine raffinierte Methode, mehrfarbige Muster zu stricken, aber in jeder Reihe nur mit einer einzigen Farbe zu arbeiten. Lernen Sie hier die Grundtechnik kennen.

Der Trick bei der Hebemaschentechnik besteht darin, farbige Streifen zu stricken, aber über eine oder mehrere Reihen hinweg einzelne Maschen eines früheren Farbstreifens abzuheben, statt sie zu stricken. Dadurch werden diese kontrastfarbenen Maschen über den andersfarbigen Streifen hochgezogen, sodass vertikale Streifen, Karos oder Wabenmuster entstehen. Zusätzliche Effekte lassen sich dadurch erzielen, dass der Arbeitsfaden vor oder hinter der Hebemasche mitgeführt wird.

Beim hier vorgestellten Muster werden jeweils 4 Reihen glatt rechts in Blau und 2 Reihen kraus rechts in Orange gestrickt. In den blauen Reihen wird jede 5. Masche in Orange abgehoben und nicht gestrickt. Diese Hebemaschen werden in jedem blauen Streifen versetzt.

In den blauen Reihen bis zur Stelle für die Hebemasche rechts stricken. In die nächste Masche von rechts nach links einstechen, wobei der Arbeitsfaden hinter der Arbeit liegt.

Die Masche abheben: Dadurch bleibt diese eine Masche in Orange erhalten, während die Maschen davor und danach in Blau gestrickt werden.

In der Rückreihe ebenso verfahren: Bis zur Hebemasche linke Maschen stricken, den Faden weiter vor der Nadel lassen, in die nächste (orangefarbene) Masche von rechts nach links einstechen.

Die Masche abheben. Auf dem Foto ist deutlich erkennbar, dass der blaue Faden in der Vorreihe ebenso wie in der aktuellen Reihe vor der Hebemasche (also auf der linken Seite der Arbeit) vorbeiläuft. 2 weitere Reihen (= 1 Hin- und 1 Rückreihe) auf dieselbe Weise stricken.

Nach 4 glatt rechts gestrickten Reihen in Blau folgen 2 kraus rechts gestrickte Reihen in Orange. Dabei werden alle Maschen gestrickt. Bis zur Hebemasche stricken.

Die Hebemasche ebenfalls rechts abstricken. In der Rückreihe wieder alle Maschen rechts stricken. Danach wieder 4 Reihen glatt rechts in Blau stricken und die Hebemaschen gegenüber dem vorhergehenden Streifen versetzt arbeiten. Den jeweils nicht gebrauchten Faden an der Seite mitführen.

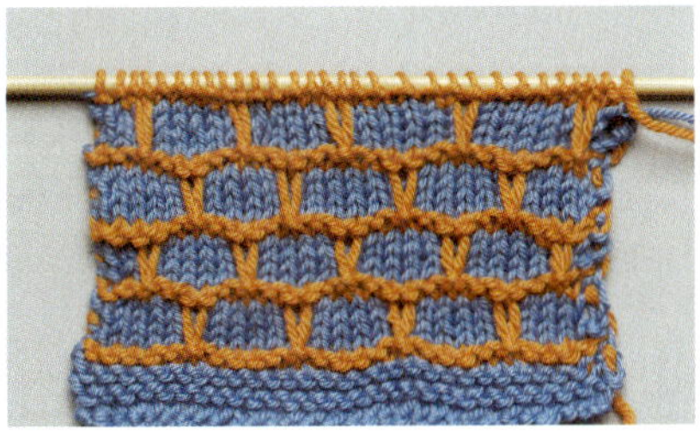

Das fertige Hebemaschenmuster – ein Beispiel aus zahllosen Möglichkeiten – erinnert an eine Ziegelmauer.

Socken stricken

Socken gehören zu den beliebtesten Strickmodellen überhaupt. Das liegt zum einen daran, dass sie exakt nach Maß gestrickt werden können und deshalb unübertroffen gut sitzen. Darüber hinaus sind sie aber auch an wenigen Abenden fertig, sodass auch ungeduldige Strickerinnen nicht daran verzweifeln.

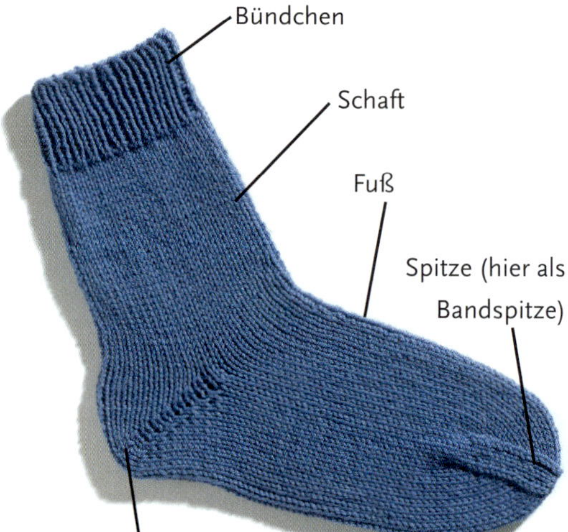

Es gibt verschiedene Methoden, Socken zu stricken. Hier lernen Sie die beliebteste Technik kennen: am Bündchen begonnene Socken, deren Ferse durch verkürzte Reihen geformt wird, mit Bandspitze. Zwei Varianten – die Ferse mit dreiteiligem Käppchen und die Sternchenspitze – sind auf Seite 52/53 beschrieben.

Maschenanschlag

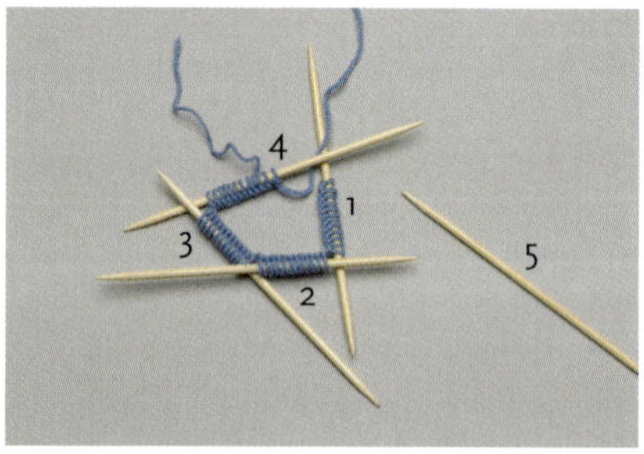

Die für die jeweilige Größe erforderliche Maschenzahl anschlagen und die Maschen gleichmäßig auf 4 Nadeln verteilen. Diese Nadeln werden von 1 bis 4 durchnummeriert: Nadel 1 ist die Nadel nach dem Rundenbeginn, Nadel 4 die letzte Nadel vor dem Rundenübergang, der in der hinteren Mitte der Socke liegt und durch den Anfangsfaden markiert wird. Die Arbeit zur Runde schließen.

Bündchen

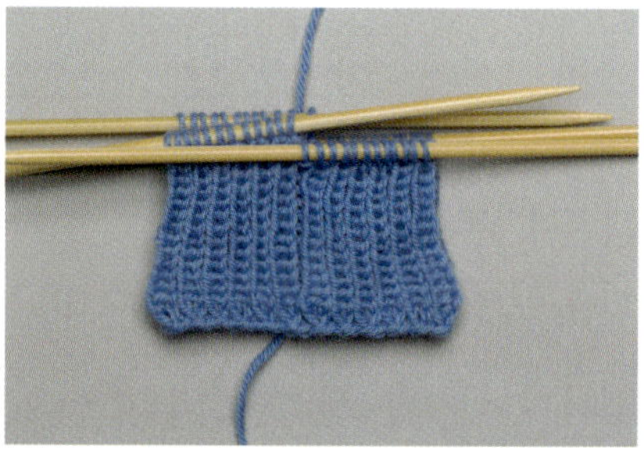

Bei den meisten Socken wird zunächst ein Bündchen im Rippenmuster gestrickt. Das abgebildete Bündchen ist im kleinen Rippenmuster 1 Masche rechts, 1 Masche links im Wechsel gearbeitet. Sie können aber auch 2 Maschen rechts, 2 Maschen links oder 3 Maschen rechts, 1 Masche links im Wechsel stricken. Das Rippenbündchen verleiht dem oberen Rand der Socken Elastizität.
Bei manchen Modellen wird das Rippenbündchen durch einen glatt rechts gestrickten Rollrand oder ein anderes Muster ersetzt. Richten Sie sich in diesen Fällen nach der jeweiligen Anleitung.

Schaft

An das Bündchen schließt sich der Schaft (auch Rohr genannt) an. Er kann im selben Rippenmuster wie das Bündchen, glatt rechts oder in einem Struktur- oder Einstrickmuster gearbeitet werden. Für manche Muster müssen Sie nach dem Bündchen Maschen zu- oder abnehmen und die Maschenzahl vor Beginn der Ferse wieder anpassen.

Ferse mit verkürzten Reihen (Bumerangferse)

Die Ferse wird in hin- und hergehenden Reihen glatt rechts über die Maschen von Nadel 1 und Nadel 4 gestrickt. Weil diese Art der Ferse kürzer ist als die Ferse mit dreiteiligem Käppchen (siehe Seite 52), bei Strukturmustern ca. 1 bis 2 cm vor Ende des Schaftes über die Fersenmaschen (Nadel 1 und 4) glatt rechts und über die Maschen von Nadel 2 und 3 weiter im Schaftmuster stricken. Falls für das Schaftmuster Maschen zu- oder abgenommen wurden, die Maschenzahl auf Nadel 1 und 4 vor Beginn der Ferse wieder anpassen.
Die Fersenmaschen in 3 Abschnitte aufteilen. Falls die Maschenzahl nicht durch 3 teilbar ist, die überzähligen Maschen dem Mittelteil zuschlagen. Nun werden über die Maschen der beiden äußeren Teile und über die jeweils äußere Masche des mittleren Teils verkürzte Reihen mit doppelten Maschen gestrickt.

Verkürzte Reihen von außen nach innen

1. Reihe (Hinreihe): Alle Maschen rechts stricken; wenden.
2. Reihe (Rückreihe): Den Faden **vor** die Arbeit legen und die **doppelte Masche**

arbeiten: Von rechts in die 1. Masche einstechen, dann Masche und Faden zusammen links abheben; dabei den Faden sehr fest nach hinten ziehen. Dadurch wird die Masche über die Nadel gezogen und liegt doppelt. Wird der Faden nicht fest genug angezogen, entstehen später Löcher.
Den Faden nach vorne legen und alle Maschen links stricken; wenden.
3. Reihe: Den Faden **vor** die Arbeit legen und die **doppelte Masche** arbeiten, wie bei der 2. Reihe beschrieben. Nun alle Maschen bis zur doppelten Masche am Reihenende rechts stricken (die doppelte Masche bleibt ungestrickt); wenden.
4. Reihe: Den Faden **vor** die Arbeit legen und die **doppelte Masche** arbeiten. Wieder alle Maschen bis vor die doppelte Masche links stricken; wenden.
Die 3. und 4. Reihe stets wiederholen, bis die letzten doppelten Maschen mit den äußeren Maschen des mittleren Drittels der Fersenmaschen gearbeitet sind (siehe Abbildung oben).

Nun 2 Runden über alle Maschen stricken: über die Fersenmaschen glatt rechts, über die Maschen der 2. und 3. Nadel gegebenenfalls im Schaftmuster. Dabei in der 1. Runde bei den doppelten Maschen beide Maschenteile zugleich erfassen und als 1 Masche zusammen rechts abstricken.

Verkürzte Reihen von innen nach außen

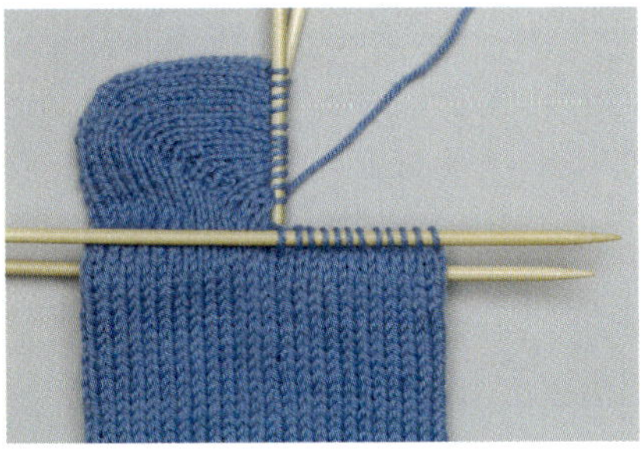

Nach den 2 Runden wieder verkürzte Reihen mit doppelten Maschen stricken.
1. Reihe (Hinreihe): Die Maschen des mittleren Drittels rechts stricken; wenden.
2. Reihe (Rückreihe): Den Faden **vor** die Arbeit legen und die **doppelte Masche** arbeiten. Nun alle folgenden Maschen einschließlich der letzten Masche des mittleren Drittels links stricken; wenden.
3. Reihe: Den Faden **vor** die Arbeit legen und die **doppelte Masche** arbeiten. Alle folgenden Maschen bis zur doppelten Masche der Vorreihe rechts stricken, beide Teile der doppelten Masche zusammen rechts abstricken, die folgende Masche ebenfalls rechts stricken; wenden.
4. Reihe: Den Faden **vor** die Arbeit legen und die **doppelte Masche** arbeiten. Die folgenden Maschen bis zur doppelten Masche der Vorreihe links stricken, beide Teile der doppelten Masche zusammen links abstricken, die folgende Masche ebenfalls links stricken; wenden.
Die 3. und 4. Reihe stets wiederholen, bis auch über den äußeren Fersenmaschen je 1 doppelte Masche gestrickt wurde.
Nach der letzten Rückreihe (in der folgenden Reihe bzw. am Rundenanfang wird noch einmal 1 doppelte Masche gearbeitet) in Runden weiterstricken, dabei in der 1. Runde die doppelte Masche wie beschrieben rechts abstricken.

Fuß

Nach der Bumerangferse stimmt die Maschenzahl für den Fuß sofort. Es müssen also keine Spickelabnahmen gearbeitet werden wie nach der Ferse mit dreiteiligem Käppchen (siehe Seite 52). Den Fuß in Runden bis zur angegebenen Länge (siehe Tabellen Seite 54/55 bzw. Praxis-Tipp Seite 53) stricken, dabei gegebenenfalls über die Maschen von Nadel 1 und 4 glatt rechts und über die Maschen von Nadel 2 und 3 im gewünschten Muster arbeiten.

Bandspitze

Bei der Bandspitze werden die Abnahmen so verteilt, dass dazwischen ein „Band" aus zwei glatt rechts gestrickten Maschen der Kontur des Fußes folgt. Am Beginn der Spitze werden zwischen den Abnahmerunden auch Runden ohne Abnahmen gearbeitet. Die Abfolge entnehmen Sie den Tabellen für die verschiedenen Garnstarken (siehe Seite 54/55).
Bei Nadel 1 und Nadel 3 jeweils bis 3 Maschen vor Ende der Nadel stricken, dann 2 Maschen rechts zusammenstricken und die letzte Masche der Nadel rechts stricken. Bei der 2. und 4. Nadel die 1. Masche rechts stricken, die folgende Masche rechts abheben, 1 Masche rechts stricken und die abgehobene Masche überziehen. Die Abnahmen entsprechend den Angaben für Ihre Garn-

stärke und Schuhgröße (siehe Tabelle) wiederholen, bis nur noch 8 Maschen auf den Nadeln sind. Diese Maschen im Maschenstich verbinden oder mit doppeltem Faden fest zusammenziehen.

Varianten

Ferse mit dreiteiligem Käppchen

Diese Ferse aus gerader Fersenwand und dreiteiligem Käppchen wird ebenfalls in hin- und hergehenden Reihen gestrickt.

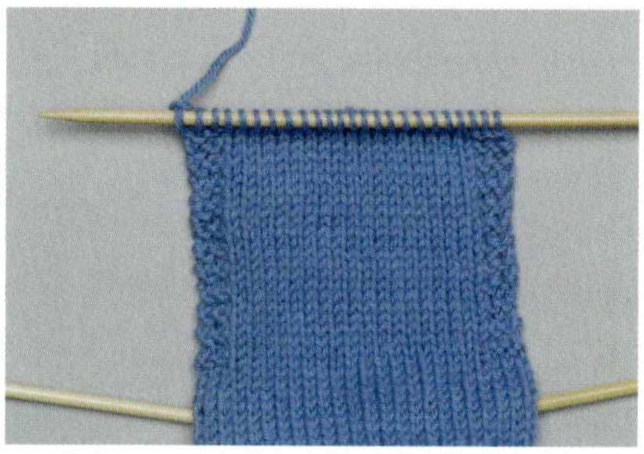

Wenn der Schaft die gewünschte Länge hat, die Fersenwand über die Maschen von Nadel 1 und Nadel 4 (also die Maschen vor und nach dem Rundenwechsel) stricken. Häufig werden die ersten und letzten 2 bis 3 Maschen der Fersenwand kraus rechts gestrickt. Die dabei entstehenden Rippen erleichtern das Zählen der Reihen: 2 Reihen weniger stricken, als Fersenmaschen auf der Nadel sind. Jede Krausrippe entspricht 2 Reihen. Die Maschen der beiden anderen Nadeln ruhen.
Für das dreiteilige Fersenkäppchen die Fersenmaschen in drei Teile teilen (siehe

Tabellen Seite 54/55). Eventuell überzählige Maschen werden dem Mittelteil

Nach den Tabellen auf Seite 54/55 können Sie Socken in jeder Größe stricken.

(= Käppchenmaschen) zugeschlagen.
In der nächsten Hinreihe bis vor die letzte Masche des mittleren Teils rechts stricken. * Die letzte Käppchenmasche wie zum Rechtsstricken abheben, die nächste Masche des Außenteils rechts stricken, die abgehobene Käppchenmasche darüberziehen und die Arbeit wenden. Die 1. Käppchenmasche links abheben (der Faden liegt vor der Masche) und alle Maschen bis auf die letzte Käppchenmasche links stricken. Diese letzte Masche mit der folgenden Masche des Außenteils links zusammenstricken und die Arbeit wenden. Die 1. Käppchenmasche links abheben (Faden hinter der Masche) und alle Käppchenmaschen bis auf die letzte Masche rechts stricken.
Ab * fortlaufend wiederholen, bis alle seitlichen Maschen aufgebraucht und nur noch die Käppchenmaschen übrig sind.

Nun wieder in Runden über alle Maschen arbeiten: Über die Käppchenmaschen stricken und die Maschen dabei gleichmäßig auf 2 Nadeln (= Nadel 1 und Nadel 4) verteilen. Mit Nadel 1 Maschen aus der rechten Kante der Fersenwand aufnehmen (jeweils 1 Masche aus 2 Fersenreihen). Dazu hinter der Randmasche einstechen, den Arbeitsfaden durchholen und als Masche auf die Nadel legen. Zusätzlich 1 Masche aus dem Querfaden zwischen der 1. und 2. Nadel rechts verschränkt herausstricken. Nun die Maschen von

Nadel 2 und 3 stricken, dann aus dem Querfaden zwischen Nadel 3 und 4 ebenfalls 1 Masche rechts verschränkt herausstricken und aus den Randmaschen an der linken Kante der Fersenwand ebenfalls Maschen aufstricken. Zuletzt die erste Hälfte der Käppchenmaschen bis zum Rundenübergang stricken.

Auf Nadel 1 und Nadel 4 liegen nun mehr Maschen als auf Nadel 2 und Nadel 3.

Diese zusätzlichen Maschen werden für den Spickel (auch Zwickel genannt) wieder abgenommen. Für die Spickelabnahmen in der folgenden 3. Runde bei Nadel 1 die zweit- und drittletzte Masche rechts zusammenstricken und die letzte Masche rechts stricken; bei der 4. Nadel die 1. Masche rechts stricken, die 2. Masche rechts abheben, die 3. Masche rechts stricken und die abgehobene Masche überziehen. Diese Abnahmen in jeder 3. Runde wiederholen, bis auf allen 4 Nadeln wieder gleich viele Maschen vorhanden sind. Fuß und Spitze stricken, wie oben beschrieben.

Sternchenspitze

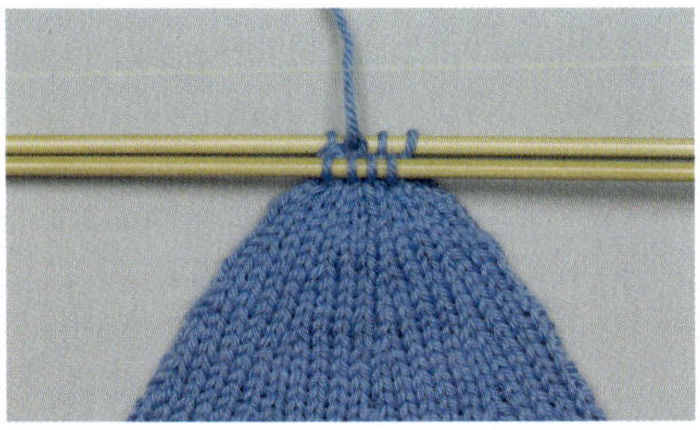

Statt der Bandspitze können Sie auch die Sternchenspitze arbeiten, bei der die Abnahmen über die ganze Runde verteilt werden. Beginnen Sie mit den Abnahmen bei der gleichen Fußlänge wie für die Bandspitze, doch halten Sie sich bei der Abfolge der Abnahmerunden an die folgende Beschreibung.

Bei 60 oder mehr Maschen in der Runde jede 6. Masche mit der folgenden Masche rechts zusammenstricken, bei weniger als 60 Maschen in der Runde jede 5. Masche mit der folgenden Masche rechts zusammenstricken.

Nach dieser 1. Abnahmerunde entsprechend 6 bzw. 5 Runden glatt rechts stricken. In der nächsten Abnahmerunde den Abstand zwischen den Abnahmen um jeweils 1 Masche verringern, also jede 5. bzw. 4. Masche mit der folgenden Masche rechts zusammenstricken und anschließend 5 bzw. 4 Runden glatt rechts stricken.

Auf diese Weise weiter Maschen abnehmen, bis nur noch insgesamt 8 Maschen auf den Nadeln sind. Diese Maschen im Maschenstich verbinden oder mit doppeltem Faden zusammenziehen und den Faden sicher im Inneren der Socke vernähen.

Praxis-Tipp

Die richtige Fußlänge

Wenn Sie die Möglichkeit haben, die Socken am Fuß des künftigen Trägers anzuprobieren, können Sie die Fußlänge auch ohne Tabelle genau bestimmen: Beginnen Sie mit den Abnahmen für die Spitze, sobald der Fuß das Ende des kleinen Zehs erreicht hat.

Socken stricken von der Spitze zum Schaft

Besonders in der Türkei werden Socken normalerweise nicht vom Schaft zur Spitze, sondern in umgekehrter Richtung gestrickt.

8 Maschen (= 2 Maschen pro Nadel) anschlagen und nach der Größentabelle für das entsprechende Garn stricken, jedoch die Angaben von unten nach oben lesen. Außerdem werden Zu- und Abnahmen vertauscht. Von der 2. Runde an für die Bandspitze Maschen rechts verschränkt aus dem Querfaden zunehmen, wie in der Tabelle angegeben.

Den Fuß über alle Maschen gemäß Anleitung stricken, bis die „Fußlänge bis Spitzenbeginn" erreicht ist.

Die Ferse als Bumerangferse arbeiten, wie auf Seite 50 beschrieben, oder als „Balkanferse" nachträglich einstricken: Dafür an der entsprechenden Stelle zunächst über die Maschen der 4. und 1. Nadel einen kontrastfarbenen Faden einstricken, die gleichen Maschen mit dem Originalfaden noch einmal stricken und die Socke beenden. Den Hilfsfaden vorsichtig heraustrennen, die offenen Maschen auf 4 Nadeln auffassen (Rundenbeginn = untere Mitte) und in jeder 2. Runde Maschen wie für die Bandspitze abnehmen, bis noch so viele Maschen übrig sind, wie ursprünglich auf einer Nadel lagen (bei 56 Maschen insgesamt also 14 Maschen). Bei einer ungeraden Maschenzahl 1 Masche zusätzlich übrig lassen. Diese Maschen auf 2 Nadeln verteilen und im Maschenstich verbinden.

Größentabellen für Socken

Nach den vier Tabellen auf dieser Doppelseite können Sie mühelos Socken in verschiedenen Größen für Kinder und Erwachsene stricken. Die Tabellen nennen die Zahl der Anschlagmaschen insgesamt und pro Nadel, die Maschen- und Reihenzahl für die Ferse, die Aufteilung der Maschen für Käppchen oder Bumerangferse, die Zahl der aufzunehmenden Maschen nach der Ferse mit Käppchen sowie die Abfolge der Maschenabnahmen für die Bandspitze.

Suchen Sie sich zunächst die richtige Tabelle für Ihr Sockengarn heraus. Am gebräuchlichsten ist das vierfädige Garn (LL ca. 210 m/50 g), gefolgt vom sechsfädigen Garn (LL ca. 125 m/50 g). Für Stiefelsocken oder Socken für Hüttenschuhe können Sie das vierfädige Garn doppelt nehmen und stricken dann nach der Tabelle auf Seite 55 unten. Aus dreifädigem Garn arbeitet man beispielsweise Trachtenstrümpfe oder dünnere Socken. Am besten markieren Sie die Spalte mit den Angaben für Ihre Größe, um sich während des Strickens jederzeit zurechtzufinden.

Achtung! Manche Schaftmuster erfordern andere Maschenzahlen, als in der Tabelle angegeben, etwa wenn die Gesamtzahl der Maschen in einer Runde nicht durch die Maschenzahl des Musterrapports teilbar ist. Richten Sie sich in diesem Fall nach der Anleitung. Gegebenenfalls nehmen Sie überzählige Maschen vor Beginn der Ferse ab.

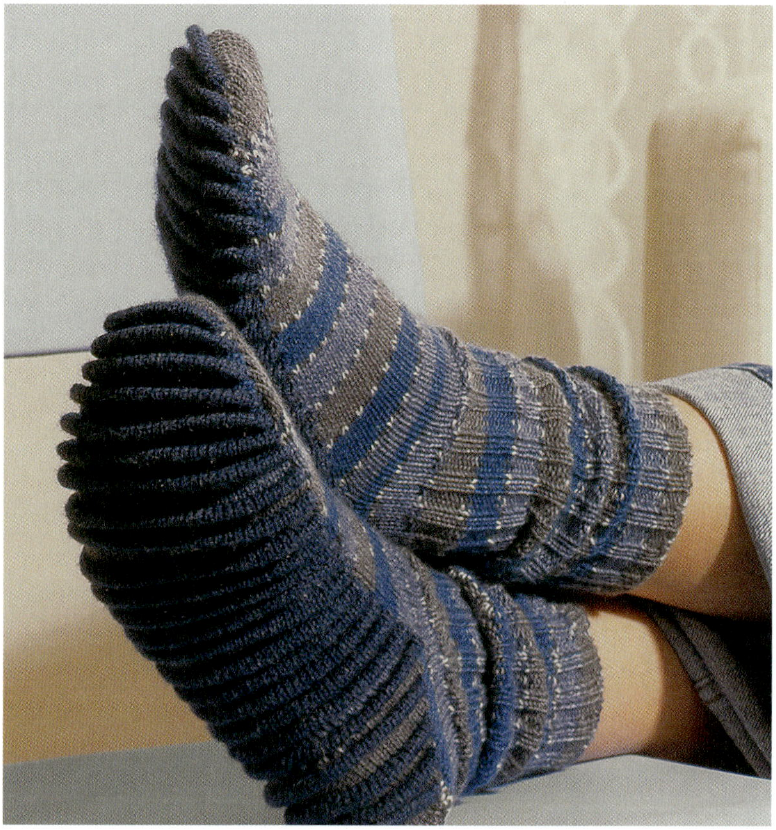

Wenn Sie sich nach den Angaben in den Tabellen für Ihr Garn und Ihre Größe richten, sitzen Ihre Socken immer perfekt.

Größentabelle für Socken aus 3-fädigem Sockengarn (LL 260 m / 50 g)

Größe	22/23	24/25	26/27	28/29	30/31	32/33	34/35	36/37	38/39	40/41	42/43	44/45	46/47
Maschenanschlag/M-Zahl je Nd	48/120	52/13	52/13	56/14	56/14	60/15	60/15	64/16	64/16	68/17	68/17	72/18	76/19
Maschenzahl für Fersenbreite	24	26	26	28	28	30	30	32	32	34	34	36	38
Reihenzahl für Fersenhöhe	22	24	24	26	26	28	28	30	30	32	32	34	36
Maschenzahl für Käppchen bzw. Aufteilung der M für die Bumerangferse	8/8/8	8/10/8	8/10/8	9/10/9	9/10/9	10/10/10	10/10/10	10/12/10	10/12/10	11/12/11	11/12/11	12/12/12	12/14/12
Maschenaufnahme beidseitig (Ferse mit Käppchen)	12	13	13	14	14	15	15	16	16	17	17	18	19
Fußlänge von Fersenmitte bis Spitze in cm	11,5	12	13,5	14	15,5	16,5	17,5	18,5	20	21	22	23	24
Abnahme für Bandspitze nach der 1. Abnahme in der 4. Rd	–	–	–	1x	1x	1x	1x	1x	1x	1x	1x	1x	1x
in jeder 3. Rd	1x	1x	1x	1x	1x	1x	1x	2x	2x	2x	2x	2x	2x
in jeder 2. Rd	3x	4x	4x	3x	3x	4x	4x	4x	4x	4x	4x	5x	5x
in jeder Rd	5x	5x	5x	6x	6x	6x	6x	6x	6x	7x	7x	7x	8x
Gesamte Fußlänge in cm	14,5	15,5	17	18	19,5	21	22	23,5	25	26,5	27,5	28,5	30

Größentabelle für Socken aus 4-fädigem Sockengarn (LL 210 m/50 g)

Größe	22/23	24/25	26/27	28/29	30/31	32/33	34/35	36/37	38/39	40/41	42/43	44/45
Maschenanschlag/M-Zahl je Nd	44/11	48/12	48/12	52/13	52/13	56/14	56/14	60/15	60/15	64/16	64/16	68/17
Maschenzahl für Fersenbreite	22	24	24	26	26	28	28	30	30	32	32	34
Reihenzahl für Fersenhöhe	20	22	22	24	24	26	26	28	28	30	30	32
Maschenzahl für Käppchen bzw. Aufteilung der M für die Bumerangferse	7/8/7	8/8/8	8/8/8	8/10/8	8/10/8	9/10/9	9/10/9	10/10/10	10/10/10	10/12/10	10/12/10	11/12/11
Maschenaufnahme beidseitig (Ferse mit Käppchen)	11	12	12	13	13	14	14	15	15	16	16	17
Fußlänge bis Spitzenbeginn in cm	11,5	12,5	14	14	15,5	17	18	18,5	20	21	22	22,5
Abnahme fur Spitze nach der 1. Abnahme in der 4. Rd								1x	1x	1x	1x	1x
in jeder 3. Rd	1x	1x	1x	2x	2x	2x	2x	2x	2x	2x	2x	2x
in jeder 2. Rd	3x	3x	3x	3x	3x	3x	3x	3x	3x	3x	3x	4x
in jeder Rd	4x	5x	5x	5x	5x	6x	6x	6x	6x	7x	7x	7x
Gesamte Fußlänge in cm	14,5	15,5	17	18	19,5	21	22	23,5	25	26,5	27,5	28,5

Größentabelle für Socken aus 6-fädigem Sockengarn (LL 125 m/50 g)

Größe	22/23	24/25	26/27	28/29	30/31	32/33	34/35	36/37	38/39	40/41	42/43	44/45	46/47
Maschenanschlag/M-Zahl je Nd	32/8	36/9	36/9	40/10	40/10	44/11	44/11	48/12	48/12	52/13	52/13	56/14	56/14
Maschenzahl für Fersenbreite	16	18	18	20	20	22	22	24	24	26	26	28	28
Reihenzahl für Fersenhöhe	14	16	16	18	18	20	20	22	22	24	24	26	26
Maschenzahl für Käppchen bzw. Aufteilung der M für die Bumerangferse	5/6/5	6/6/6	6/6/6	6/8/6	6/8/6	7/8/7	7/8/7	8/8/8	8/8/8	8/10/8	8/10/8	9/10/9	9/10/9
Maschenaufnahme beidseitig (Ferse mit Käppchen)	8	9	9	10	10	11	11	12	12	13	13	14	14
Fußlänge von Fersenmitte bis Spitze in cm	12	12	13,5	14	15	16,5	17	18	20	21,5	22,5	23	24,5
Abnahme für Bandspitze nach der 1. Abnahme in der 3. Rd	–	–	–	–	–	–	–	1x	1x	1x	1x	1x	1x
in jeder 2. Rd	2x	3x	3x	3x	3x	4x	4x	4x	4x	4x	4x	4x	4x
in jeder Rd	3x	3x	4x	4x	4x	4x	4x	4x	4x	5x	5x	6x	6x
Gesamte Fußlänge in cm	14,5	15,5	17	18	19,5	21	22	23,5	25	26,5	27,5	28,5	30

Größentabelle für Socken aus 4-fädigem Sockengarn mit doppeltem Faden oder 8-fädigem Sockengarn (LL 100 m / 50 g)

Größe	22/23	24/25	26/27	28/29	30/31	32/33	34/35	36/37	38/39	40/41	42/43	44/45
Maschenanschlag/M-Zahl je Nd	28	32	36	40	40	44	44	48	48	52	52	56
Wadenabnahmen ab Rand bzw. Bund 2x in jeder	–	–	10. Rd	10. Rd	10. Rd	10. Rd	12. Rd	12. Rd	12. Rd	14. Rd	14. Rd	16. Rd
Gesamte Schaftlänge bis Fersenbeginn in cm	15	16	17	18,5	20	21	22	23	25	26	27	28
Maschenzahl für Fersenbreite	14	16	16	18	18	20	20	22	22	24	24	26
Reihenzahl für Fersenhöhe	12	14	14	16	16	18	18	20	20	22	22	24
Maschenzahl für Käppchen bzw. Aufteilung der M für die Bumerangferse	4/6/4	5/6/5	5/6/5	6/6/6	6/6/6	6/8/6	6/8/6	7/8/7	7/8/7	8/8/8	8/8/8	8/10/8
Maschenaufnahme beidseitig (Ferse mit Käppchen)	7	8	8	9	9	10	10	11	11	12	12	13
Zwickelabnahmen in jeder 2. Rd (M)	3x	3x	3x	3x	3x	4x	4x	4x	4x	4x	4x	5x
Fußlänge von Fersenmitte bis Spitze in cm	12	13	13,5	14	15,5	17	18	19	20,5	21,5	22,5	23
Abnahme für Bandspitze nach der 1. Abnahme in der 3. Rd.	–	–	1x	1x	1x	1x	1x	1x	1x	1x	1x	1x
in jeder 2. Rd.	2x	2x	2x	2x	3x	3x	3x	3x	3x	4x	4x	4x
in jeder Rd.	2x	3x	2x	3x	2x	3x	3x	4x	4x	4x	4x	5x
Gesamte Fußlänge in cm	14,5	15,5	17	18	19,5	21	22	23,5	25	26,5	27,5	28,5

Pompons und Quasten

Durch Pompons oder Quasten bekommen Mützen und Schals, aber auch Sofakissen und modische Accessoires eine verspielte Note. Die Dekorteile fertigen Sie im Nu farblich exakt passend zum Modell an. Außerdem lassen sich so Garnreste sinnvoll verwerten.

Pompons anfertigen

Kugelige Pompons können Sie auf zweierlei Art herstellen: Für die klassische Methode brauchen Sie nur zwei Pappringe, Garn und eine Wollnadel. Allerdings ist es etwas mühsam, die Pappringe mit dem Garn zu umwickeln. Einfacher geht es mit einem Pompon-Set aus dem Handarbeitsfachhandel, denn die bogenförmigen Kunststoffteile können zügig umwickelt werden, ohne dass zwischendurch ein neuer Faden angesetzt oder die Nadel immer wieder durch das Loch in der Mitte gestochen werden muss. Jede Packung enthält Sets für verschiedene Pompongrößen.

Traditionelle Methode

Für die traditionelle Methode brauchen Sie zwei Pappringe, Garn und eine Wollnadel. Der Außendurchmesser der beiden Pappringe sollte dem gewünschten Pompondurchmesser, der des Lochs in der Mitte der Breite des Papprings entsprechen.

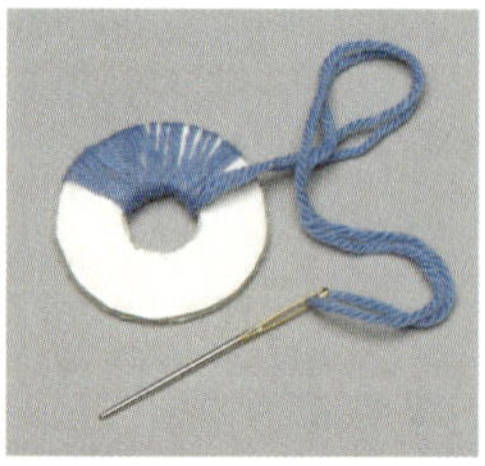

Beide Pappringe aufeinanderlegen. Ein langes Fadenstück in die Wollnadel einfädeln und die beiden Pappringe zusammen dicht an dicht mit dem Garn umwickeln.

Nach und nach neue Fadenstücke ansetzen, durch Wickeln fixieren und weiterwickeln, bis das Loch in der Mitte der Pappringe vollständig ausgefüllt ist.

Die Wicklungen entlang der Außenkante mit einer scharfen, spitzen Handarbeitsschere rundum aufschneiden.

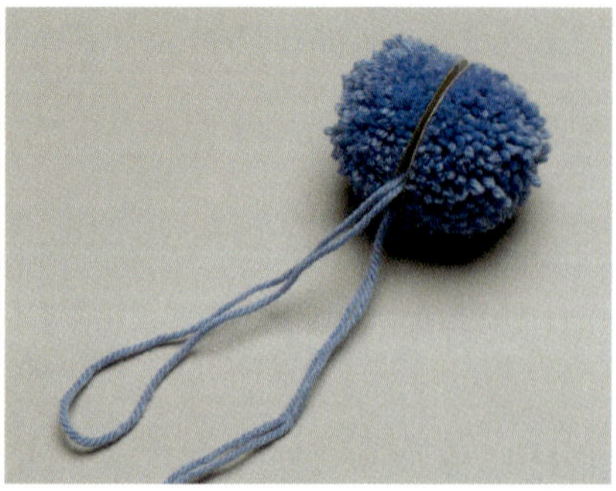

Einen doppelt gelegten Faden zwischen den beiden Pappringen durchziehen und fest verknoten.

Die Pappringe aufschneiden und vorsichtig entfernen.

Den Pompon sauber in Form schneiden. Mit den Abbindefäden kann er am Modell angenäht werden.

Mit Pompon-Set

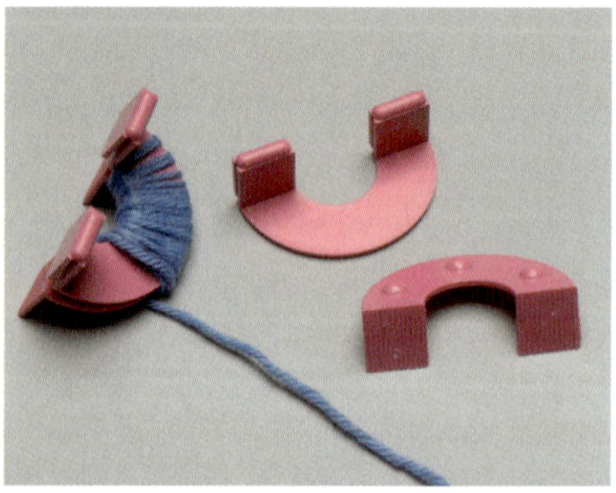

Jeweils ein Kunststoffteil mit einfacher Zunge und mit doppelter Lasche aneinanderlegen und dicht an dicht mit Garn umwickeln.

Beide bogenförmigen Paare umwickeln, bis die Einbuchtung in der Mitte vollständig ausgefüllt ist.

Zungen und Laschen der Kunststoffteile so ineinanderschieben, dass ein Kreis entsteht.

Die Wicklungen zwischen den aufeinandergelegten Kunststoffteilen rundum aufschneiden. Kleine Noppen an einem der beiden Teile jedes Paares halten die Teile auf Abstand, sodass die Spitze der Schere leicht dazwischengeschoben werden kann.

Wie bei der traditionellen Methode einen doppelt gelegten Faden im Spalt zwischen den Plastikteilen durchziehen und fest verknoten. Die Plastikteile entfernen und den Pompon in Form schneiden, wie oben beschrieben.

Quasten anfertigen

Quasten jeder Dicke und Länge lassen sich noch leichter und schneller herstellen als Pompons. Sie brauchen dazu außer dem Garn ein Rechteck aus steifer Pappe, das so breit ist, wie die Quaste lang werden soll.

Das Pappstück mit Garn umwickeln – je nach gewünschter Quastendicke ca. 15- bis 30-mal.

An der Oberkante des Papprechtecks einen doppelt gelegten Faden unter den Wicklungen durchziehen.

Den Faden rund um die Wicklungen fest verknoten.

An der Unterkante aufschneiden.

Die Quaste je nach Gesamtlänge 1 bis 2 cm unterhalb der Abbindestelle mit einem Fadenstück umwickeln und den Faden fest verknoten.

Die Quastenfäden auf gleiche Länge schneiden. Die Abbildung zeigt zwei unterschiedlich dicke Quasten der gleichen Länge.

Praxis-Tipp

Mut zum Experiment!

Pompons und Quasten bieten eine großartige Möglichkeit, Garnreste aufzubrauchen. Wenn Sie diese Verzierungen nicht ausschließlich in der Farbe Ihres Modells arbeiten wollen, können Sie Garne in vielen bunten oder einigen harmonisch aufeinander abgestimmten Farben dafür verwenden. Aus Pompons lassen sich außerdem lustige Figuren wie Küken, Teddys oder Häschen basteln. Nähen Sie zwei Pompons in geeigneten Farben aufeinander und kleben Sie Schnäbel, Füßchen, Augen und Ohren aus Filz an.

Strickschnüre und Kordeln

Für viele Strickmodelle werden Schnüre oder Kordeln benötigt: als Bindebänder, zum Anbringen von Quasten oder Pompons oder einfach zur Verzierung. Hier einige Vorschläge, wie sich solche Schnüre anfertigen lassen.

Die Einsatzmöglichkeiten für Strickschnüre oder Kordeln sind vielfältig. Soll beispielsweise eine Quaste oder ein Pompon nicht direkt an das Modell angenäht werden, so dient eine solche Schnur als dekorative Verlängerung. Aber auch als Bindebänder an Kindermützen oder als dekorativer Verschluss an gestrickten Kissenhüllen machen sich Kordeln und Schnüre nützlich. Schon unsere Großmütter verbanden zwei Kinderfäustlinge mit einer langen Kordel, die durch beide Anorakärmel gefädelt wurde: So können die Handschuhe nicht verloren gehen und sind immer greifbar. Wenn Sie die Kordeln oder Schnüre selbst anfertigen, können Sie dazu das gleiche Garn verwenden, mit dem Sie auch Ihr Modell gestrickt haben, sodass Farbe und Material perfekt zusammenpassen.
Es gibt verschiedene Möglichkeiten, Schnüre oder Kordeln herzustellen: Am schnellsten ist eine einfache Kordel gedreht. Das Stricken einer Schnur mit Strickliesel oder Strickpilz ist einfach, aber zeitaufwendig. Schneller geht's mit der Strickmühle (siehe Foto auf Seite 59), die nach demselben Prinzip arbeitet, aber Schnüre buchstäblich im Handumdrehen strickt. Wenn man die Schnüre mit zwei Strumpfstricknadeln strickt, kann man die Dicke selbst bestimmen, indem man drei, vier oder fünf Maschen anschlägt.

Kordeln drehen

Eine Kordel kann man aus einem einzigen Faden, aber auch aus beliebig vielen Fäden in einer oder mehreren Farben anfertigen. Die Fäden müssen etwa 2,5-mal so lang sein, wie die fertige Kordel werden soll.

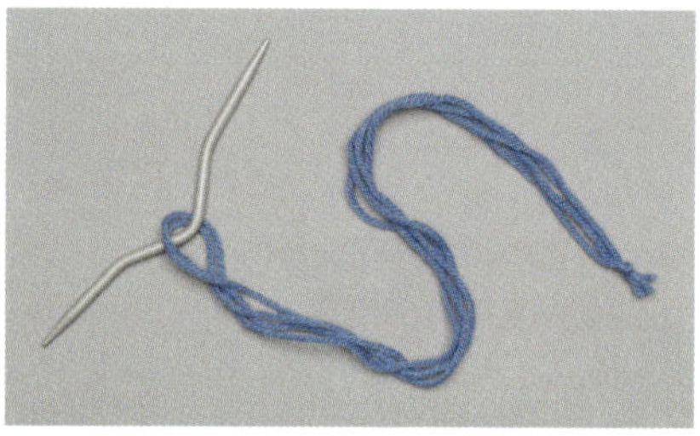

Alle Fäden bündeln, zur Hälfte zusammenlegen und die Fadenenden verknoten. Den Knoten über einen stabilen Wandhaken oder eine Türklinke hängen. Am anderen Ende eine Zopfnadel oder einen Bleistift durch die Fadenschlinge stecken.

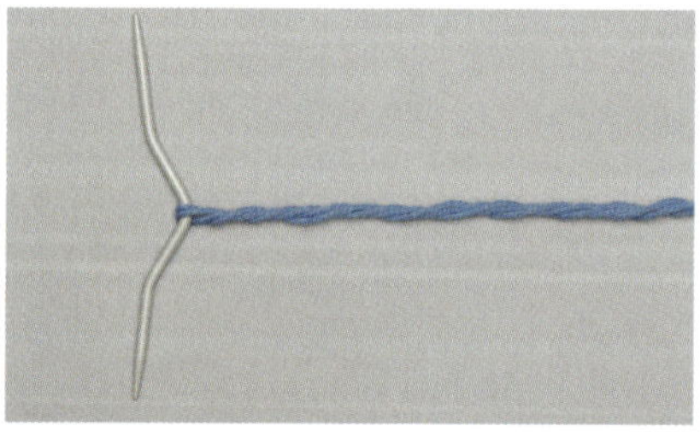

Die Zopfnadel oder den Bleistift in eine Richtung drehen.

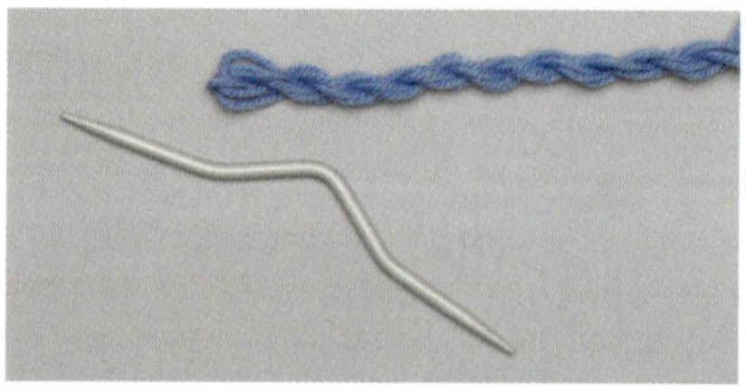

Wenn das Fadenbündel fest verdreht ist, die Mitte erfassen oder ein Gewicht (z.B. eine Schere) in der Mitte einhängen und beide Enden zusammenbringen: Beide Hälften des Fadenbündels drehen sich nun von selbst umeinander und bilden die Kordel. Die Enden verknoten.

Schnüre stricken mit der Strickliesel

Die traditionelle Strickliesel – hier in Pilzform – hat ein „Krönchen" aus vier Drahtbogen und wird mit einer Nadel zum Abheben der Maschen geliefert. Alternativ können Sie auch eine dünne Stricknadel oder eine Häkelnadel verwenden. Zunächst ziehen Sie den Faden mithilfe einer Häkelnadel von oben nach unten durch das Rohr der Strickliesel. Das Fadenende hängt am unteren Ende heraus.

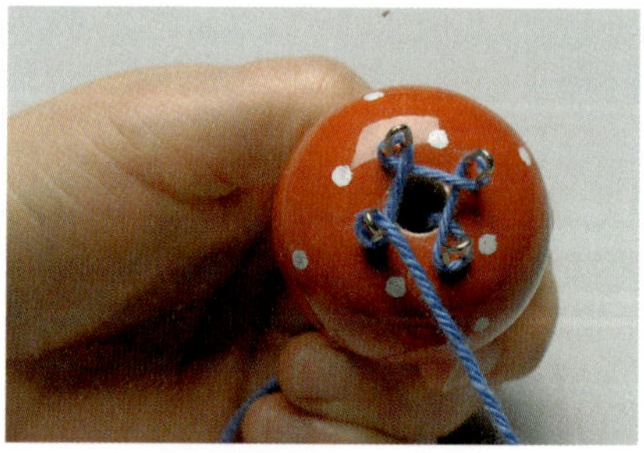

Den Faden von rechts nach links um einen Drahtbogen legen, hinter dem Bogen zum rechts daneben liegenden Bogen führen und wieder um den Bogen legen. So fortfahren, bis alle vier Bogen umschlungen sind. Dann den Faden nach rechts vor den ersten Bogen legen.

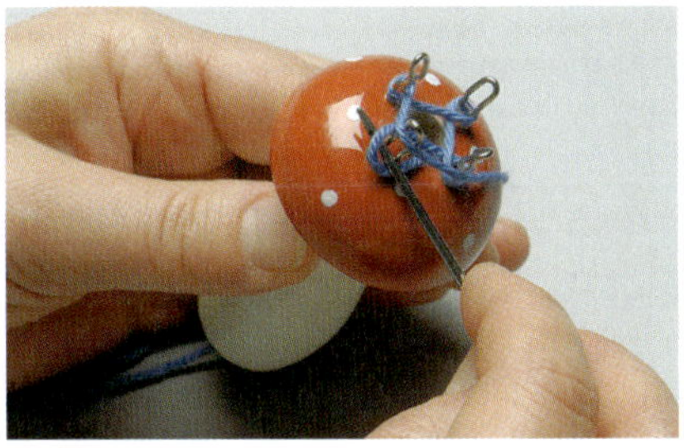

Die Fadenschlinge liegt unten, der Arbeitsfaden darüber. Mit der Nadel in die Fadenschlinge einstechen.

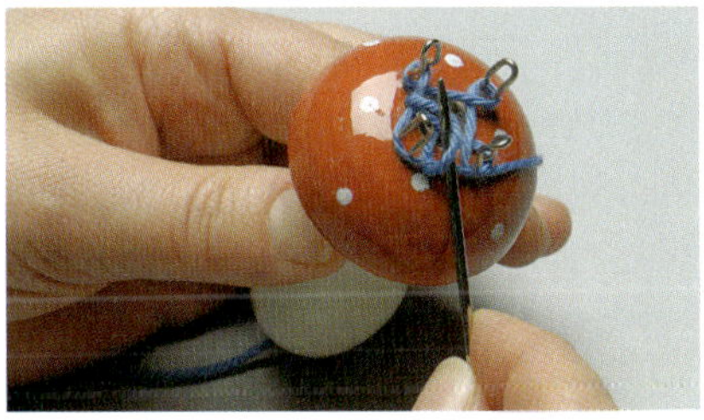

Die Fadenschlinge über den Arbeitsfaden und den Drahtbogen hinweg abheben und den Arbeitsfaden zum nächsten Drahtbogen nach rechts weiterführen.

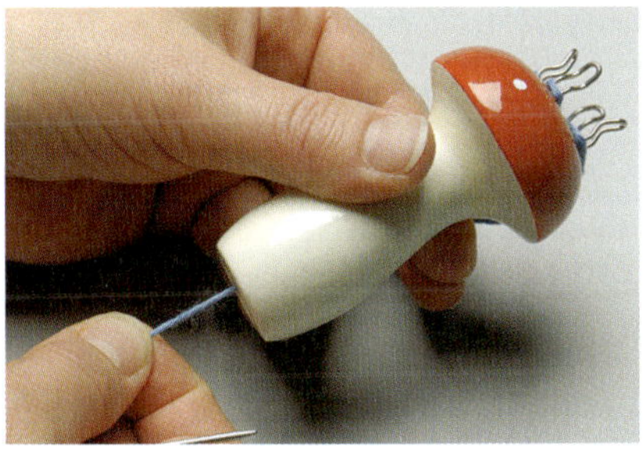

Von Zeit zu Zeit am Fadenende – bzw. später an der Strickschnur – ziehen, um das Gestrick zu straffen.

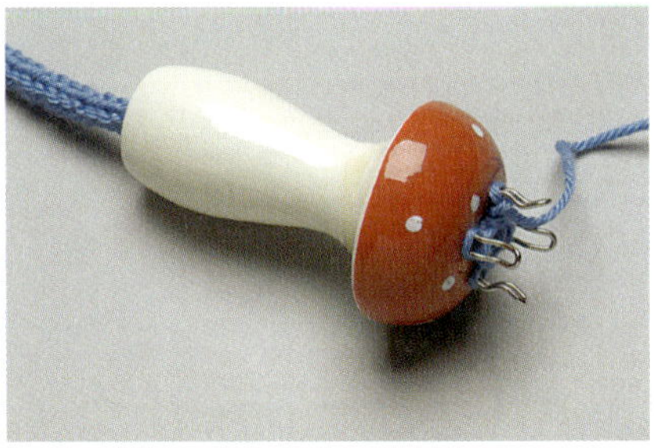

Mit der Zeit wächst aus dem unteren Ende der Strickliesel die Strickschnur heraus.

Schnüre stricken mit zwei Strumpfstricknadeln

Zum Stricken von Schnüren brauchen Sie zwei Nadeln eines Nadelspiels, als zwei an beiden Enden spitze Strumpf- oder Handschuhstricknadeln. Weil nur drei bis fünf Maschen gestrickt werden, können Sie die kürzesten Nadeln verwenden, mit denen sonst Handschuhfinger gearbeitet werden. Sie sind für diesen Zweck besonders geeignet, weil die Maschen ständig auf der Nadel verschoben werden müssen. Achten Sie deshalb auch auf sehr glatte Nadeln. Wir zeigen hier, wie eine Strickschnur aus drei Maschen angefertigt wird. Bei vier oder fünf Maschen bleibt das Prinzip dasselbe.

3 Maschen anschlagen.

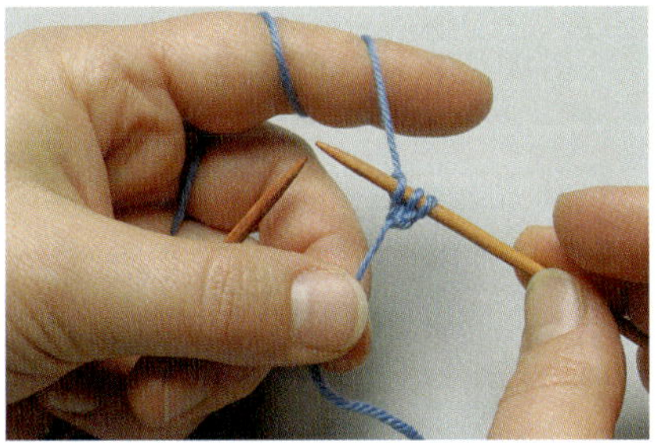

Die Arbeit nicht wenden, sondern die Maschen zum rechten Ende der Nadel schieben, den Arbeitsfaden auf der Rückseite fest anziehen und die Maschen rechts abstricken.

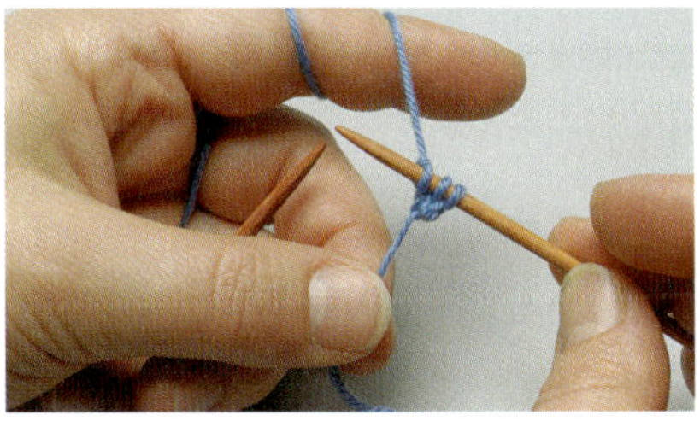

Die 3 Maschen wieder auf der Nadel nach rechts schieben.

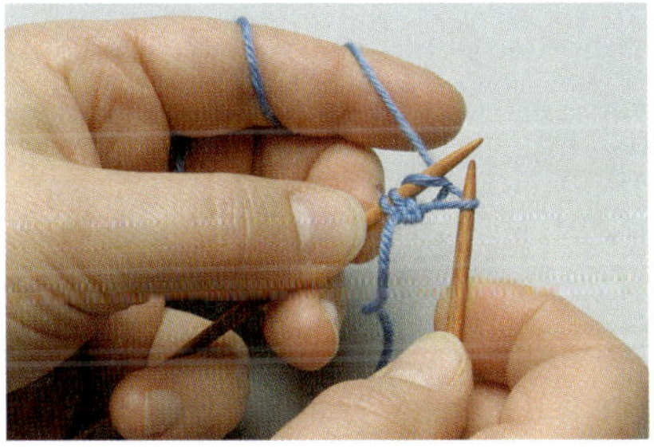

Den Arbeitsfaden fest anziehen und die 3 Maschen erneut rechts stricken.

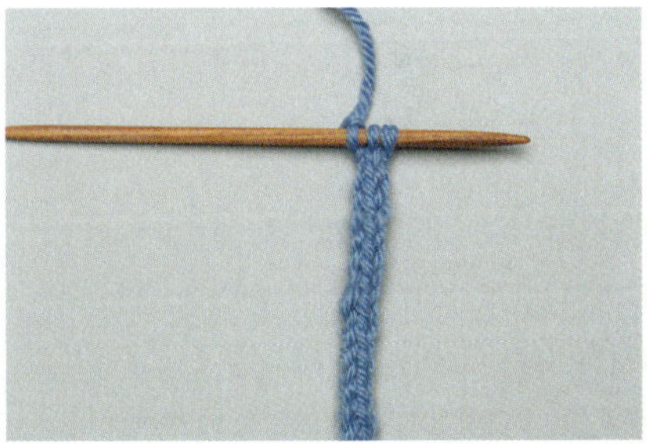

Auf diese Weise fortfahren, bis die Strickschnur die gewünschte Länge erreicht hat. Zwischendurch immer wieder an der bereits gestrickten Schnur ziehen, damit das Maschenbild gleichmäßig wird.

Wem das Stricken mit der Strickliesel zu langwierig ist, der kann sich die Arbeit mit einer Strickmühle sehr erleichtern.

Fransen, Perlen und Stickereien

An kleinen Extras zeigt sich Ihre Liebe zum Detail. Mit eingeknüpften Fransen, eingestrickten Perlen oder aufgestickten Motiven machen Sie aus Ihrem Werk ein echtes Designermodell – und das ist einfacher, als Sie glauben.

Fransen einknüpfen

Fransen gehören zu den einfachsten und zugleich effektvollsten Dekorationen für Strickarbeiten. Der Klassiker sind Fransen an den Schmalseiten von Schals, aber auch Stolen, Dreieckstücher, Decken, Kissenhüllen und Taschen gewinnen durch einfarbige oder bunte Fransen. Und sogar Kleidungsstücken wie zum Beispiel modischen Tops können Sie durch einen Fransensaum Ihren ganz persönlichen Stempel aufdrücken.

Schneiden Sie zunächst die gewünschte Menge an Fäden zu. Jeder Faden muss etwas mehr als die doppelte Länge der gewünschten Fransenlänge messen. Berechnen Sie die Fransenlänge lieber großzügig! Allzu kurze Fransen fallen nicht schön.

Die Zahl der Fäden richtet sich nach zwei Faktoren: erstens nach der Kantenlänge, die verziert werden soll, und zweitens danach, wie üppig die Fransen ausfallen sollen. Man kann einzelne, doppelt gelegte Fäden dicht an dicht einknüpfen oder mehrere Fäden zu einem Fransenbündel zusammenfassen.

Um sich das Zuschneiden zu erleichtern, können Sie den Faden um ein festes Kartonstück der entsprechenden Breite wickeln und die Wicklungen an einer Kartonkante aufschneiden.

Außer den zugeschnittenen Fäden brauchen Sie zum Einknüpfen eine Häkelnadel der entsprechenden Stärke.

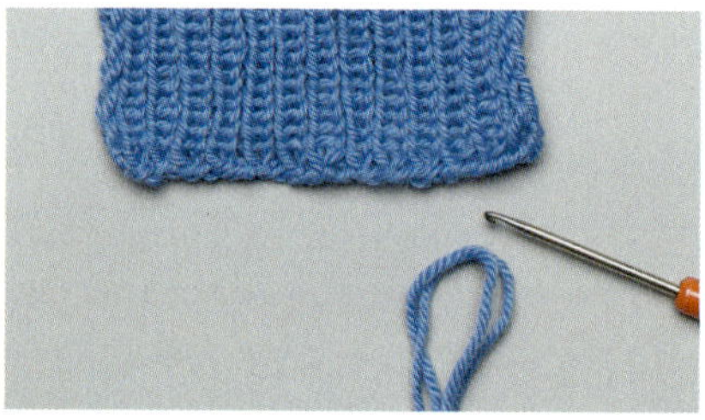

Die Fäden für eine Franse mittig zusammenlegen.

Die Häkelnadel durch die Kante der Strickarbeit einstechen und die Schlaufe des Fadenbündels durchziehen. Die Fadenenden durch die Schlaufe führen und die Franse fest anziehen.

Alle Fransen auf gleiche Länge schneiden.

Perlen einstricken

Ob als Bordüre oder willkürlich über die Strickarbeit verteilt – Perlen verleihen jedem Strickmodell eine festliche und extravagante Note. Wenn die Perlen erst einmal auf das Strickgarn aufgefädelt sind, ist das Einstricken ein Kinderspiel.

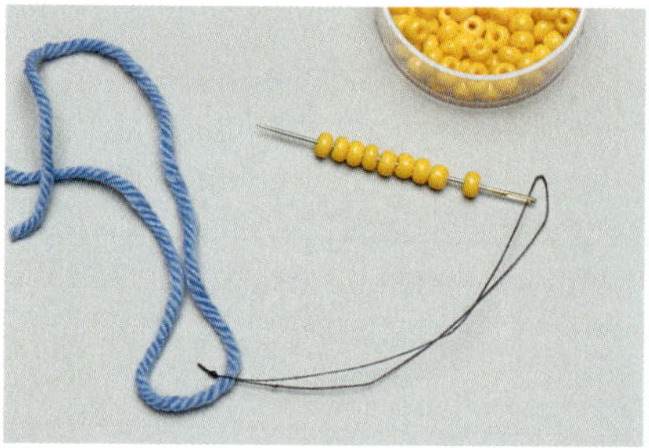

Vor Arbeitsbeginn müssen Sie alle Perlen auf das Strickgarn auffädeln. Weil das Garn meistens zu dick ist, um es direkt durch die Löcher in den Perlen zu ziehen, fädeln Sie einen festen Nähfaden in eine feine, lange Nadel ein und verknoten die Enden. Durch die so entstandene Schlaufe führen Sie das Ende des Strickfadens und fassen die Perlen mit der Nadel auf.

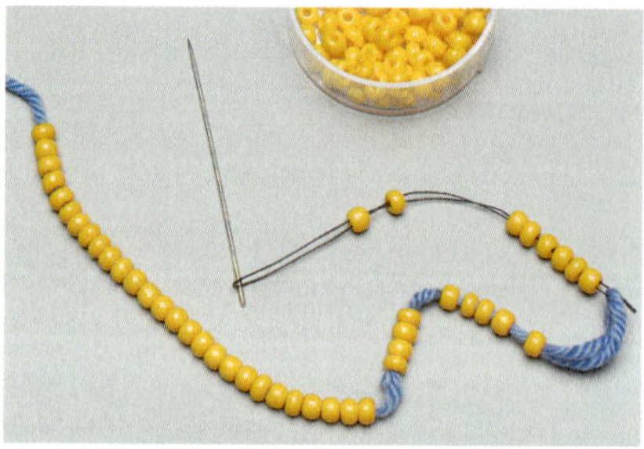

Von der Nadel ziehen Sie die Perlen über den Nähfaden auf das Strickgarn.

Einstricken mit rechten Maschen

Bis zu der Masche stricken, in die eine Perle eingearbeitet werden soll. Die Perle nah an die rechte Nadel schieben.

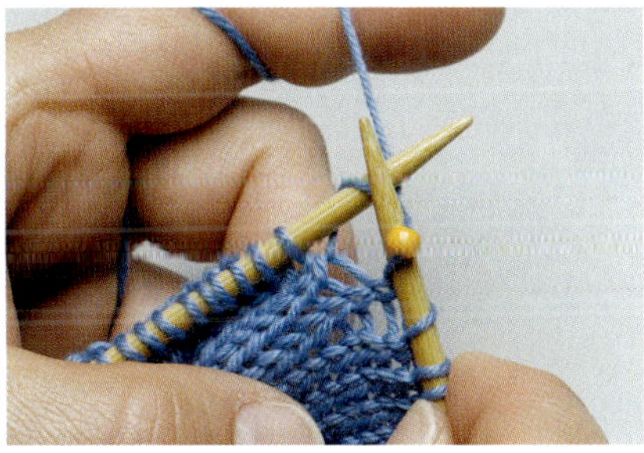

Die nächste Masche rechts stricken und darauf achten, dass die Perle auf dem vorderen Maschenglied liegt.

Auf diese Weise ist die Perle auf der Vorderseite der Arbeit fixiert.

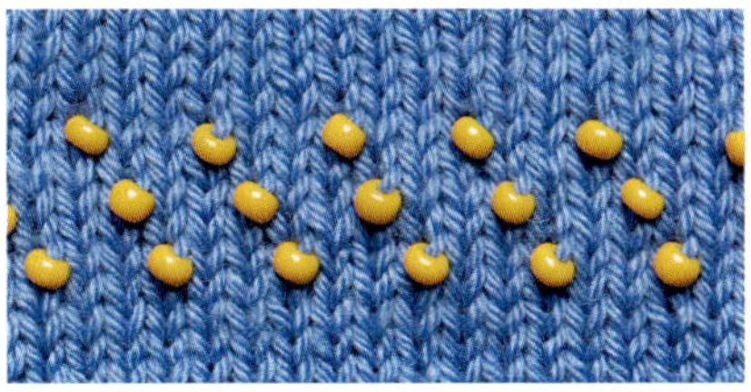

Bei dieser Technik liegen die Perlen leicht schräg auf dem Gestrick.

Einstricken mit Hebemaschen

Bis zu der Masche stricken, vor der die Perle liegen soll. Die Perle nah an die rechte Nadel schieben, den Faden mit der Perle vor die Arbeit legen und von rechts nach links (= wie zum Linksstricken) in die nächste Masche einstechen.

Die Masche abheben, sodass die Perle vor der Hebemasche liegt.

Die nächste Masche rechts stricken: Damit ist die Perle auf dem Faden vor der Hebemasche fixiert.

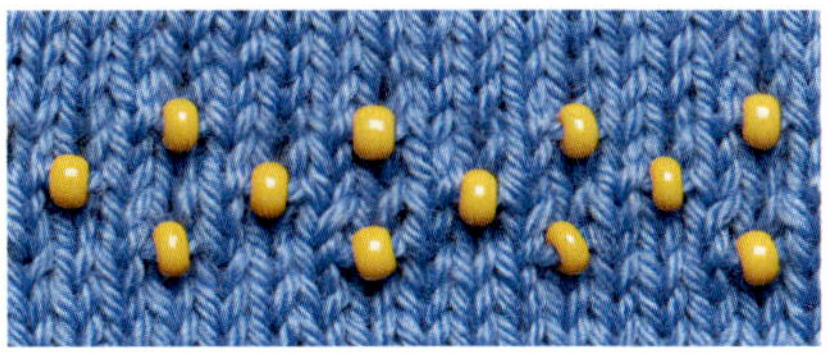

In Hebemaschentechnik eingestrickte Perlen liegen gerade auf dem Gestrick, weil der Arbeitsfaden horizontal durch die Löcher der Perlen läuft.

Strickarbeiten im Maschenstich besticken

Kleinere Motive können Sie im Maschenstich aufsticken, sodass sie wirken, als wären sie eingestrickt.

In Reihen von rechts nach links arbeiten. An der oberen Spitze zwischen zwei V-förmigen Maschen ausstechen und * unter den beiden darunterliegenden Maschengliedern von rechts nach links durchstechen. Den Faden anziehen.

In die vorherige Ausstichstelle wieder einstechen und die Nadel unter den beiden links davon liegenden Maschengliedern von rechts nach links durchstechen.

Faden durchziehen. Ab * fortlaufend wiederholen.
In vertikalen Reihen von unten nach oben arbeiten. An der unteren Spitze einer V-förmigen Masche ausstechen und ** unter den beiden darüberliegenden Maschengliedern von rechts nach links durchstechen. Faden durchziehen.
In die vorherige Ausstichstelle wieder ein- und eine Masche weiter oben wieder an der unteren Spitze eines V ausstechen.
Ab ** fortlaufend wiederholen.

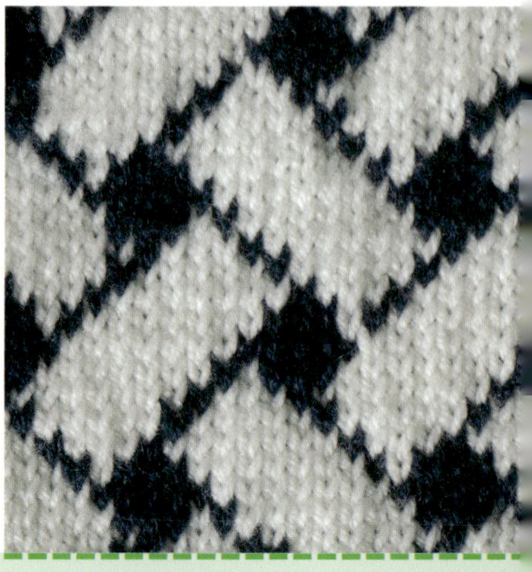

Muster

Alle Strickmuster basieren im Grunde auf rechten und linken Maschen, die immer neu kombiniert, verschränkt, verzopft oder abgehoben werden. Dieses Kapitel stellt Ihnen eine Fülle von Mustern der wichtigsten Typen vor: Strukturmuster aus rechten und linken Maschen, Ajour- oder Lochmuster und Aranmuster, aber auch mehrfarbige Muster in Jacquard- und Hebemaschentechnik.

Strukturmuster 1

Maschenzahl teilbar durch 6 + 1 Masche + 2 Randmaschen.

In den Hinreihen nach der Strickschrift stricken, in den Rückreihen die Maschen stricken, wie sie erscheinen.

Die 1.–8. Reihe stets wiederholen.

R		-	-					R	7
R								R	5
R					-	-		R	3
R								R	1

6 M

Strukturmuster 2

Maschenzahl teilbar durch 7 + 2 Randmaschen.

In den Hinreihen nach der Strickschrift stricken, in den Rückreihen die Maschen stricken, wie sie erscheinen.

Die 1.–14. Reihe stets wiederholen.

R	-							R	13
R		-						R	11
R			-					R	9
R				-				R	7
R					-			R	5
R						-		R	3
R							-	R	1

7 M

Strukturmuster 3

Maschenzahl teilbar durch 10 + 2 Randmaschen.

In den Hinreihen nach der Strickschrift stricken, in den Rückreihen die Maschen stricken, wie sie erscheinen.

Die 1.–8. Reihe stets wiederholen.

R						-		-		-	R	7
R						-		-		-	R	5
R	-		-		-						R	3
R	-		-		-						R	1

10 M

Strukturmuster 4

Maschenzahl teilbar durch 13 + 1 Masche + 2 Randmaschen.

In den Hinreihen nach der Strickschrift stricken, in den Rückreihen die Maschen stricken, wie sie erscheinen.

Die 1.–26. Reihe stets wiederholen.

R	-		-		-		-		-		-		-		R	25
R	-		-		-		-		-		-			-	R	23
R	-		-		-		-		-			-		-	R	21
R	-		-		-		-			-		-		-	R	19
R	-		-		-			-		-		-		-	R	17
R	-		-			-		-		-		-		-	R	15
R	-			-		-		-		-		-		-	R	13
R		-		-		-		-		-		-			R	11
R		-		-		-		-		-			-		R	9
R		-		-		-		-			-		-		R	7
R		-		-		-			-		-		-		R	5
R		-		-			-		-		-		-		R	3
R		-			-		-		-		-		-		R	1

13 M

Strukturmuster 5

Maschenzahl teilbar durch 4 + 3 Maschen + 2 Randmaschen.

In Hin- und Rückreihen nach der Strickschrift stricken. Die Maschen sind so gezeichnet, wie sie auf der rechten Seite der Arbeit erscheinen.

Die 1. und 2. Reihe stets wiederholen.

2	R	-		-	-	-		-	R	
	R				-				R	1
					4 M					

Strukturmuster 6

Maschenzahl teilbar durch 14 + 2 Randmaschen.

In den Hinreihen nach der Strickschrift stricken, in den Rückreihen die Maschen stricken, wie sie erscheinen.

Die 1.–8. Reihe stets wiederholen.

R	-	-		-		-	-	-	-	-		-	-	-	R	7
R	-	-	-		-	-	-	-	-	-		-	-	-	R	5
R	-	-	-		-	-	-	-	-		-		-	-	R	3
R	-	-	-		-	-	-	-	-	-		-	-	-	R	1
							14 M									

Strukturmuster 7

Maschenzahl teilbar durch 7 + 2 Randmaschen.

In den Hinreihen nach der Strickschrift stricken, in den Rückreihen alle Maschen links stricken.

Die 1.–12. Reihe stets wiederholen.

R				-	-	-	-	R	11
R					-	-	-	R	9
R						-	-	R	7
R					-	-	-	R	5
R				-	-	-	-	R	3
R			-	-	-	-	-	R	1
			7 M						

Strukturmuster 8

Maschenzahl teilbar durch 10 + 2 Randmaschen.

In den Hinreihen nach der Strickschrift stricken, in den Rückreihen die Maschen stricken, wie sie erscheinen.

Die 1.–4. Reihe stets wiederholen.

R	-	-	-		-		-				R	3
R	-	-		-		-					R	1
					10 M							

Strukturmuster 9

Maschenzahl teilbar durch 6 + 2 Randmaschen.

In den Hinreihen nach der Strickschrift stricken, in den Rückreihen die Maschen stricken, wie sie erscheinen.

Die 1.–12. Reihe stets wiederholen.

R					-	-	R	11
R					-	-	R	9
R			-	-			R	7
R			-	-			R	5
R	-	-					R	3
R	-	-					R	1

6 M

Strukturmuster 10

Maschenzahl teilbar durch 10 + 2 Randmaschen.

In den Hinreihen nach der Strickschrift stricken, in den Rückreihen die Maschen stricken, wie sie erscheinen.

Die 1.–16. Reihe stets wiederholen.

R	-					-	-	-	-		R	15
R	-	-				-	-	-			R	13
R	-	-	-			-	-				R	11
R	-	-	-	-		-					R	9
R					-		-	-	-	-	R	7
R				-	-			-	-	-	R	5
R			-	-	-				-	-	R	3
R		-	-	-	-					-	R	1

10 M

Strukturmuster 11

Maschenzahl teilbar durch 10 + 2 Randmaschen.

In den Hinreihen nach der Strickschrift stricken, in den Rückreihen alle Maschen links stricken.

Die 1.–24. Reihe stets wiederholen.

R			-								R	23
R		-	-	-							R	21
R	-	-	-	-	-						R	19
R		-	-	-							R	17
R			-								R	15
R											R	13
R								-			R	11
R							-	-	-		R	9
R						-	-	-	-	-	R	7
R							-	-	-		R	5
R								-			R	3
R											R	1

10 M

Strukturmuster 12

Maschenzahl teilbar durch 6 + 1 Masche + 2 Randmaschen.

In den Hinreihen nach der Strickschrift stricken, in den Rückreihen die Maschen stricken, wie sie erscheinen.

Die 1.–12. Reihe stets wiederholen.

R		-				-		R	11
R			-		-			R	9
R				-				R	7
R			-		-			R	5
R		-				-		R	3
R	-						-	R	1

6 M

Strukturmuster 13

Maschenzahl teilbar durch 18 + 1 Masche + 2 Randmaschen.

In Hin- und Rückreihen nach der Strickschrift stricken. Die Maschen sind so gezeichnet, wie sie auf der rechten Seite der Arbeit erscheinen. Die 1.–6. Reihe stets wiederholen.

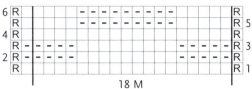

6	R						-	-	-	-	-	-	-	-	-						R	
	R						-	-	-	-	-	-	-	-	-						R	5
4	R																				R	
	R	-	-	-	-	-										-	-	-	-	-	R	3
2	R	-	-	-	-	-										-	-	-	-	-	R	
	R																				R	1

18 M

Strukturmuster 14

Maschenzahl teilbar durch 16 + 2 Randmaschen.

In Hin- und Rückreihen nach der Strickschrift stricken. Die Maschen sind so gezeichnet, wie sie auf der rechten Seite der Arbeit erscheinen. Die 1.–12. Reihe stets wiederholen.

12	R			-	-	-	-	-	-							-	-	R	
	R				-	-	-	-	-						-	-	-	R	11
10	R					-	-	-	-					-	-	-	-	R	
	R						-	-	-				-	-	-	-	-	R	9
8	R							-	-			-	-	-	-	-	-	R	
	R	-							-		-	-	-	-	-	-		R	7
6	R	-	-							-	-	-	-	-	-			R	
	R	-	-	-						-	-	-	-	-				R	5
4	R	-	-	-	-					-	-	-	-					R	
	R	-	-	-	-	-				-	-	-						R	3
2	R		-	-	-	-	-			-	-							R	
	R		-	-	-	-	-	-		-							-	R	1

16 M

Strukturmuster 15

Maschenzahl teilbar durch 10 + 1 Masche + 2 Randmaschen.

In den Hinreihen nach der Strickschrift stricken, in den Rückreihen die Maschen stricken, wie sie erscheinen.

Die 1.–16. Reihe stets wiederholen.

R	-	-	-	-		-		-	-	-	-	R	15
R	-	-	-		-	-	-		-	-	-	R	13
R	-	-		-	-	-	-	-		-	-	R	11
R	-		-	-	-	-	-	-	-		-	R	9
R	-		-	-	-	-	-	-	-		-	R	7
R	-	-		-	-	-	-	-		-	-	R	5
R	-	-	-		-	-	-		-	-	-	R	3
R	-	-	-	-		-		-	-	-	-	R	1

10 M

Strukturmuster 16

Maschenzahl teilbar durch 12 + 1 Masche + 2 Randmaschen.

In Hin- und Rückreihen nach der Strickschrift stricken. Die Maschen sind so gezeichnet, wie sie auf der rechten Seite der Arbeit erscheinen.

Die 1.–8. Reihe stets wiederholen.

8	R		-		-		-								R	
	R	-		-		-				-				-	R	7
6	R		-		-				-		-				R	
	R			-				-		-		-			R	5
4	R								-		-		-		R	
	R	-				-				-		-		-	R	3
2	R				-		-				-		-		R	
	R			-		-		-				-			R	1

12 M

Strukturmuster 17

Maschenzahl teilbar durch 8 + 2 Randmaschen.

In Hinreihen nach der Strickschrift stricken, in Rückreihen alle Maschen links stricken.

Die 1.–24. Reihe stets wiederholen.

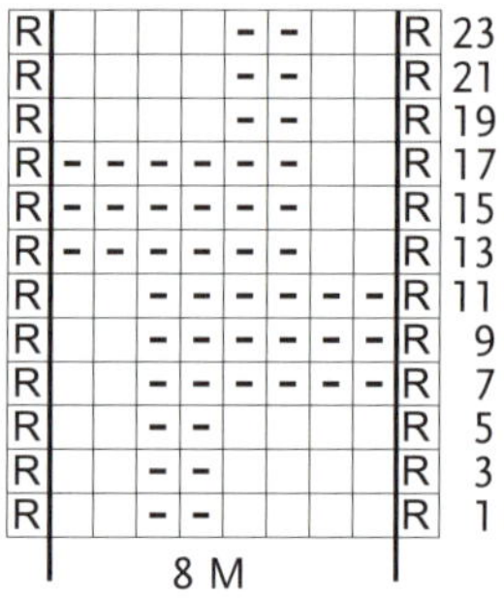

Strukturmuster 18

Maschenzahl teilbar durch 14 + 2 Randmaschen.

In Hin- und Rückreihen nach der Strickschrift stricken. Die Maschen sind so dargestellt, wie sie auf der rechten Seite erscheinen.

Die 1.–6. Reihe stets wiederholen.

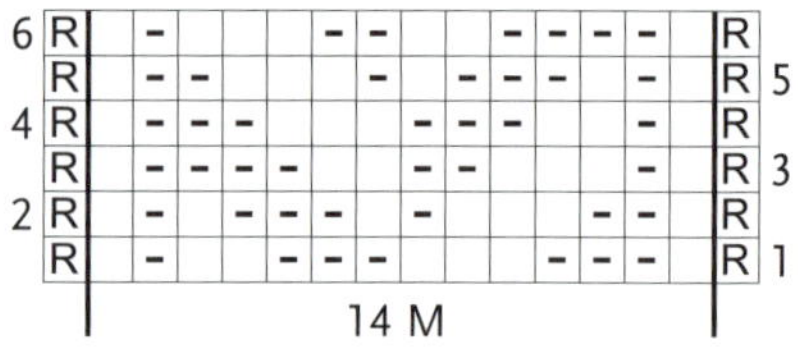

Strukturmuster 19

Maschenzahl teilbar durch 18 + 1 Masche + 2 Randmaschen.

In den Hinreihen nach der Strickschrift stricken, in den Rückreihen die Maschen stricken, wie sie erscheinen.

Die 1.–24. Reihe stets wiederholen.

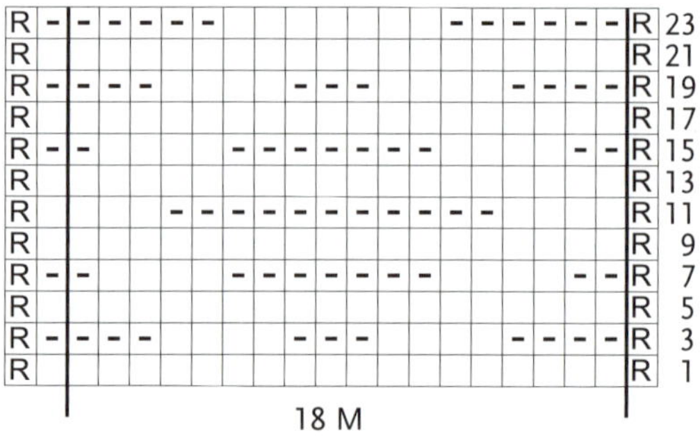

Strukturmuster 20

Maschenzahl teilbar durch 18 + 2 Randmaschen.

In den Hinreihen nach der Strickschrift stricken, in den Rückreihen die Maschen stricken, wie sie erscheinen.

Die 1.–40. Reihe stets wiederholen.

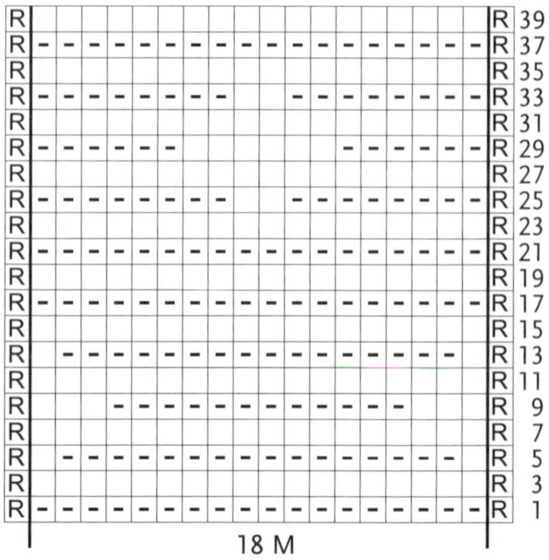

Strukturmuster 21

Maschenzahl teilbar durch 16 + 2 Randmaschen.

In den Hinreihen nach der Strickschrift stricken, in den Rückreihen die Maschen stricken, wie sie erscheinen.

Die 1.–20. Reihe stets wiederholen.

R					-	-		-	-		-	-					R	19
R	-	-	-	-	-	-		-	-		-	-	-	-	-	-	R	17
R					-	-		-	-		-	-					R	15
R	-	-	-	-	-	-		-	-		-	-	-	-	-	-	R	13
R					-	-		-	-		-	-					R	11
R	-		-	-									-	-		-	R	9
R	-		-	-	-	-	-	-	-	-	-	-	-	-		-	R	7
R	-		-	-									-	-		-	R	5
R	-		-	-	-	-	-	-	-	-	-	-	-	-		-	R	3
R	-		-	-									-	-		-	R	1

16 M

Strukturmuster 22

Maschenzahl teilbar durch 18 + 1 Masche + 2 Randmaschen.

In Hin- und Rückreihen nach der Strickschrift stricken. Die Maschen sind so dargestellt, wie sie auf der rechten Seite erscheinen.

Die 1.–10. Reihe stets wiederholen.

10	R	-				-										-				-	R	
	R		-		-												-		-		R	9
8	R			-														-			R	
	R		-		-												-		-		R	7
6	R	-				-										-				-	R	
	R						-				-				-						R	5
4	R							-		-		-		-							R	
	R								-				-								R	3
2	R							-		-		-		-							R	
	R						-				-				-						R	1

18 M

Strukturmuster 23

Maschenzahl teilbar durch 11 + 2 Randmaschen.

In den Hinreihen nach der Strickschrift stricken, in den Rückreihen alle Maschen links stricken.

Die 1.–28. Reihe stets wiederholen.

R							-	-	-	-		R	27
R							-	-	-	-		R	25
R							-	-	-	-		R	23
R		-	-	-	-	-	-					R	21
R		-	-	-	-	-	-					R	19
R					-	-	-	-	-	-		R	17
R					-	-	-	-	-	-		R	15
R			-	-	-	-						R	13
R			-	-	-	-						R	11
R			-	-	-	-						R	9
R						-	-	-	-	-		R	7
R						-	-	-	-	-		R	5
R			-	-	-	-	-					R	3
R			-	-	-	-	-					R	1

11 M

Strukturmuster 24

Maschenzahl teilbar durch 16 + 2 Randmaschen.

In Hin- und Rückreihen nach der Strickschrift stricken. Die Maschen sind so dargestellt, wie sie auf der rechten Seite erscheinen.

Die 1.–12. Reihe stets wiederholen.

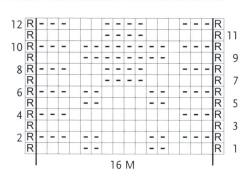

12	R	-	-	-				-	-	-	-				-	-	-	R	
	R							-	-	-	-							R	11
10	R	-	-	-		-	-	-	-	-	-	-	-		-	-	-	R	
	R					-	-	-	-	-	-	-	-					R	9
8	R	-	-	-				-	-	-	-				-	-	-	R	
	R							-	-	-	-							R	7
6	R	-	-	-		-	-					-	-		-	-	-	R	
	R					-	-					-	-					R	5
4	R	-	-	-											-	-	-	R	
	R																	R	3
2	R	-	-	-		-	-					-	-		-	-	-	R	
	R					-	-					-	-					R	1

16 M

Strukturmuster 25

Maschenzahl teilbar durch 14 + 2 Randmaschen.

In Hin- und Rückreihen nach der Strickschrift stricken. Die Maschen sind so dargestellt, wie sie auf der rechten Seite erscheinen.

Die 1.–8. Reihe stets wiederholen.

8	R							-	-	-	-	-	-	-	R	
	R						-	-	-	-	-	-	-		R	7
6	R					-	-	-	-	-	-	-			R	
	R				-	-	-	-	-	-	-				R	5
4	R			-	-	-	-	-	-	-					R	
	R		-	-	-	-	-	-	-						R	3
2	R	-	-	-	-	-	-	-							R	
	R	-	-	-	-	-	-								R	1

14 M

Strukturmuster 26

Maschenzahl teilbar durch 16 + 2 Randmaschen.

In Hin- und Rückreihen nach der Strickschrift stricken. Die Maschen sind so dargestellt, wie sie auf der rechten Seite erscheinen.

Die 1.–12. Reihe stets wiederholen.

12	R	-	-			-	-		-	-	-						-	R	
	R	-	-	-			-	-	-	-							-	R	11
10	R	-		-	-			-	-	-						-	-	R	
	R	-			-	-			-	-					-	-	-	R	9
8	R	-				-	-		-	-				-	-		-	R	
	R	-					-	-	-	-			-	-			-	R	7
6	R	-						-	-	-		-	-			-	-	R	
	R	-							-	-	-	-			-	-	-	R	5
4	R	-	-						-	-				-	-		-	R	
	R	-	-	-					-	-			-	-			-	R	3
2	R	-		-	-				-	-		-	-				-	R	
	R	-			-	-			-	-	-	-					-	R	1

16 M

Strukturmuster 27

Maschenzahl teilbar durch 14 + 2 Randmaschen.

In Hinreihen nach der Strickschrift stricken, in Rückreihen alle Maschen stricken, wie sie erscheinen.

Die 1.–28. Reihe stets wiederholen.

R		-	-				-	-				-	-		R	27
R	-					-	-	-	-					-	R	25
R	-				-	-	-	-	-	-				-	R	23
R				-	-	-	-	-	-	-	-				R	21
R			-	-	-	-			-	-	-	-			R	19
R		-	-	-	-					-	-	-	-		R	17
R	-	-	-	-			-	-			-	-	-	-	R	15
R	-	-	-	-			-	-			-	-	-	-	R	13
R		-	-	-	-					-	-	-	-		R	11
R			-	-	-	-			-	-	-	-			R	9
R				-	-	-	-	-	-	-	-				R	7
R	-				-	-	-	-	-	-				-	R	5
R	-					-	-	-	-					-	R	3
R		-	-				-	-				-	-		R	1

14 M

Strukturmuster 28

Maschenzahl teilbar durch 10 + 2 Randmaschen.

In Hinreihen nach der Strickschrift stricken, in Rückreihen alle Maschen stricken, wie sie erscheinen.

Die 1.–32. Reihe stets wiederholen.

R	-	-	-						-	-	R	31
R	-	-						-	-	-	R	29
R	-						-	-	-	-	R	27
R						-	-	-	-	-	R	25
R	-				-		-	-	-		R	23
R		-		-	-	-		-			R	21
R			-	-	-	-	-				R	19
R		-		-	-	-		-			R	17
R	-				-		-	-	-		R	15
R						-	-	-	-	-	R	13
R	-				-		-	-	-		R	11
R		-		-	-	-		-			R	9
R			-	-	-	-	-				R	7
R		-	-	-	-	-					R	5
R	-	-	-	-	-						R	3
R	-	-	-	-						-	R	1

10 M

Strukturmuster 29

Maschenzahl teilbar durch 12 + 1 Masche + 2 Randmaschen.
In Hinreihen nach der Strickschrift stricken, in Rückreihen alle Maschen stricken, wie sie erscheinen.
Die 1.–20. Reihe stets wiederholen.

R			-				-				-			R	19
R		-					-					-		R	17
R	-					-		-					-	R	15
R	-				-				-				-	R	13
R	-			-			-			-			-	R	11
R	-				-				-				-	R	9
R	-					-		-					-	R	7
R		-					-					-		R	5
R			-				-				-			R	3
R	-			-			-			-			-	R	1

12 M

Strukturmuster 30

Maschenzahl teilbar durch 2 + 2 Randmaschen.
In Hin- und Rückreihen nach der Strickschrift stricken. Die Maschen sind so dargestellt, wie sie auf der rechten Seite erscheinen.
Die 1.–8. Reihe stets wiederholen.

	R			R	8
7	R	-		R	
	R	-		R	6
5	R	-		R	
	R			R	4
3	R		-	R	
	R		-	R	2
1	R		-	R	

2 M

Strukturmuster 31

Maschenzahl teilbar durch 14 + 1 Masche + 2 Randmaschen.
In Hinreihen nach der Strickschrift stricken, in Rückreihen alle Maschen links stricken.
Die 1.–32. Reihe stets wiederholen.

R				-			-	-	-			-				R	31
R			-	-		-	-		-	-		-	-			R	29
R	-	-	-	-	-	-				-	-	-	-	-	-	R	27
R				-	-						-	-				R	25
R			-	-	-	-	-	-	-	-	-	-	-			R	23
R		-	-		-	-				-	-		-	-		R	21
R	-	-			-						-			-	-	R	19
R	-				-						-				-	R	17
R	-	-			-						-			-	-	R	15
R		-	-		-	-				-	-		-	-		R	13
R			-	-	-	-	-	-	-	-	-	-	-			R	11
R				-	-						-	-				R	9
R	-	-	-	-	-	-				-	-	-	-	-	-	R	7
R			-	-		-	-		-	-	-	-	-			R	5
R				-			-	-	-			-				R	3
R				-				-				-				R	1

14 M

Strukturmuster 32

Maschenzahl teilbar durch 12 + 2 Randmaschen.
In Hin- und Rückreihen nach der Strickschrift stricken. Die Maschen sind so dargestellt, wie sie auf der rechten Seite erscheinen.
Die 1.–20. Reihe stets wiederholen.

20	R		-	-							-	-		R	
	R		-	-							-	-		R	19
18	R		-	-							-	-		R	
	R		-	-							-	-		R	17
16	R	-			-	-	-	-	-	-			-	R	
	R	-			-	-	-	-	-	-			-	R	15
14	R	-			-	-	-	-	-	-			-	R	
	R		-	-							-	-		R	13
12	R		-	-							-	-		R	
	R		-	-							-	-		R	11
10	R		-	-							-	-		R	
	R		-	-							-	-		R	9
8	R		-	-							-	-		R	
	R		-	-							-	-		R	7
6	R		-	-							-	-		R	
	R		-	-							-	-		R	5
4	R		-	-							-	-		R	
	R	-			-	-	-	-	-	-			-	R	3
2	R	-			-	-	-	-	-	-			-	R	
	R	-			-	-	-	-	-	-			-	R	1

12 M

Strukturmuster 33

Maschenzahl teilbar durch 21 + 2 Randmaschen.

In den Hinreihen nach der Strickschrift stricken, in den Rückreihen alle Maschen links stricken.

Die 1.–38. Reihe stets wiederholen.

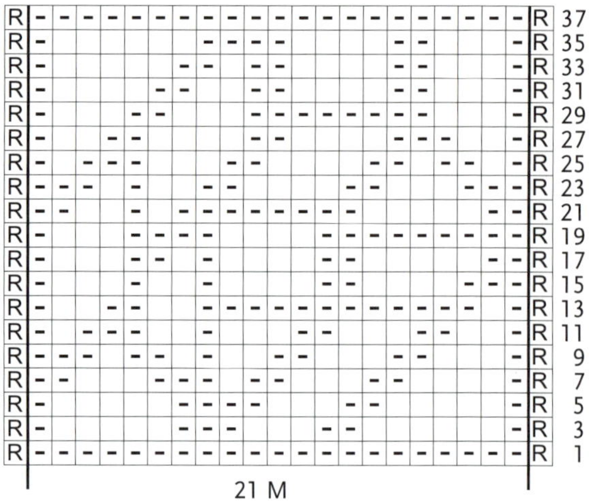

Strukturmuster 34

Maschenzahl teilbar durch 12 + 1 Masche + 2 Randmaschen.

In Hin- und Rückreihen nach der Strickschrift stricken. Die Maschen sind so dargestellt, wie sie auf der rechten Seite erscheinen.

Die 1.–16. Reihe stets wiederholen.

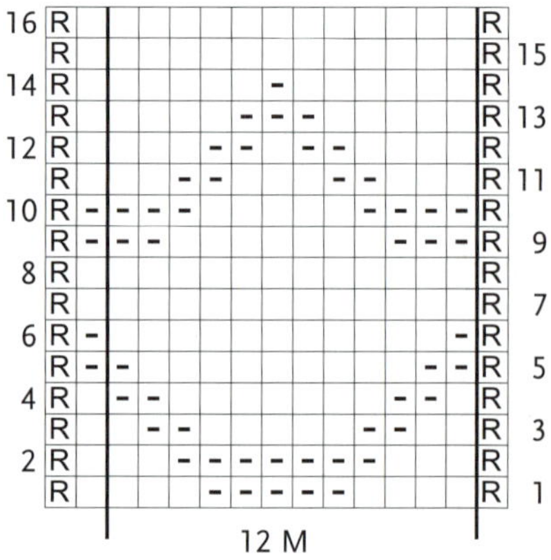

Strukturmuster 35

Maschenzahl teilbar durch 14 + 2 Randmaschen.

In Hin- und Rückreihen nach der Strickschrift stricken. Die Maschen sind so dargestellt, wie sie auf der rechten Seite erscheinen.

Die 1.–22. Reihe stets wiederholen.

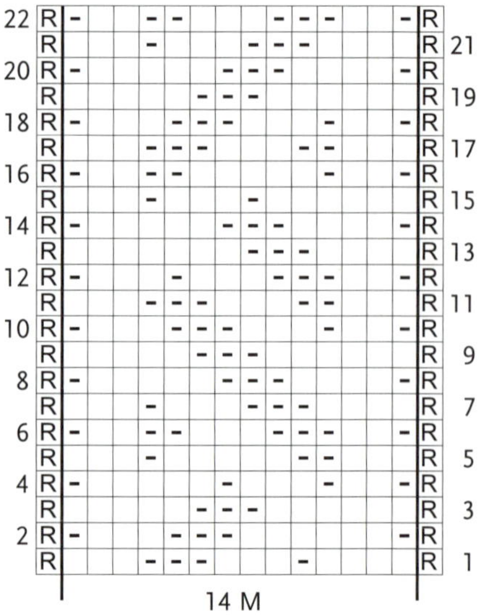

Strukturmuster 36

Maschenzahl teilbar durch 18 + 2 Randmaschen.

In den Hinreihen nach der Strickschrift stricken, in den Rückreihen die Maschen links stricken.

Die 1.–36. Reihe stets wiederholen.

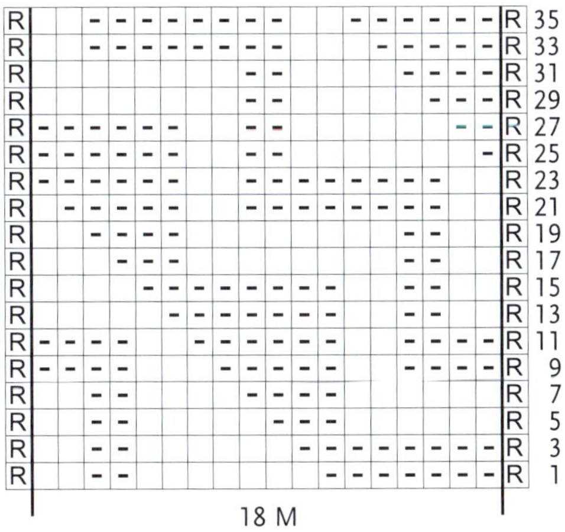

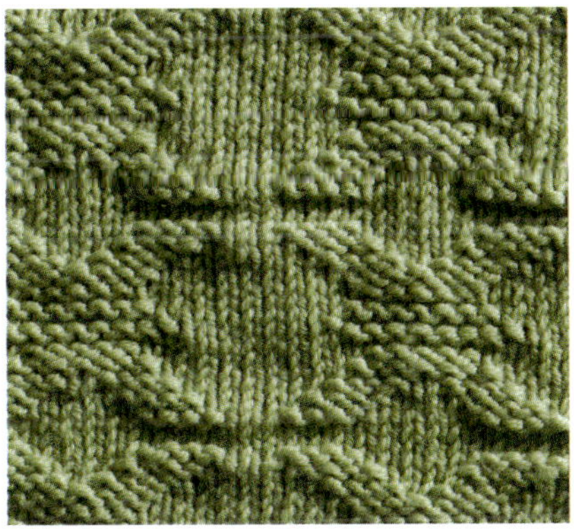

Strukturmuster 37

Maschenzahl teilbar durch 15 + 2 Randmaschen.

In Hin- und Rückreihen nach der Strickschrift stricken. Die Maschen sind so dargestellt, wie sie auf der rechten Seite erscheinen.

Die 1.–18. Reihe stets wiederholen.

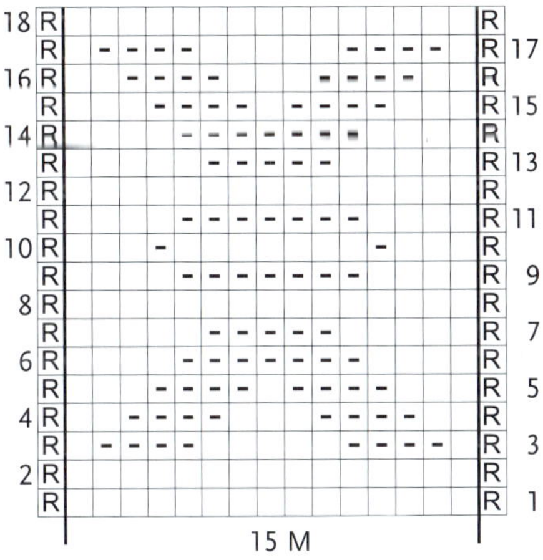

Strukturmuster 38

Maschenzahl teilbar durch 14 + 1 Masche + 2 Randmaschen.

In Hin- und Rückreihen nach der Strickschrift stricken. Die Maschen sind so dargestellt, wie sie auf der rechten Seite erscheinen.

Die 1.–24. Reihe stets wiederholen.

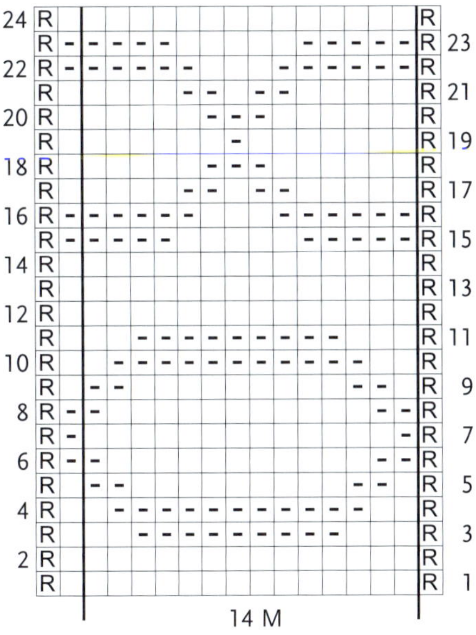

Strukturmuster 39

Maschenzahl teilbar durch 12 + 2 Randmaschen.

In Hinreihen nach der Strickschrift stricken, in Rückreihen alle Maschen stricken, wie sie erscheinen.

Die 1.–40. Reihe stets wiederholen.

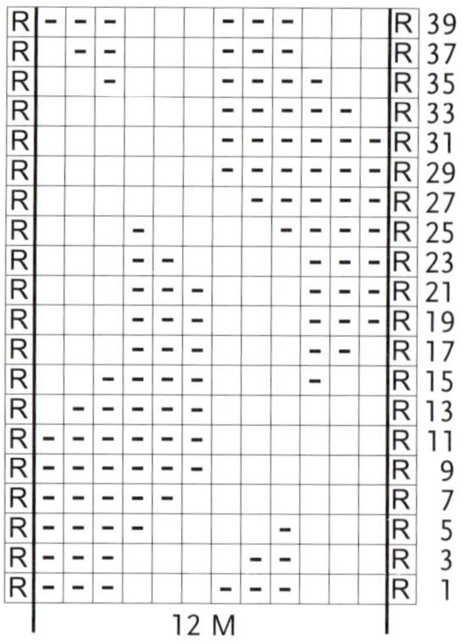

Strukturmuster 40

Maschenzahl teilbar durch 14 + 2 Randmaschen.

In Hinreihen nach der Strickschrift stricken, in Rückreihen alle Maschen stricken, wie sie erscheinen.

Die 1.–48. Reihe stets wiederholen.

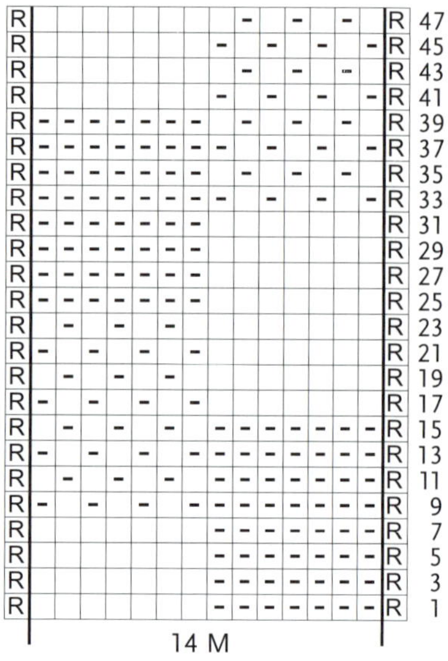

Strukturmuster 41

Maschenzahl teilbar durch 21 + 2 Randmaschen.

In Hin- und Rückreihen nach der Strickschrift stricken.

Die Maschen sind so dargestellt, wie sie auf der rechten Seite erscheinen.

Die 1.–24. Reihe stets wiederholen.

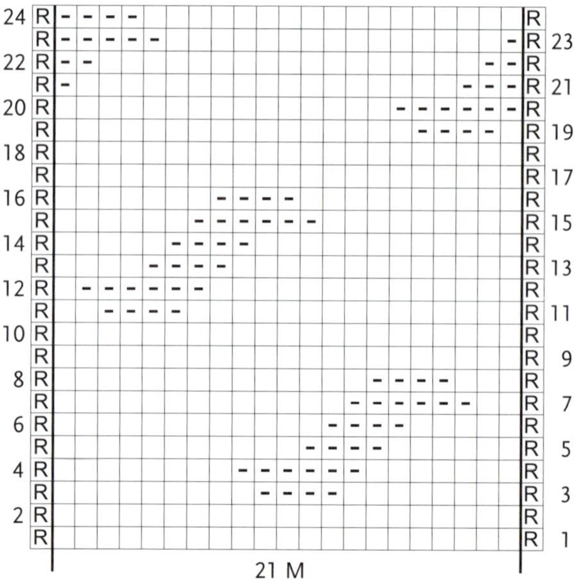

Strukturmuster 42

Maschenzahl teilbar durch 24 + 2 Randmaschen.

In Hinreihen nach der Strickschrift stricken, in Rückreihen alle Maschen links stricken.

Die 1.–28. Reihe stets wiederholen.

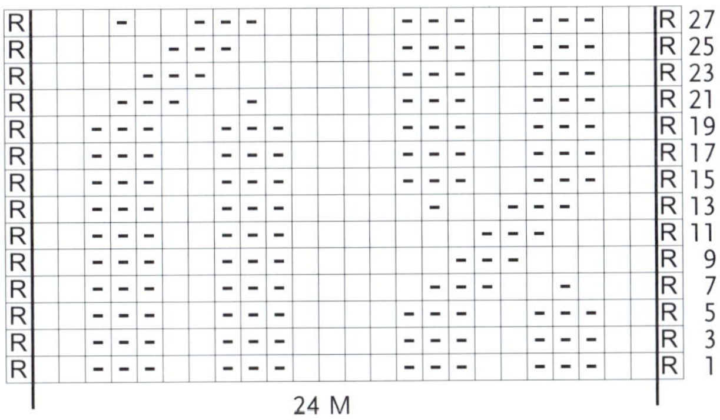

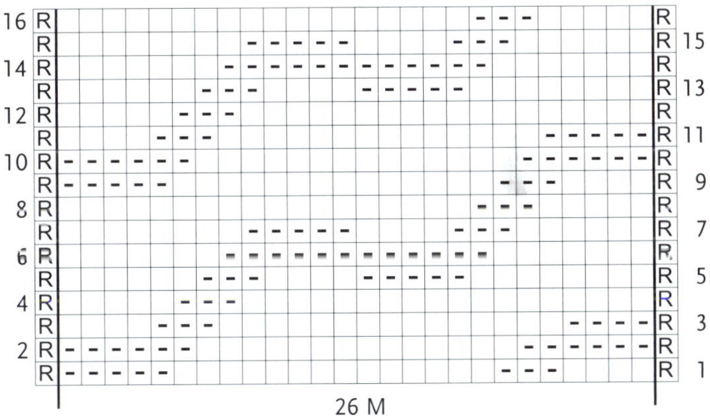

Strukturmuster 43

Maschenzahl teilbar durch 26 + 2 Randmaschen.

In Hin- und Rückreihen nach der Strickschrift stricken. Die Maschen sind so dargestellt, wie sie auf der rechten Seite erscheinen.

Die 1.–16. Reihe stets wiederholen.

Strukturmuster 44

Maschenzahl teilbar durch 14 + 1 Masche + 2 Randmaschen.

In Hin- und Rückreihen nach der Strickschrift stricken. Die Maschen sind so dargestellt, wie sie auf der rechten Seite erscheinen.

Die 1.–22. Reihe stets wiederholen.

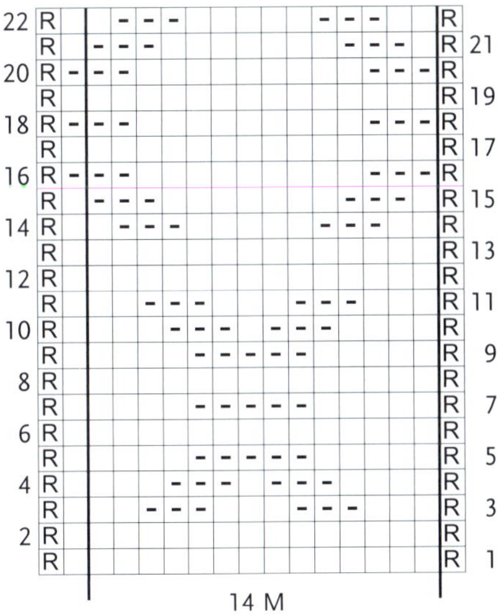

Strukturmuster 45

Maschenzahl teilbar durch 6 + 1 Masche + 2 Randmaschen.

In Hin- und Rückreihen nach der Strickschrift stricken. Die Maschen sind so gezeichnet, wie sie auf der rechten Seite der Arbeit erscheinen.

Die 1.–32. Reihe stets wiederholen.

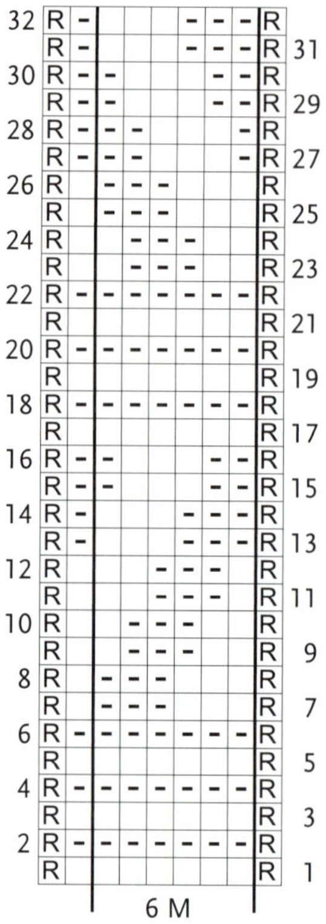

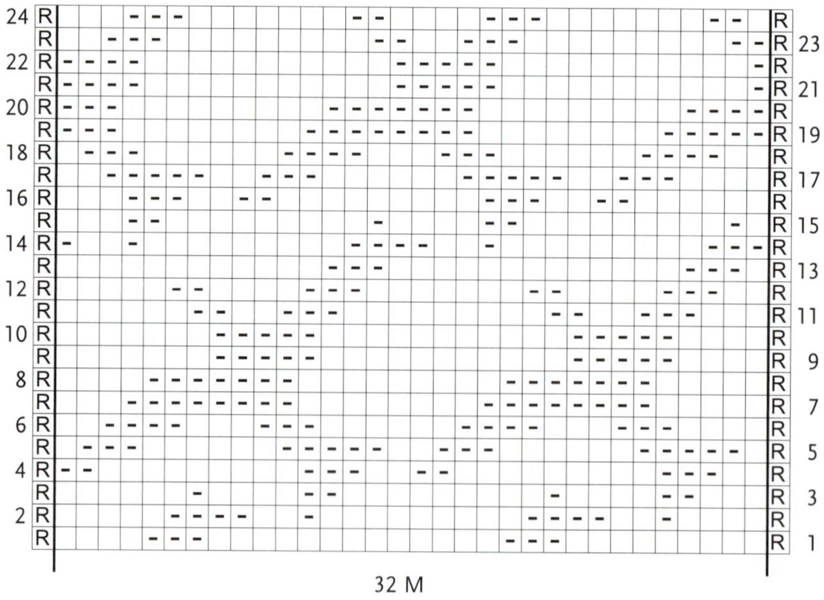

Strukturmuster 46

Maschenzahl teilbar durch 32 + 2 Randmaschen.

In Hin- und Rückreihen nach der Strickschrift stricken.

Die Maschen sind so dargestellt, wie sie auf der rechten Seite der Arbeit erscheinen.

Die 1.–24. Reihe stets wiederholen.

Fantasiemuster 1

Maschenzahl teilbar durch 10 + 2 Randmaschen.

In Hin- und Rückreihen nach der Strickschrift stricken, dabei den Rapport von 10 Maschen fortlaufend wiederholen. Achtung! Die Maschen in den Rückreihen stricken wie gezeichnet!

Die 1.–16. Reihe stets wiederholen.

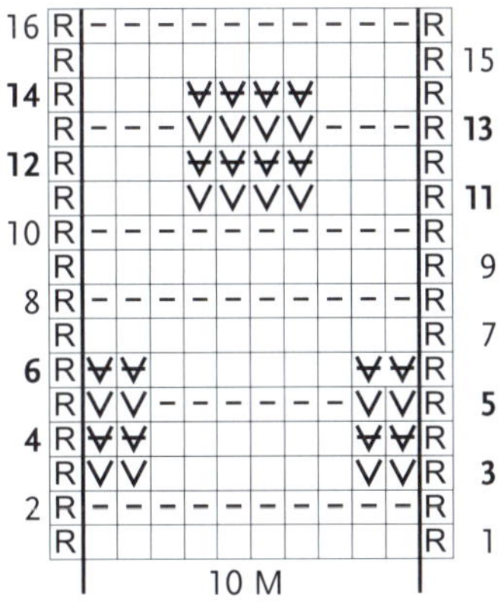

Mustervariante

Das Muster kann ein- oder zweifarbig gestrickt werden. Für die zweifarbige Variante die 3.–6. und die 11.–14. Reihe in einer anderen Farbe stricken.

☐ = 1 Masche rechts

– = 1 Masche links

V = 1 M wie zum Linksstricken abheben, dabei den Faden hinter der Masche führen

V̶ = 1 Masche wie zum Linksstricken abheben, dabei den Faden vor der Masche führen

Fantasiemuster 2

Gerade Maschenzahl.

1. Reihe (= Rückreihe): Randmasche, * 1 Masche rechts, 1 Masche links; ab * fortlaufend wiederholen, Randmasche.

2. Reihe (= Hinreihe): Randmasche, * 1 Masche mit Umschlag links abheben, 1 Masche rechts; ab * fortlaufend wiederholen, Randmasche.

3. Reihe: Randmasche, * 1 Masche links, 1 Masche mit dem Umschlag rechts zusammenstricken, Randmasche.

4. Reihe: Randmasche, * 2 Maschen rechts zusammenstricken, 1 Umschlag; ab * fortlaufend wiederholen, Randmasche.

5. Reihe: Randmasche, * den Umschlag links stricken, 1 Masche rechts; ab * fortlaufend wiederholen, Randmasche.

1 x die 1.–5. Reihe stricken, dann die 2.–5. Reihe stets wiederholen.

Fantasiemuster 3

Maschenzahl teilbar durch 4 + 2 Randmaschen.

In den Rückreihen nach der Strickschrift arbeiten. In den Hinreihen alle Maschen links stricken.

Die 1.–4. Reihe stets wiederholen.

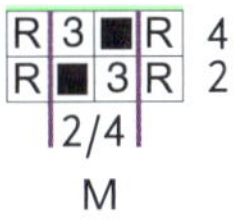

■ = 3 Maschen rechts zusammenstricken

3 = aus 1 Masche [1 Masche rechts, 1 Umschlag, 1 Masche rechts] herausstricken (= 3 Maschen)

Fantasiemuster 4

Maschenzahl teilbar durch 6 + 2 Randmaschen.

1. Reihe (= Hinreihe): Randmasche, * 3 Maschen rechts, [3 Maschen rechts, dabei den Faden nach jeder Masche 2 x um die Nadel wickeln]; ab * fortlaufend wiederholen, Randmasche.

2. Reihe (= Rückreihe): Randmasche, * die Umschläge der 3 Maschen lösen und aus diesen langen Maschen zusammen [1 Masche links, 1 Masche rechts, 1 Masche links] stricken, 3 Maschen links; ab * fortlaufend wiederholen, Randmasche.

3. Reihe: Randmasche, * [3 Maschen rechts, dabei den Faden nach jeder Masche 2 x um die Nadel wickeln], 3 Maschen rechts; ab * fortlaufend wiederholen, Randmasche.

4. Reihe: Randmasche, * 3 Maschen links, die Umschläge der folgenden 3 Maschen lösen und aus diesen langen Maschen zusammen [1 Masche links, 1 Masche rechts, 1 Masche links] stricken; ab * fortlaufend wiederholen, Randmasche.

Die 1.–4. Reihe stets wiederholen.

Mustervariante

Das Muster kann ein- oder mehrfarbig gestrickt werden.

Für die mehrfarbige Variante nach jeweils 2 Reihen die Farbe wechseln.

Fantasiemuster 5

Ungerade Maschenzahl.

1. Reihe (= Rückreihe): Linke Maschen stricken.

2. Reihe (= Hinreihe): Randmasche, * 2 Maschen rechts, 2 Umschläge; ab * fortlaufend wiederholen, enden mit 1 Masche rechts, Randmasche.

3. Reihe: Randmasche, 1 Masche rechts, * die Umschläge von der Nadel gleiten lassen, 1 Masche abheben (Faden vor der Masche mitführen), 1 Masche rechts; ab * fortlaufend wiederholen, Randmasche.

4. Reihe: Randmasche, 1 Masche links, * 1 Masche abheben (Faden hinter der Masche mitführen), 1 Masche links, ab * fortlaufend wiederholen, Randmasche.

5. Reihe: Linke Maschen stricken.

6. Reihe: Randmasche, 1 Masche rechts, * 2 Umschläge, 2 Maschen rechts; ab * fortlaufend wiederholen, Randmasche.

7. Reihe: Randmasche, * 1 Masche abheben (Faden vor der Masche mitführen), 1 Masche rechts, die Umschläge von der Nadel gleiten lassen; ab * fortlaufend wiederholen, enden mit 1 Masche abheben (Faden vor der Masche mitführen), Randmasche.

8. Reihe: Randmasche, 1 Masche abheben (Faden hinter der Masche mitführen), 1 Masche links; ab * fortlaufend wiederholen, enden mit 1 Masche abheben (den Faden hinter der Masche mitführen), Randmasche.

Die 1.–8. Reihe stets wiederholen.

Mustervariante

Dieses Muster kann auch zweifarbig gestrickt werden. Dazu die 3. und 4. Reihe sowie die 7. und 8. Reihe in einer Kontrastfarbe (hier: Anthrazit) stricken.

Fantasiemuster 6

Maschenzahl teilbar durch 6 + 5 Maschen + 2 Randmaschen.

In Hin- und Rückreihen nach der Strickschrift arbeiten, dabei wie gezeichnet beginnen, den Rapport von 6 Maschen fortlaufend wiederholen und wie gezeichnet enden.

Achtung! Die Maschen in den Rückreihen stricken wie gezeichnet!

Die 1.–16. Reihe stets wiederholen.

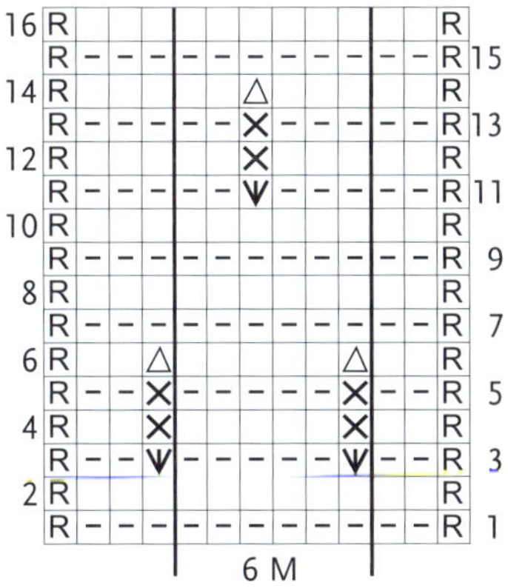

Mustervariante

Die über 3 Reihen gestrickten Noppen können auch dichter gearbeitet werden. Maschenzahl teilbar durch 4 + 3 Maschen + 2 Randmaschen.

In Hin- und Rückreihen nach der Strickschrift arbeiten, dabei wie gezeichnet beginnen, den Rapport von 4 Maschen fortlaufend wiederholen und wie gezeichnet enden.

Die 1.–12. Reihe stets wiederholen.

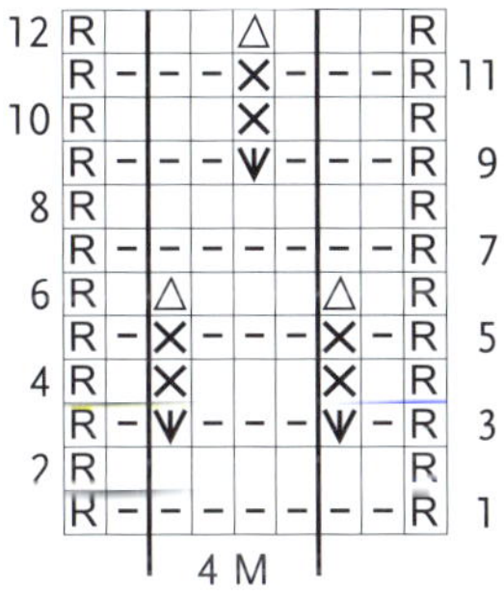

☐ = 1 Masche rechts

– = 1 Masche links

V = aus 1 Masche [1 Masche rechts, 1 Umschlag, 1 Masche rechts] herausstricken (= 3 Maschen)

X = 3 Maschen glatt rechts stricken (in Hinreihen rechte, in Rückreihen linke Maschen)

△ = 3 Maschen links zusammenstricken

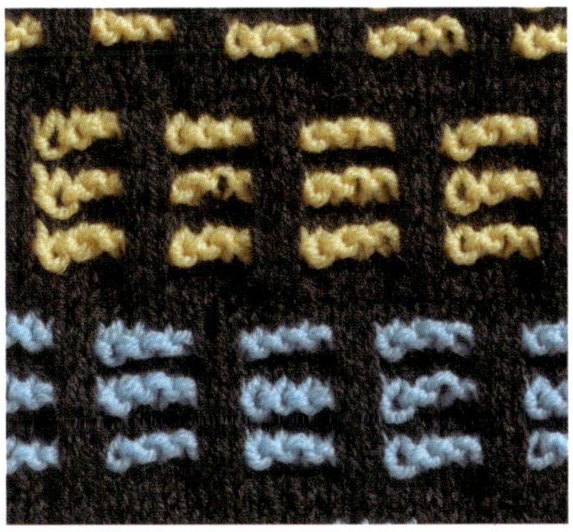

Fantasiemuster 7

Maschenzahl teilbar durch 6 + 2 Maschen + 2 Randmaschen.

In Hin- und Rückreihen nach der Strickschrift arbeiten, dabei wie gezeichnet beginnen und den Rapport von 6 Maschen fortlaufend wiederholen.

Achtung! Die Maschen in den Rückreihen stricken wie gezeichnet!

Abfolge:

1 x die 1. und 2. Reihe,
3 x die 3.–6. Reihe,
1 x die 7. und 8. Reihe,
3 x die 9.–12. Reihe (= 28 Reihen).

Diese 28 Reihen stets wiederholen und jeweils nach der 28. Reihe die Farbe für die Hebemaschen wechseln.

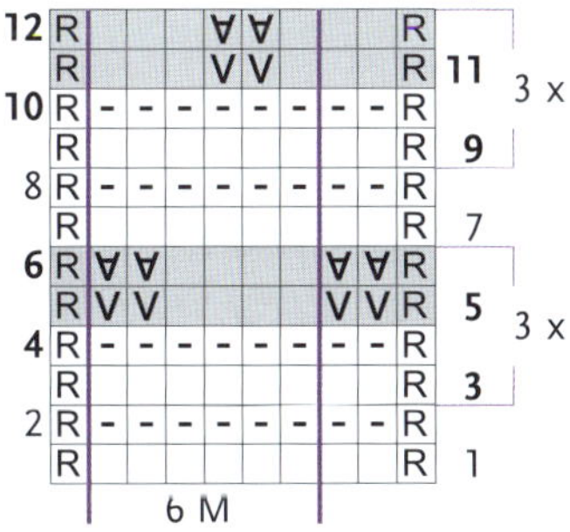

☐ = 1 Masche rechts

– = 1 Masche links

V = 1 Hebemasche: die Masche wie zum Linksstricken abheben (Faden hinter der Masche mitführen)

∀ = 1 Hebemasche: die Masche wie zum Linksstricken abheben (Faden vor der Masche mitführen)

▒ = Musterfarbe mit Hebemaschen

Fantasiemuster 8

Maschenzahl teilbar durch 20 + 1 Masche + 2 Randmaschen.

In den Rückreihen nach der Strickschrift arbeiten. In den Hinreihen über den Rhomben linke Maschen stricken, alle anderen Maschen rechts stricken.

Die 1.–32. Reihe stets wiederholen.

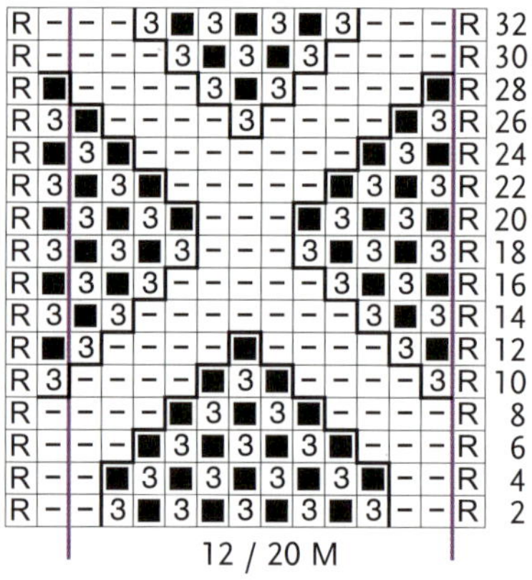

■ = 3 Maschen rechts zusammenstricken

[3] = aus 1 Masche [1 Masche rechts, 1 Umschlag, 1 Masche rechts] herausstricken (= 3 Maschen)

Fantasiemuster 9

Maschenzahl teilbar durch 6 + 2 Maschen + 2 Randmaschen.

In Hin- und Rückreihen nach der Strickschrift arbeiten, dabei wie gezeichnet beginnen und den Rapport von 6 Maschen fortlaufend wiederholen. Achtung! Die Maschen in den Rückreihen stricken wie gezeichnet!

Die 1.–12. Reihe stets wiederholen.

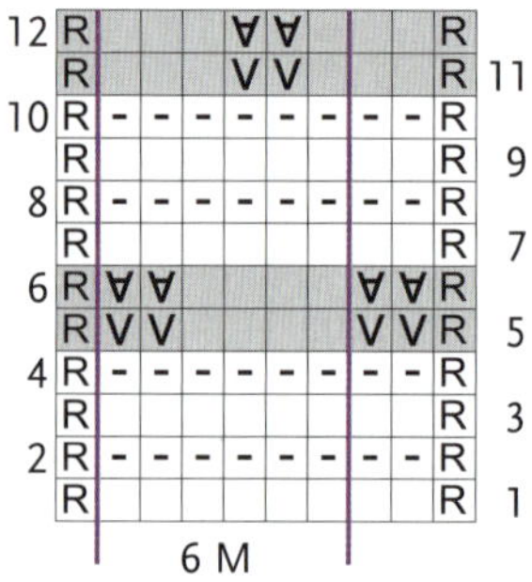

[V] = 1 Hebemasche: die Masche wie zum Linksstricken abheben (Faden hinter der Masche mitführen)

[∀] = 1 Hebemasche: die Masche wie zum Linksstricken abheben (Faden vor der Masche mitführen)

[grau] = Musterfarbe mit Hebemaschen

[ ] = 1 Masche rechts

[-] = 1 Masche links

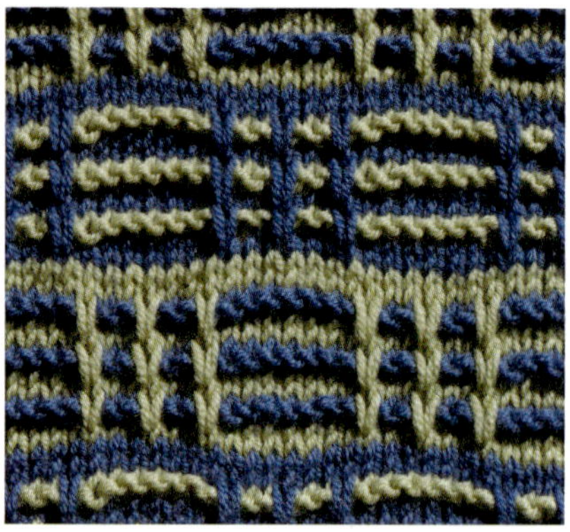

Fantasiemuster 10

Maschenzahl teilbar durch 14 + 1 Masche + 2 Randmaschen.

In Hin- und Rückreihen nach der Strickschrift stricken.

Achtung! Die Maschen in den Rückreihen stricken wie gezeichnet!

Abfolge:

3 x die 1.–4. Reihe,

1 x die 5. und 6. Reihe,

3 x die 7.–10. Reihe,

1 x die 11. und 12. Reihe (= 28 Reihen).

Diese 28. Reihen stets wiederholen.

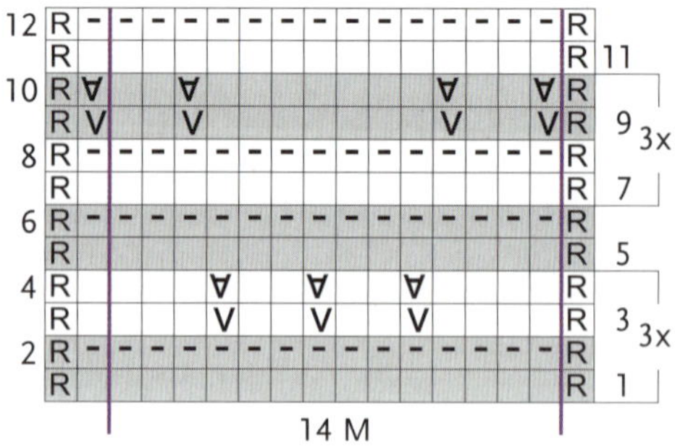

[ ] = 1 Masche rechts

[-] = 1 Masche links

[V] = 1 Hebemasche: die Masche wie zum Linksstricken abheben (Faden hinter der Masche mitführen)

[∀] = 1 Hebemasche: die Masche wie zum Linksstricken abheben (Faden vor der Masche mitführen)

Fantasiemuster 11

Maschenzahl teilbar durch 6 + 2 Randmaschen.

In Hin- und Rückreihen nach der Strickschrift arbeiten und den Rapport von 6 Maschen fortlaufend wiederholen.

Achtung! Die Maschen in den Rückreihen stricken wie gezeichnet!

Die 1.–12. Reihe stets wiederholen.

Die 1., 2., 7. und 8. Reihe in Farbe A stricken.

Die 3.–6. und die 9.–12. Reihe in Farbe B stricken.

Mustervariante

Eine andere Streifenfolge ergibt einen völlig anderen Effekt:

Die 1.–3., die 6.–9. und die 12. Reihe in Farbe A stricken.

Die 4., 5., 10. und 11. Reihe in Farbe B stricken.

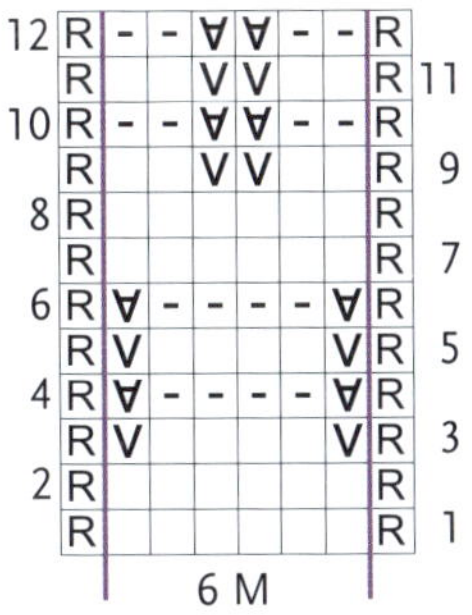

[ ] = 1 Masche rechts

[–] = 1 Masche links

[V] = 1 Masche wie zum Linksstricken abheben (den Faden hinter der Masche mitführen)

[∀] = 1 Masche wie zum Linksstricken abheben (den Faden vor der Masche mitführen)

Fantasiemuster 12

Maschenzahl teilbar durch 6 + 2 Randmaschen.

In Hin- und Rückreihen nach der Strickschrift arbeiten.

Achtung! Die Maschen in den Rückreihen stricken wie gezeichnet!

Die 1.–12. Reihe stets wiederholen.

Mustervariante

Das Muster kann auch in 3 Farben gestrickt werden:

Die 1. und 12. Reihe in Farbe B,

die 6. und 7. Reihe in Farbe C,

alle übrigen Reihen in Farbe A stricken.

[ ] = 1 Masche rechts

[–] = 1 Masche links

[○] = 1 Umschlag

↓ = den Umschlag der Vorreihe fallen lassen

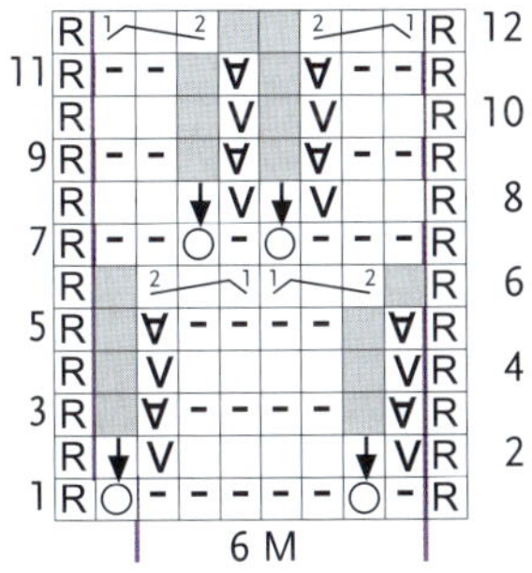

[V] = 1 Hebemasche: die Masche wie zum Linksstricken abheben (Faden hinter der Masche mitführen)

[∀] = 1 Hebemasche: die Masche wie zum Linksstricken abheben (Faden vor der Masche mitführen)

[1 2] = 1 Masche auf einer Hilfsnadel vor die Arbeit legen, 2 Maschen rechts, dann die Masche der Hilfsnadel rechts stricken

[2 1] = 2 Maschen auf einer Hilfsnadel hinter die Arbeit legen, 1 Masche rechts, dann die 2 Maschen der Hilfsnadel rechts stricken

[▒] = keine Masche: Die grau unterlegten Kästchen sind ohne Bedeutung; sie dienen nur der besseren Übersicht

Fantasiemuster 13

Maschenzahl teilbar durch 20 + 2 Maschen + 2 Randmaschen.

In Hin- und Rückreihen nach der Strickschrift arbeiten.

Achtung! Die Maschen in den Rückreihen stricken wie gezeichnet!

1 x die 1.–27. Reihe stricken, dann die 6.–27. Reihe stets wiederholen.

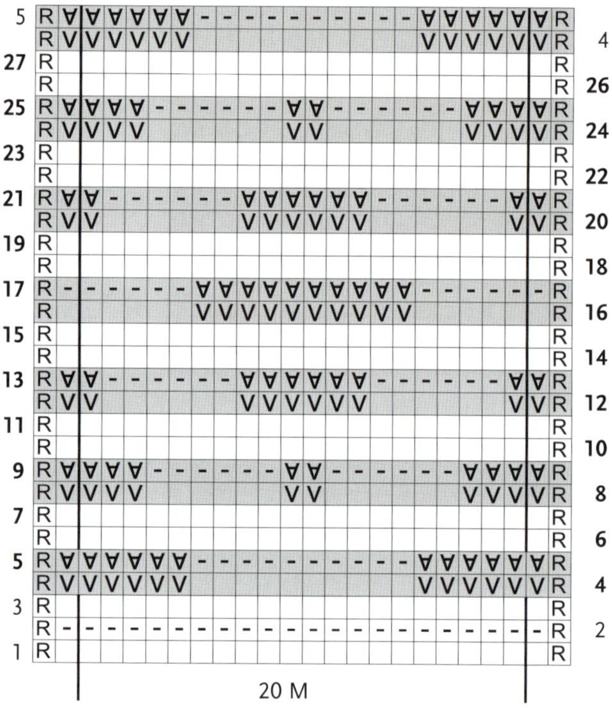

☐ = 1 Masche rechts

- = 1 Masche links

V = 1 Hebemasche: die Masche wie zum Linksstricken abheben (Faden hinter der Masche mitführen)

∀ = 1 Hebemasche: die Masche wie zum Linksstricken abheben (Faden vor der Masche mitführen)

▒ = Musterfarbe mit Hebemaschen

Fantasiemuster 14

Maschenzahl teilbar durch 4.

In Hin- und Rückreihen nach der Strickschrift arbeiten, dabei wie gezeichnet beginnen, den Rapport von 4 Maschen fortlaufend wiederholen und wie gezeichnet enden.

Achtung! Die Maschen in den Rückreihen stricken wie gezeichnet!

Die 1.–24. Reihe stets wiederholen.

Beginnen mit 2 Reihen Farbe A, dann stets 4 Reihen in Farbe B, C und A stricken.

Mustervariante

Selbstverständlich kann dieses Muster in beliebig vielen Farben gestrickt werden. Links sehen Sie eine Variante mit 5 Farben.

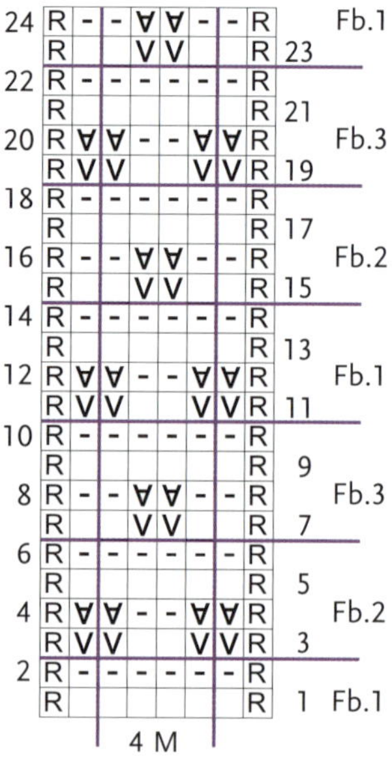

☐ = 1 Masche rechts

- = 1 Masche links

V = 1 Masche wie zum Linksstricken abheben (den Faden hinter der Masche mitführen)

∀ = 1 Masche wie zum Linksstricken abheben (den Faden vor der Masche mitführen)

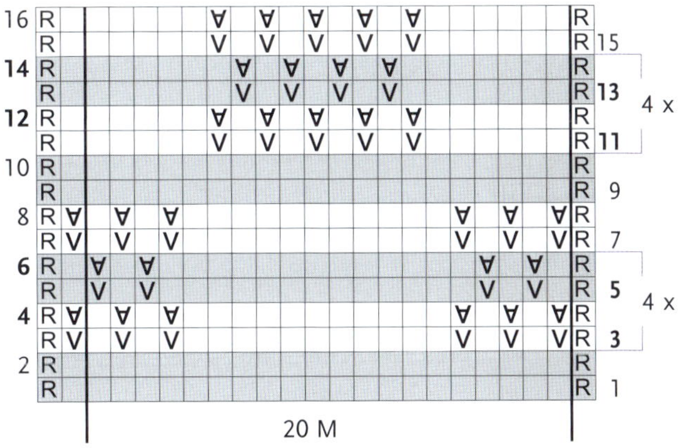

Fantasiemuster 15

Maschenzahl teilbar durch 20 + 1 Masche + 2 Randmaschen.
In Hin- und Rückreihen nach der Strickschrift stricken, dabei den Rapport von 20 Maschen fortlaufend wiederholen und wie gezeichnet enden.
Achtung! Die Maschen in den Rückreihen stricken wie gezeichnet!

Jeweils 2 Reihen mit hellem bzw. dunklem Garn im Wechsel stricken.

Abfolge:
1 x die 1. und 2. Reihe,
4 x die 4.–6. Reihe,
1 x die 7.–10. Reihe, 4 x die 11.–14. Reihe,
1 x die 15. und 16. Reihe (= 40 Reihen).
Diese 40 Reihen stets wiederholen.

☐ = 1 Masche rechts

V = 1 Hebemasche: die Masche wie zum Linksstricken abheben (Faden hinter der Masche mitführen)

∀ = 1 Hebemasche: die Masche wie zum Linksstricken abheben (Faden vor der Masche mitführen)

Fantasiemuster 16

Maschenzahl teilbar durch 4 + 3 Maschen + 2 Randmaschen.
In Hin- und Rückreihen nach der Strickschrift stricken.
Achtung! Die Maschen in den Rückreihen stricken wie gezeichnet!
Die 1.–8. R stets wdh.

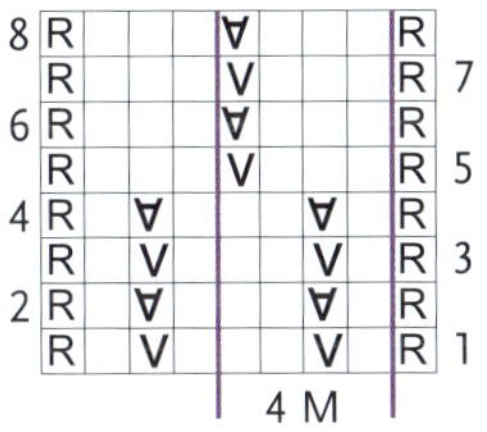

☐ = 1 Masche rechts

V = 1 Hebemasche: die Masche wie zum Linksstricken abheben (Faden hinter der Masche mitführen)

∀ = 1 Hebemasche: die Masche wie zum Linksstricken abheben (Faden vor der Masche mitführen)

Mustervariante:
Für das zweifarbige Muster stets nach 4 Reihen die Farbe wechseln.

Patentmuster 1

Maschenzahl teilbar durch 2 + 1 Masche + 2 Randmaschen.

In Hinreihen nach der Strickschrift arbeiten, in Rückreihen alle Maschen rechts stricken.

Die 1. und 2. Reihe stets wiederholen.

R	P	-	P	R	1

2 M

[-] = 1 Masche links

[P] = 1 Patentmasche: in Rückreihen 1 Masche rechts, in Hinreihen 1 Masche rechts, dabei 1 Reihe tiefer einstechen

Patentmuster 2

Maschenzahl teilbar durch 4 + 1 Masche + 2 Randmaschen.

In Hinreihen nach der Strickschrift arbeiten, in Rückreihen alle Maschen rechts stricken.

Die 1. und 2. Reihe stets wiederholen.

R	P	-	-	-	P	R	1

4 M

[-] = 1 Masche links

[P] = 1 Patentmasche: in Rückreihen 1 Masche rechts, in Hinreihen 1 Masche rechts, dabei 1 Reihe tiefer einstechen

Patentmuster 3

Maschenzahl teilbar durch 4 + 1 Masche + 2 Randmaschen.

In Hinreihen nach der Strickschrift arbeiten, in Rückreihen alle Maschen rechts stricken.

Die 1.–16. Reihe stets wiederholen.

R	P	-	-	-	P	R	9 - 16
R	-	-	P	-	-	R	1 -8

4 M

[-] = 1 Masche links

[P] = 1 Patentmasche: in Rückreihen 1 Masche rechts, in Hinreihen 1 Masche rechts, dabei 1 Reihe tiefer einstechen

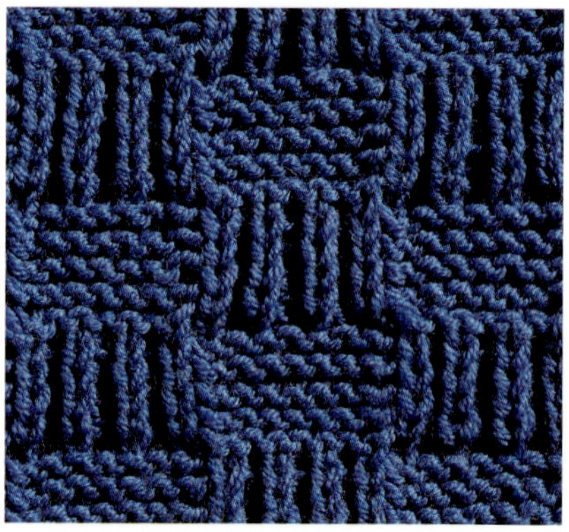

Patentmuster 4

Maschenzahl teilbar durch 14 + 2 Randmaschen.

In Hinreihen nach der Strickschrift arbeiten, in Rückreihen alle Maschen rechts stricken.

Es sind nur 2 Hinreihen gezeichnet, die jeweils 10 x gearbeitet werden (siehe Reihenzahlen am rechten Rand).

Die 1.–20. Reihe stets wiederholen.

R	P	-	P	-	P	-	P	=	=	=	=	=	=	=	R	11 - 20
R	=	=	=	=	=	=	=	P	-	P	-	P	-	P	R	1 - 10

14 M Rapport

[-] = 1 Masche links

[P] = 1 Patentmasche: in Rückreihen 1 Masche rechts, in Hinreihen 1 Masche rechts, dabei 1 Reihe tiefer einstechen

[=] = 1 Krausmasche: in Hin- und Rückreihen 1 Masche rechts stricken

Patentmuster 5

Maschenzahl teilbar durch 12 + 2 Randmaschen.

In Hinreihen nach der Strickschrift arbeiten, in Rückreihen alle Maschen rechts stricken.

Die 1.–24. Reihe stets wiederholen.

R	-	P	=	=	=	=	=	P	-	P	-	P	R	23
R	-	P	=	=	=	=	=	P	-	P	-	P	R	21
R	-	P	-	P	=	=	=	=	=	P	-	P	R	19
R	-	P	-	P	=	=	=	=	=	P	-	P	R	17
R	-	P	-	P	-	P	=	=	=	=	=	P	R	15
R	-	P	-	P	-	P	=	=	=	=	=	P	R	13
R	=	P	-	P	-	P	-	P	=	=	=	=	R	11
R	=	P	-	P	-	P	-	P	=	=	=	=	R	9
R	=	=	=	P	-	P	-	P	-	P	=	=	R	7
R	=	=	=	P	-	P	-	P	-	P	=	=	R	5
R	=	=	=	=	=	P	-	P	-	P	-	P	R	3
R	=	=	=	=	=	P	-	P	-	P	-	P	R	1

12 M Rapport

Zeichenerklärung wie Patentmuster 4.

Patentmuster 6

Maschenzahl teilbar durch 8 + 1 Masche + 2 Randmaschen.

In Hinreihen nach der Strickschrift arbeiten, in Rückreihen alle Maschen rechts stricken. Es sind nur 4 Hinreihen gezeichnet, die jeweils so oft gearbeitet werden, wie am rechten Rand der Strickschrift angegeben.

Die 1.–28. Reihe stets wiederholen.

R	-	P	-	P	-	-	-	-	-	R	19-28
R	-	P	-	P	-	P	-	P	-	R	15-18
R	-	-	-	-	-	P	-	P	-	R	5- 14
R	-	P	-	P	-	P	-	P	-	R	1-4

8 M Rapport

[-] = 1 Masche links

[P] = 1 Patentmasche: in Rückreihen 1 Masche rechts, in Hinreihen 1 Masche rechts, dabei 1 Reihe tiefer einstechen

Patentmuster 7

Ungerade Maschenzahl.

In Hinreihen nach der Strickschrift arbeiten. In der 2. und 10. Reihe (= Rückreihen) alle Maschen links stricken, in allen übrigen Rückreihen alle Maschen rechts stricken.

Die 1.–16. Reihe stets wiederholen.

R	-	P	-	R	15
R	-	P	-	R	13
R	-	P	-	R	11
R				R	9
R	-	-	P	R	7
R	-	-	P	R	5
R	-	-	P	R	3
R				R	1

2 M

[-] = 1 Masche links

[P] = 1 Patentmasche: in Rückreihen 1 Masche rechts, in Hinreihen 1 Masche rechts, dabei 1 Reihe tiefer einstechen

Patentmuster 8

Maschenzahl teilbar durch 16 + 1 Masche + 2 Randmaschen.

In Hinreihen nach der Strickschrift arbeiten, in Rückreihen alle Maschen rechts stricken.

Die 1.–16. Reihe stets wiederholen.

R	-	P	-	P	-	P	-	P	-	P	-	P	-	P	-	P	-	R	15
R	-	P	-	P	-	P									-	P	-	R	13
R	-	P	-	P	-	P	-	P	-	P	-	P	-	P	-	P	-	R	11
R	-	P	-	P	-	P	-	P	-	P	-	P	-	P	-	P	-	R	9
R	-	P	-	P	-	P	-	P	-	P	-	P	-	P	-	P	-	R	7
R	-	P	-									P	-	P	-	P	-	R	5
R	-	P	-	P	-	P	-	P	-	P	-	P	-	P	-	P	-	R	3
R	-	P	-	P	-	P	-	P	-	P	-	P	-	P	-	P	-	R	1

16 M Rapport

[-] = 1 Masche links

[P] = 1 Patentmasche: in Rückreihen 1 Masche rechts, in Hinreihen 1 Masche rechts, dabei 1 Reihe tiefer einstechen

= 4 Maschen auf einer Hilfsnadel vor die Arbeit legen, 4 Maschen im Maschenrhythmus stricken, dann die 4 Maschen der Hilfsnadel im Maschenrhythmus stricken

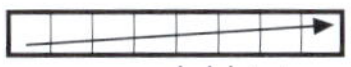
= 4 Maschen auf einer Hilfsnadel hinter die Arbeit legen, 4 Maschen im Maschenrhythmus stricken, dann die 4 Maschen der Hilfsnadel im Maschenrhythmus stricken

Patentmuster 9

Maschenzahl teilbar durch 8 +
7 Maschen + 2 Randmaschen.
In Hinreihen nach der Strickschrift
arbeiten, in Rückreihen alle Maschen
rechts stricken.
Es sind nicht alle Hinreihen gezeichnet; die
Hinreihen so oft stricken, wie am rechten
Rand der Strickschrift angegeben.
Die 1.–32. Reihe stets wiederholen.

R	-	P	-	P	⟶	-	P	-	P	-	P	-	R	31
R	-	P	-	P	-	P	-	P	-	P	-	P	-	R	**25-29**
R	-	P	-	P	-	P	⟵	-	P	-	P	-	R	23
R	-	P	-	P	-	P	-	P	-	P	-	P	-	R	**17-21**
R	⟶	-	P	-	P	-	P	⟶	-	P	-	R	15
R	-	P	-	P	-	P	-	P	-	P	-	P	-	R	**9-13**
R	-	P	⟵	-	P	-	P	⟵	-	R	7
R	-	P	-	P	-	P	-	P	-	P	-	P	-	R	**1-5**

⎸ 8 M Rapport ⎹

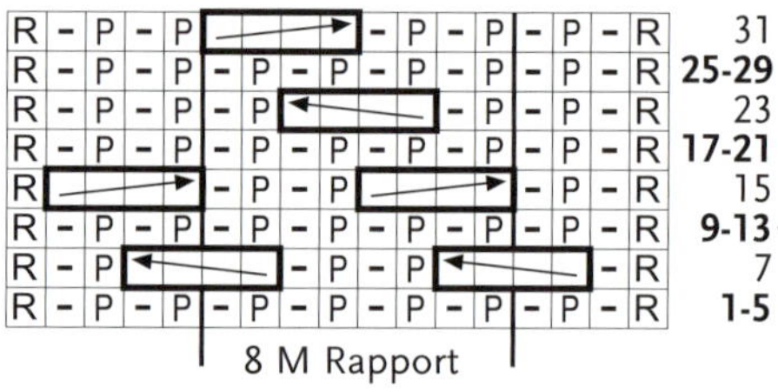

Zeichenerklärung siehe Patentmuster 11.

Patentmuster 10

Netzpatent: gerade Maschenzahl.
1. Reihe (= Rückreihe): Randmasche, *
1 Masche mit 1 Umschlag links abheben,
1 Masche rechts, ab * fortlaufend wiederholen, Randmasche.
2. Reihe (= Hinreihe): Randmasche, *
2 Maschen rechts, den Umschlag der
Vorreihe links abheben (Faden hinter
dem Umschlag); ab * fortlaufend wiederholen, Randmasche.
3. Reihe: Randmasche, * 1 Masche mit
dem Umschlag rechts zusammenstricken, die folgende Masche mit 1 Umschlag links abheben; ab * fortlaufend
wiederholen, Randmasche.

4. Reihe: Randmasche: * 1 Masche
rechts, den Umschlag der Vorreihe links
abheben, 1 Masche rechts; ab * fortlaufend wiederholen, Randmasche.
5. Reihe: Randmasche: 1 Masche mit
1 Umschlag links abheben, die folgende
Masche mit dem Umschlag rechts
zusammenstricken, ab * fortlaufend
wiederholen, Randmasche.
1 x die 1.–5. Reihe stricken, dann die
2.–5. Reihe stets wiederholen.

Achtung! Für das Netzpatentmuster
braucht man etwas Übung und sollte
sehr konzentriert stricken!

R	-	P	-	P	-	P	-	P	-	P	-	P	-	P	-	P	-	P	-	P	-	R	23
R	-	P	-	P	-	P	-	P	-	P	-	P	-	P	-	P	-	P	-	P	-	R	21
R	-	P	-	P	⟵	-	P	-	P	-	P	-	P	-	P	⟶	P	-	R	19
R	-	P	-	P	-	P	-	P	-	P	-	P	-	P	-	P	-	P	-	R	17
R	-	P	⟵	⟵	-	P	-	P	-	⟶	⟶	P	-	R	15
R	-	P	-	P	-	P	-	P	-	P	-	P	-	P	-	P	-	P	-	R	13
R	-	P	-	P	⟵	⟵	-	P	-	⟶	⟶	P	-	R	11
R	-	P	-	P	-	P	-	P	-	P	-	P	-	P	-	P	-	P	-	R	9
R	-	P	-	P	⟵	-	P	-	P	-	⟶	P	-	P	-	R	7
R	-	P	-	P	-	P	-	P	-	P	-	P	-	P	-	P	-	P	-	R	5
R	-	P	-	P	-	P	-	P	-	P	-	P	-	P	-	P	-	P	-	R	3
R	-	P	-	P	-	P	-	P	-	P	-	P	-	P	-	P	-	P	-	R	1

⎸ 24 M ⎹

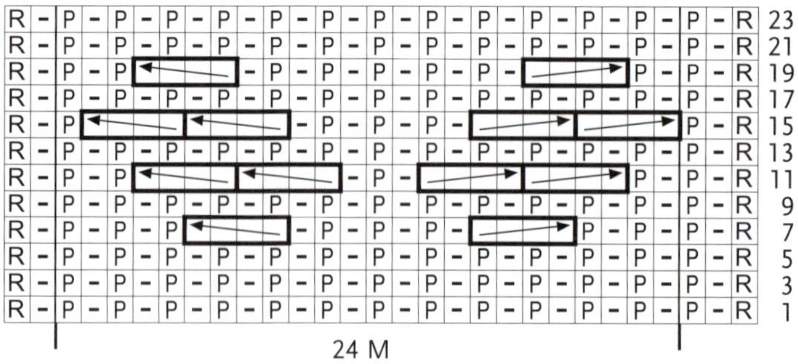

Patentmuster 11

Maschenzahl teilbar durch 24 +
3 Maschen + 2 Randmaschen.
In Hinreihen nach der Strickschrift
arbeiten, in Rückreihen alle Maschen
rechts stricken.
Die 1.–24. Reihe stets wiederholen.

☐ − = 1 Masche links

P = 1 Patentmasche: in Rückreihen 1 Masche
rechts, in Hinreihen 1 Masche rechts,
dabei 1 Reihe tiefer einstechen

⟵☐ = 2 Maschen auf einer Hilfsnadel
vor die Arbeit legen, 2 Maschen im
Maschenrhythmus stricken, dann die
2 Maschen der Hilfsnadel im Maschenrhythmus stricken

☐⟶ = wie oben, jedoch die Maschen auf
der Hilfsnadel hinter die Arbeit legen

Patentmuster 12

Maschenzahl teilbar durch 16 + 1 Masche + 2 Randmaschen.

In Hinreihen nach der Strickschrift arbeiten, in Rückreihen alle Maschen rechts stricken.

Es sind nicht alle Hinreihen gezeichnet; die Hinreihen so oft stricken, wie am rechten Rand der Strickschrift angegeben.

Die 1.–24. Reihe stets wiederholen.

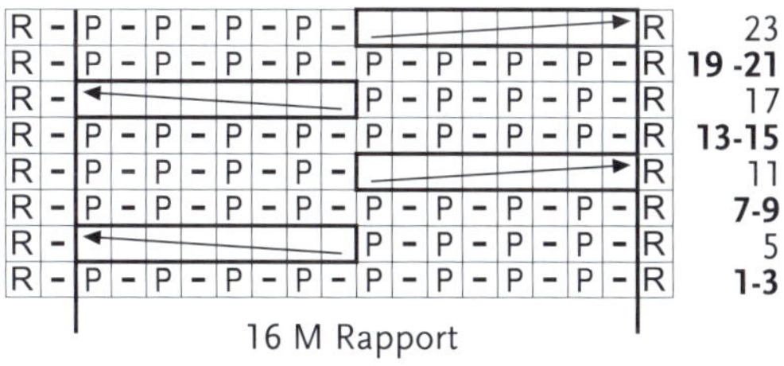

Zeichenerklärung siehe Patentmuster 8.

Patentmuster 13

Maschenzahl teilbar durch 12 + 1 Masche + 2 Randmaschen.

In Hinreihen nach der Strickschrift arbeiten, in Rückreihen alle Maschen rechts stricken.

Die 1.–24. Reihe stets wiederholen.

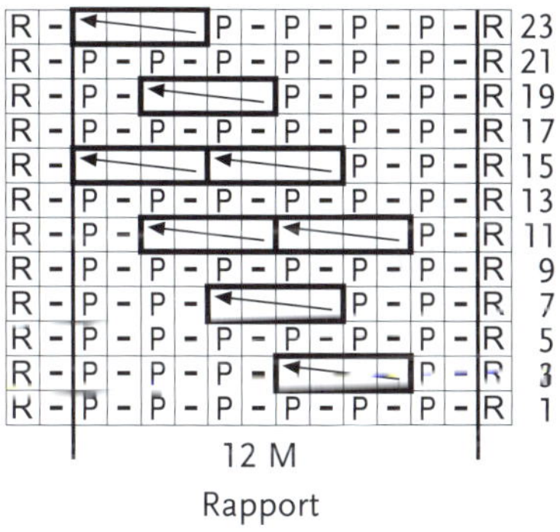

Zeichenerklärung siehe Patentmuster 11.

Patentmuster 14

Doppelpatent

Grundprinzip: 1. Reihe: 2 Maschen rechts, 2 Maschen links im Wechsel stricken.

2. und alle folgenden Reihen: Die Maschen abstricken, wie sie erscheinen, dabei die 1. rechte bzw. linke Masche stets 1 Reihe tiefer einstechen, die 2. rechte bzw. linke Masche normal rechts bzw. links abstricken.

Doppelpatent mit 2 Randmaschen an beiden Seiten

Maschenzahl teilbar durch 4 + 2 Maschen.

1. Reihe (= Rückreihe): Die 1. Randmasche abheben, die 2. Randmasche links stricken, * 2 Maschen rechts, 2 Maschen links; ab * fortlaufend wiederholen, enden mit 2 Maschen rechts, die vorletzte Randmasche wie zum Linksstricken abheben (Faden vor die Masche legen), die letzte Randmasche rechts stricken.

2. Reihe: Die 1. Randmasche abheben, die 2. Randmasche rechts stricken, * [1 Masche links 1 Reihe tiefer einstechen], 1 Masche links, [1 Masche rechts 1 Reihe tiefer einstechen], 1 Masche rechts; ab * fortlaufend wiederholen, enden mit [1 Masche links 1 Reihe tiefer einstechen], 1 Masche links, die vorletzte Randmasche wie zum Linksstricken abheben (Faden hinter die Masche legen), die letzte Randmasche rechts stricken.

3. Reihe: Die 1. Randmasche abheben, die 2. Randmasche links stricken, * [1 Masche rechts 1 Reihe tiefer einstechen], 1 Masche rechts, [1 Masche links 1 Reihe tiefer einstechen], 1 Masche links; ab * fortlaufend wiederholen, enden mit [1 Masche rechts 1 Reihe tiefer einstechen], 1 Masche rechts, die vorletzte Randmasche wie zum Linksstricken abheben (Faden vor die Masche legen), die letzte Randmasche rechts stricken.

1 x die 1.–3. Reihe stricken, dann die 2. und 3. Reihe stets wiederholen.

Ajourmuster 1

Maschenzahl teilbar durch 6 + 1 Masche + 2 Randmaschen.

In den Hinreihen nach der Strickschrift stricken wie folgt: Randmasche, die 3 Maschen vor dem Rapport, den Rapport von 6 Maschen fortlaufend wiederholen, die 4 Maschen nach dem Rapport, Randmasche.

In den Rückreihen die Maschen stricken, wie sie erscheinen, die Umschläge rechts stricken.

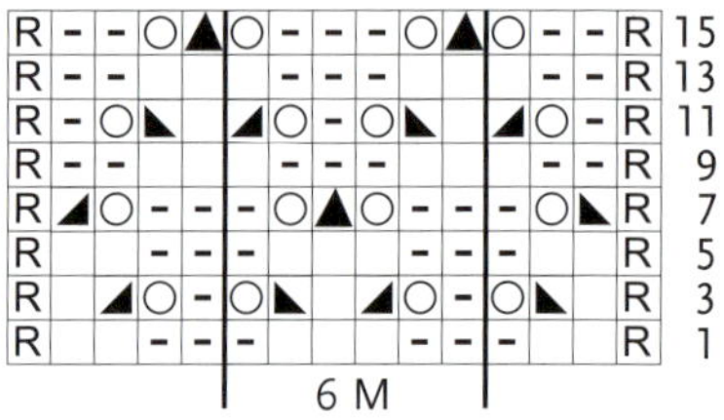

Die 1.–16. Reihe stets wiederholen.

Ajourmuster 2

Maschenzahl teilbar durch 12 + 2 Randmaschen.

In den Hinreihen nach der Strickschrift stricken wie folgt: Randmasche, den Rapport von 12 Maschen fortlaufend wiederholen, Randmasche. In den Rückreihen die Maschen stricken, wie sie erscheinen, die Umschläge links abstricken.

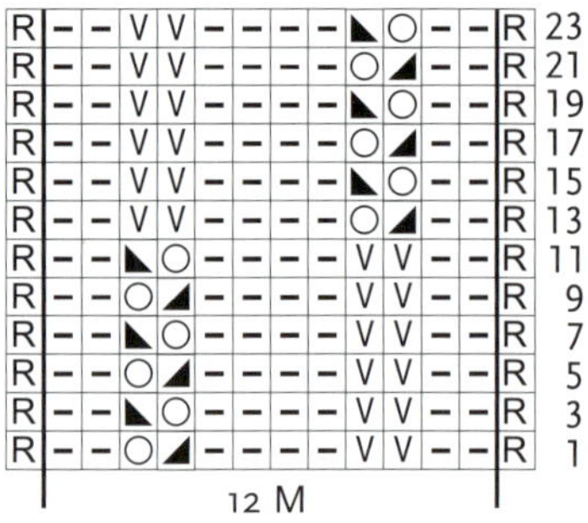

Die 1.–24. Reihe stets wiederholen.

Ajourmuster 3

Maschenzahl teilbar durch 10 + 1 Masche + 2 Randmaschen.

In den Hinreihen nach der Strickschrift stricken wie folgt: Randmasche, die 6 Maschen vor dem Rapport, den Rapport von 10 Maschen fortlaufend wiederholen, die 5 Maschen nach dem Rapport, Randmasche.

In den Rückreihen alle Maschen und Umschläge links stricken.

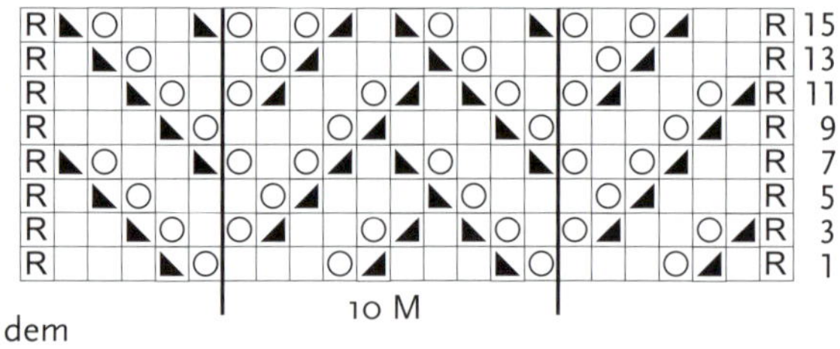

Die 1.–16. Reihe stets wiederholen.

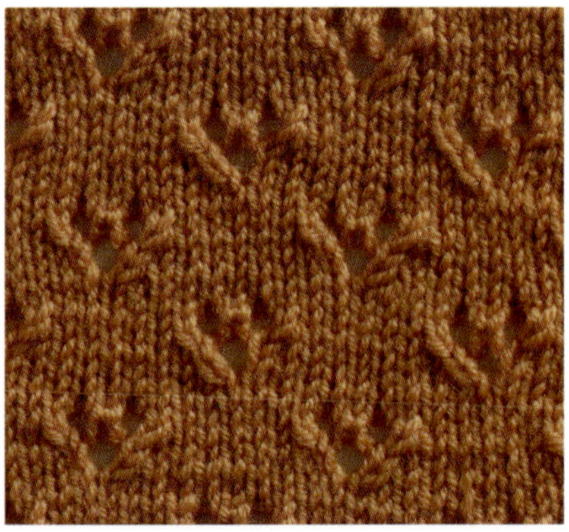

Ajourmuster 4

Maschenzahl teilbar durch 8 + 2 Randmaschen.

In den Hinreihen nach der Strickschrift stricken wie folgt: Randmasche, die 4 Maschen vor dem Rapport, den Rapport von 8 Maschen fortlaufend wiederholen, die 4 Maschen nach dem Rapport, Randmasche.

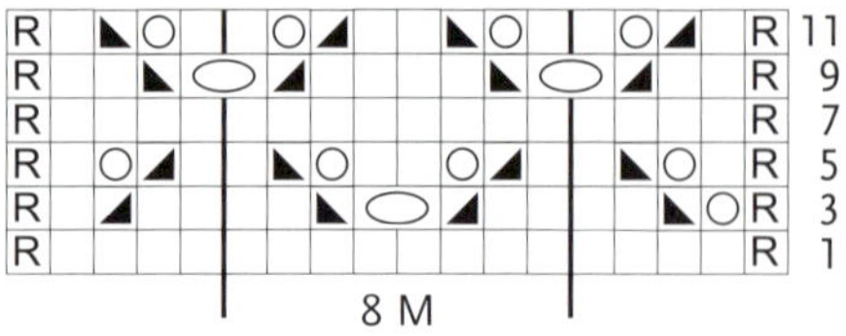

In den Rückreihen alle Maschen und Umschläge links stricken.

Die 1.–12. Reihe stets wiederholen.

Ajourmuster 5

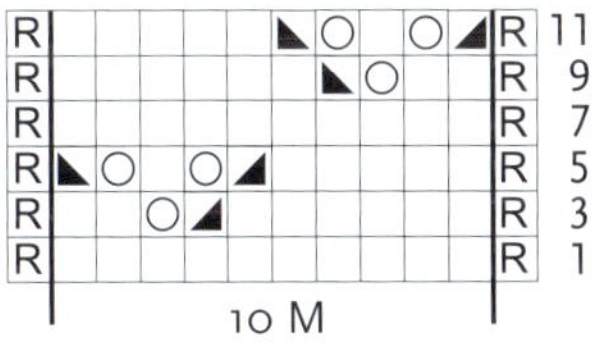

Maschenzahl teilbar durch 10 + 2 Randmaschen.
In den Hinreihen nach der Strickschrift stricken wie folgt: Randmasche, den Rapport von 10 Maschen fortlaufend wiederholen, Randmasche.
In den Rückreihen alle Maschen und Umschläge links stricken.
Die 1.–12. Reihe stets wiederholen.

Ajourmuster 6

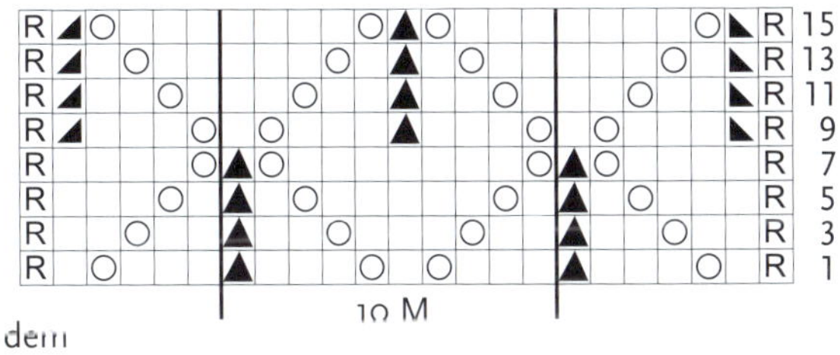

Maschenzahl teilbar durch 10 + 1 Masche + 2 Randmaschen.
In den Hinreihen nach der Strickschrift stricken wie folgt: Randmasche, die 6 Maschen vor dem Rapport, den Rapport von 10 Maschen fortlaufend wiederholen, die 5 Maschen nach dem Rapport, Randmasche.
In den Rückreihen alle Maschen und Umschläge links stricken.
Die 1.–16. Reihe stets wiederholen.

Ajourmuster 7

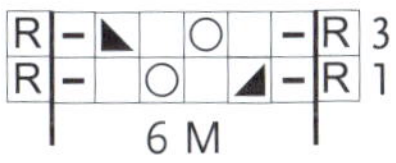

Maschenzahl teilbar durch 6 + 2 Randmaschen.
In den Hinreihen nach der Strickschrift stricken wie folgt: Randmasche, den Rapport von 6 Maschen fortlaufend wiederholen, Randmasche.
In den Rückreihen die Maschen stricken, wie sie erscheinen, die Umschläge links abstricken.
Die 1.–4. Reihe stets wiederholen.

Ajourmuster 8

Maschenzahl teilbar durch 8 + 2 Randmaschen.
In den Hinreihen nach der Strickschrift stricken wie folgt: Randmasche, den Rapport von 8 Maschen fortlaufend wiederholen, Randmasche.
In den Rückreihen die Maschen stricken, wie sie erscheinen, den Umschlag einmal rechts, einmal links abstricken (= 2 Maschen).
Die 1. und 2. Reihe stets wiederholen.

Ajourmuster 9

Maschenzahl teilbar durch 8 + 1 Masche + 2 Randmaschen.

In den Hinreihen nach der Strickschrift stricken wie folgt: Randmasche, den Rapport von 8 Maschen fortlaufend wiederholen, 1 Masche nach dem Rapport, Randmasche.

In den Rückreihen alle Maschen und Umschläge links stricken.

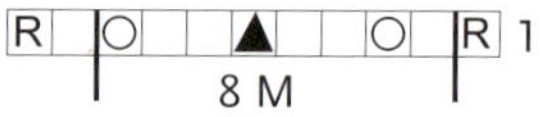

Die 1. und 2. Reihe stets wiederholen.

Ajourmuster 10

Maschenzahl teilbar durch 8 + 1 Masche + 2 Randmaschen.

In den Hinreihen nach der Strickschrift stricken wie folgt: Randmasche, den Rapport von 8 Maschen fortlaufend wiederholen, 1 Masche nach dem Rapport, Randmasche.

In den Rückreihen alle Maschen und Umschläge links stricken.

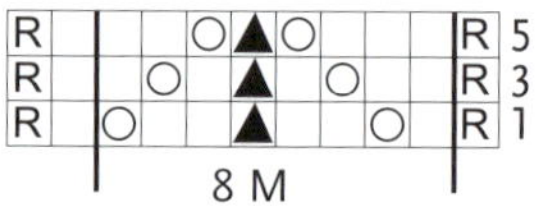

Die 1.–6. Reihe stets wiederholen.

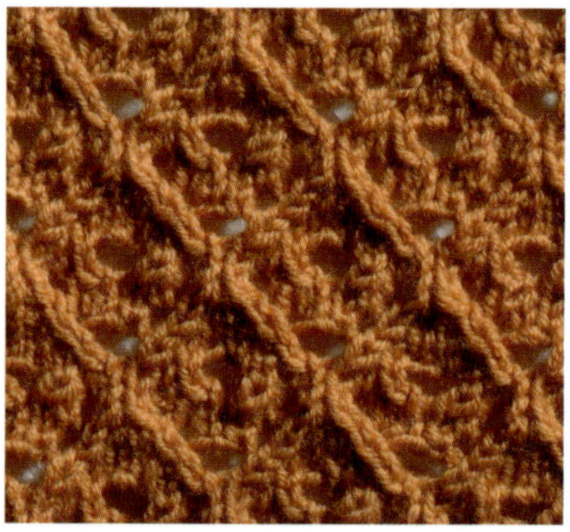

Ajourmuster 11

Maschenzahl teilbar durch 8 + 2 Randmaschen.

In den Hinreihen nach der Strickschrift stricken wie folgt: Randmasche, die 4 Maschen vor dem Rapport, den Rapport von 8 Maschen fortlaufend wiederholen, die 4 Maschen nach dem Rapport, Randmasche.

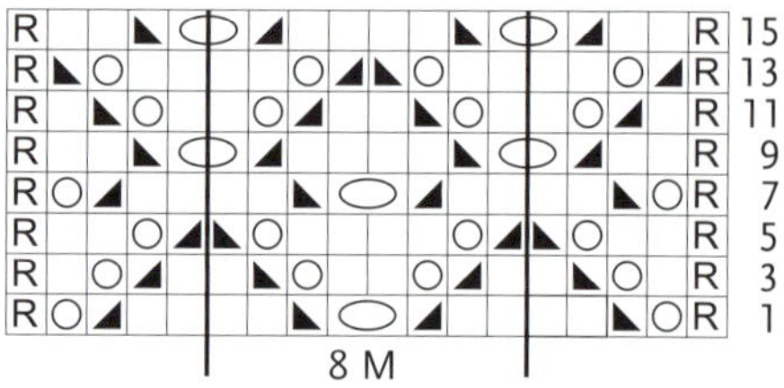

In den Rückreihen alle Maschen und Umschläge links stricken.

Die 1.–16. Reihe stets wiederholen.

Ajourmuster 12

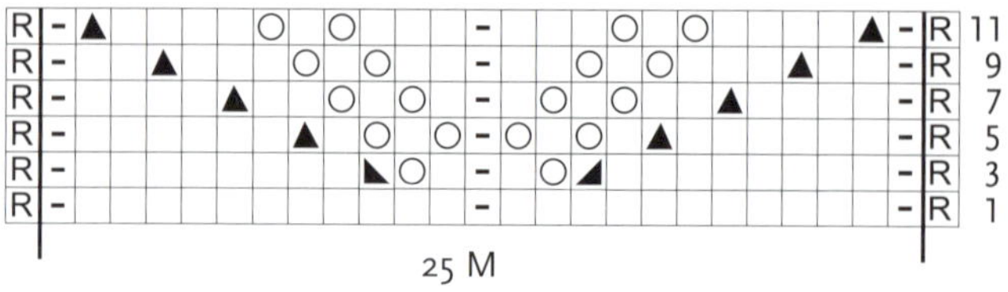

Maschenzahl teilbar durch 25 + 2 Randmaschen.

In den Hinreihen nach der Strickschrift stricken wie folgt: Randmasche, den Rapport von 25 Maschen fortlaufend wiederholen, Randmasche.

In den Rückreihen die Maschen stricken, wie sie erscheinen, die Umschläge links abstricken.

Die 1.–12. Reihe stets wiederholen.

Ajourmuster 13

Maschenzahl teilbar durch 6 + 2 Randmaschen.

In den Hinreihen nach der Strickschrift stricken wie folgt: Randmasche, den Rapport von 6 Maschen fortlaufend wiederholen, Randmasche.

In den Rückreihen alle Maschen und Umschläge links stricken.

Die 1.–20. Reihe stets wiederholen.

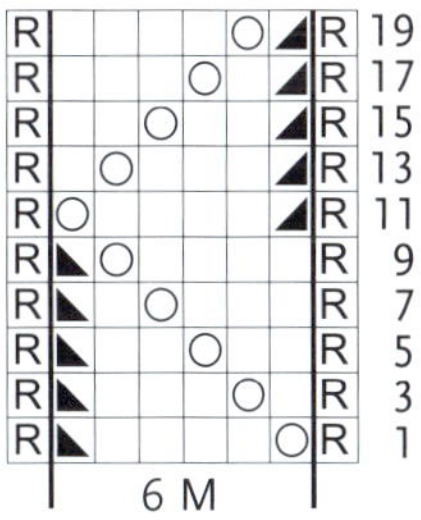

Ajourmuster 14

Maschenzahl teilbar durch 8 + 2 Randmaschen.

In den Hinreihen nach der Strickschrift stricken wie folgt: Randmasche, den Rapport von 8 Maschen fortlaufend wiederholen, Randmasche.

In den Rückreihen die Maschen stricken, wie sie erscheinen, die Umschläge links abstricken.

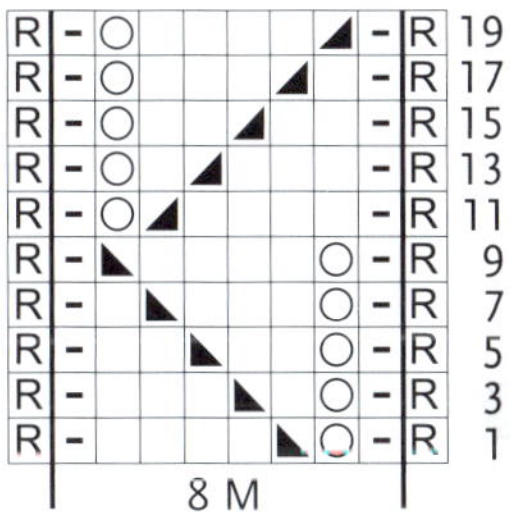

Die 1.–20. Reihe stets wiederholen.

Ajourmuster 15

Maschenzahl teilbar durch 50 + 2 Randmaschen.

In den Hinreihen nach der Strickschrift stricken wie folgt: Randmasche, den Rapport von 50 Maschen fortlaufend wiederholen, Randmasche.

In den Rückreihen die Maschen stricken, wie sie erscheinen, die Umschläge links bzw. nach der Strickschrift rechts verschränkt stricken.

Die 1.–34. Reihe stets wiederholen.

⊖ = 1 Umschlag, in der Rückreihe den Umschlag rechts verschränkt abstricken.

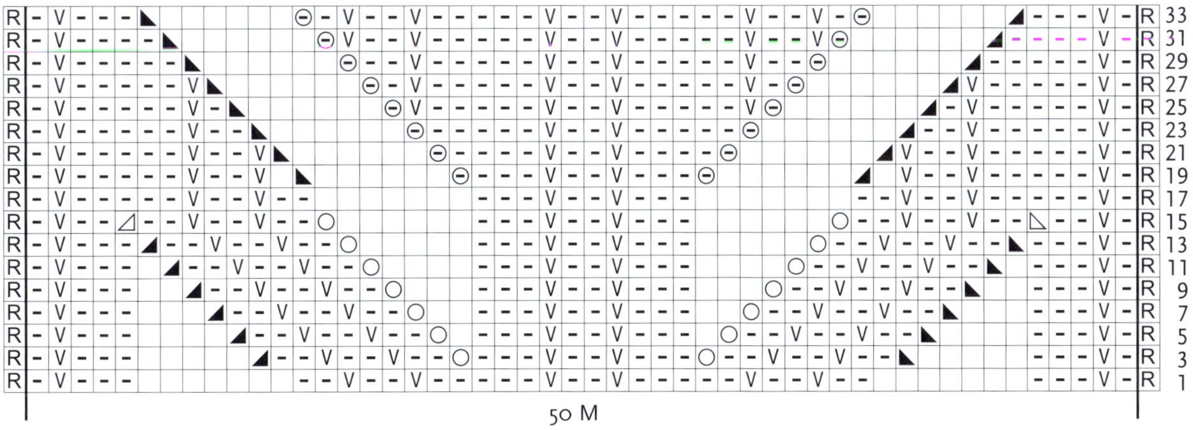

Ajourmuster 16

Maschenzahl teilbar durch 10 + 7 Maschen + 2 Randmaschen.
In den Hinreihen nach der Strickschrift stricken wie folgt: Randmasche, die 3 Maschen vor dem Rapport, den Rapport von 10 Maschen fortlaufend wiederholen, die 4 Maschen nach dem Rapport, Randmasche.

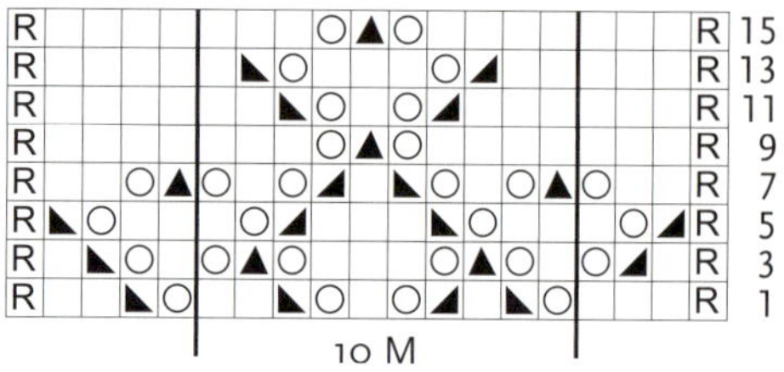

In den Rückreihen alle Maschen und Umschläge links stricken.
Die 1.–16. Reihe stets wiederholen.

Ajourmuster 17

Maschenzahl teilbar durch 14 + 1 Masche + 2 Randmaschen.
In den Hinreihen nach der Strickschrift stricken wie folgt: Randmasche, den Rapport von 14 Maschen fortlaufend wiederholen, 1 Masche nach dem Rapport, Randmasche.
In den Rückreihen alle Maschen und Umschläge links stricken.

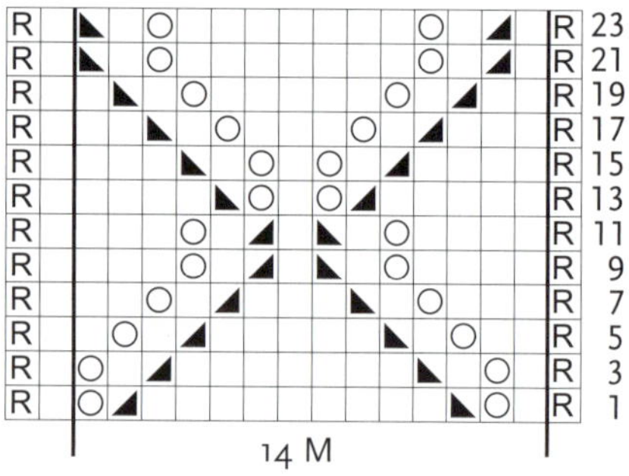

Die 1.–24. Reihe stets wiederholen.

Ajourmuster 18

Maschenzahl teilbar durch 12 + 2 Randmaschen.
In den Hinreihen nach der Strickschrift stricken wie folgt: Randmasche, die 6 Maschen vor dem Rapport, den Rapport von 12 Maschen fortlaufend wiederholen, die 6 Maschen nach dem Rapport, Randmasche.

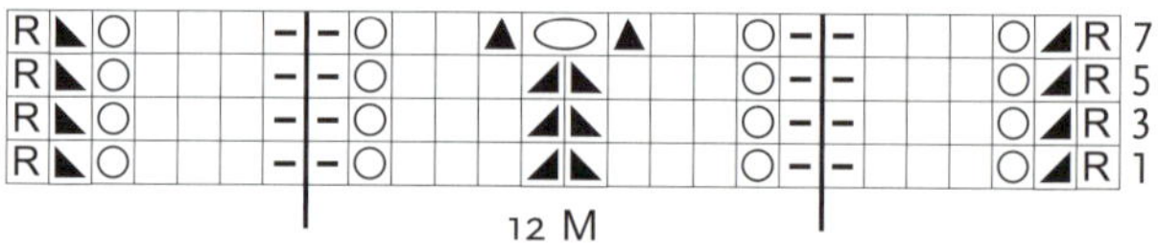

In den Rückreihen die Maschen stricken, wie sie erscheinen, die Umschläge links abstricken.
Die 1.–8. Reihe stets wiederholen.

Ajourmuster 19

Maschenzahl teilbar durch 17 + 2 Randmaschen.
In den Rückreihen nach der Strickschrift stricken wie folgt: Randmasche, den Rapport von 17 Maschen fortlaufend wiederholen, Randmasche.
Gezeichnet sind die Rückreihen. In den Rückreihen nach der Strickschrift stricken, in den Hinreihen alle Maschen und Umschläge rechts stricken.

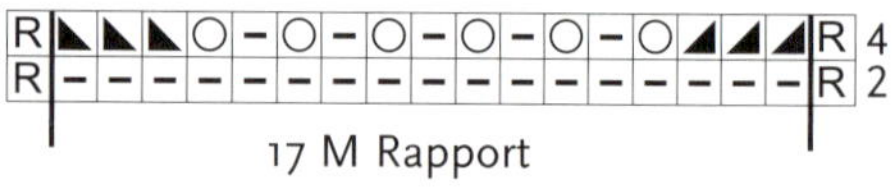

Die 1.–4. Reihe stets wiederholen.

Ajourmuster 20

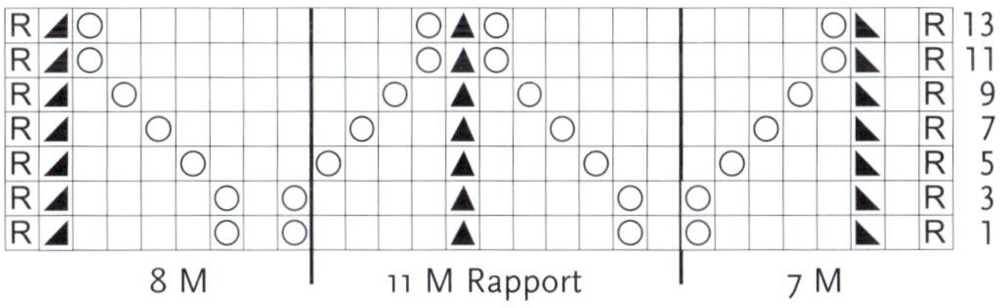

Maschenzahl teilbar durch 11 + 4 Maschen + 2 Randmaschen.
In den Hinreihen nach der Strickschrift stricken wie folgt: Randmasche, die 7 Maschen vor dem Rapport, den Rapport von 12 Maschen fortlaufend wiederholen, die 8 Maschen nach dem Rapport, Randmasche.
In den Rückreihen alle Maschen und Umschläge links stricken.
Die 1.–14. Reihe stets wiederholen.

Ajourmuster 21

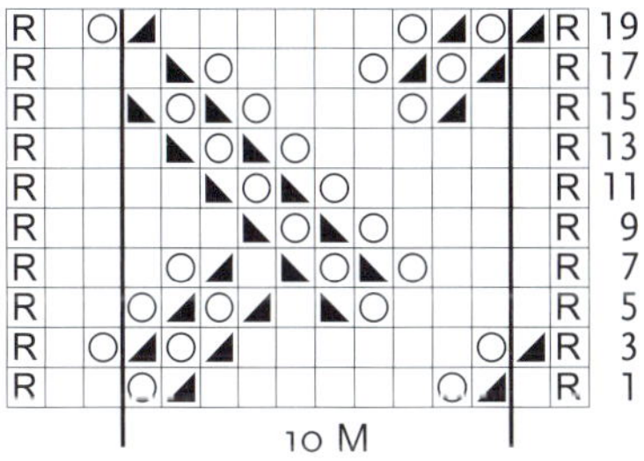

Maschenzahl teilbar durch 10 + 3 Maschen + 2 Randmaschen.
In den Hinreihen nach der Strickschrift stricken wie folgt: Randmasche, die 1 Masche vor dem Rapport, den Rapport von 10 Maschen fortlaufend wiederholen, die 2 Maschen nach dem Rapport, Randmasche.
In den Rückreihen alle Maschen und Umschläge links stricken.
Die 1.–20. Reihe stets wiederholen.

Ajourmuster 22

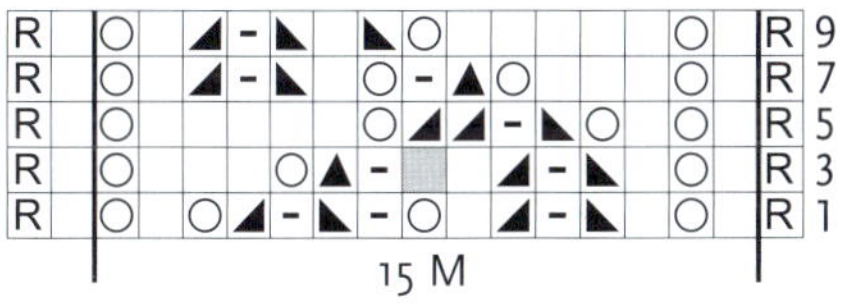

Maschenzahl teilbar durch 15 + 1 Masche + 2 Randmaschen.
In den Hinreihen nach der Strickschrift stricken wie folgt: Randmasche, den Rapport von 15 Maschen fortlaufend wiederholen, die 1 Masche nach dem Rapport, Randmasche.
In den Rückreihen alle Maschen stricken, wie sie erscheinen.

 = keine M (nicht mitzählen!)

Die 1.–10. Reihe stets wiederholen.

Ajourmuster 23

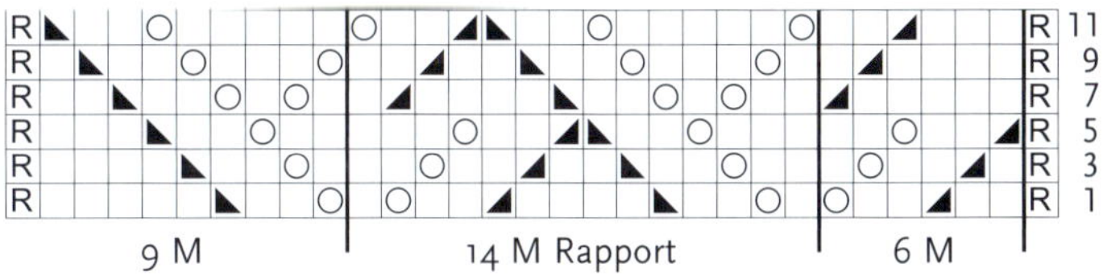

Maschenzahl teilbar durch 14 + 1 Masche + 2 Randmaschen.
In den Hinreihen nach der Strickschrift stricken wie folgt: Randmasche, die 6 Maschen vor dem Rapport, den Rapport von 14 Maschen fortlaufend wiederholen, die 9 Maschen nach dem Rapport, Randmasche.
In den Rückreihen alle Maschen stricken, wie sie erscheinen.
Die 1.–12. Reihe stets wiederholen.

Ajourmuster 24

Maschenzahl teilbar durch 12 + 1 Masche + 2 Randmaschen.

In den Hinreihen nach der Strickschrift stricken wie folgt: Randmasche, den Rapport von 12 Maschen fortlaufend wiederholen, die 1 Masche nach dem Rapport, Randmasche.

In den Rückreihen alle Maschen stricken, wie sie erscheinen, die Umschläge jedoch links abstricken.

Die 1.–16. Reihe stets wiederholen.

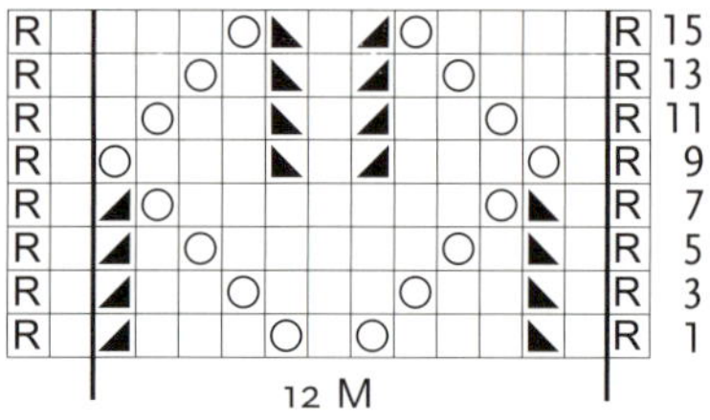

Ajourmuster 25

Maschenzahl teilbar durch 14 + 2 Randmaschen.

In den Hinreihen nach der Strickschrift stricken wie folgt: Randmasche, den Rapport von 14 Maschen fortlaufend wiederholen, Randmasche.

In den Rückreihen alle Maschen und Umschläge links stricken.

Die 1.–32. Reihe stets wiederholen.

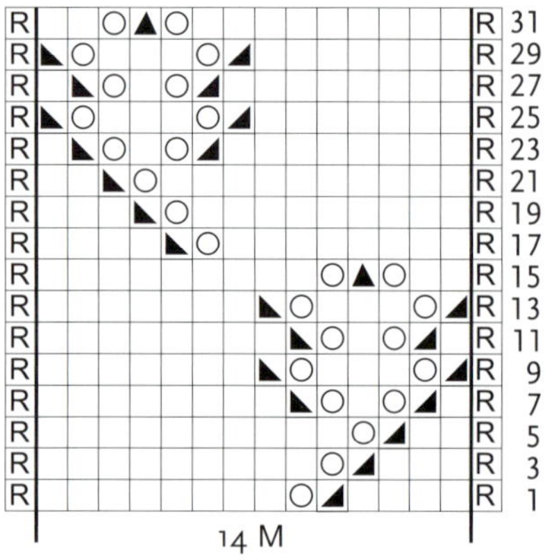

Ajourmuster 26

Maschenzahl teilbar durch 6 + 2 Randmaschen.

In den Hinreihen nach der Strickschrift stricken wie folgt: Randmasche, die 3 Maschen vor dem Rapport, den Rapport von 6 Maschen fortlaufend wiederholen, die 3 Maschen nach dem Rapport, Randmasche.

In den Rückreihen alle Maschen stricken, wie sie erscheinen, die Umschläge links abstricken.

1 x die 1.–18. Reihe stricken, dann die 3.–18. Reihe stets wiederholen.

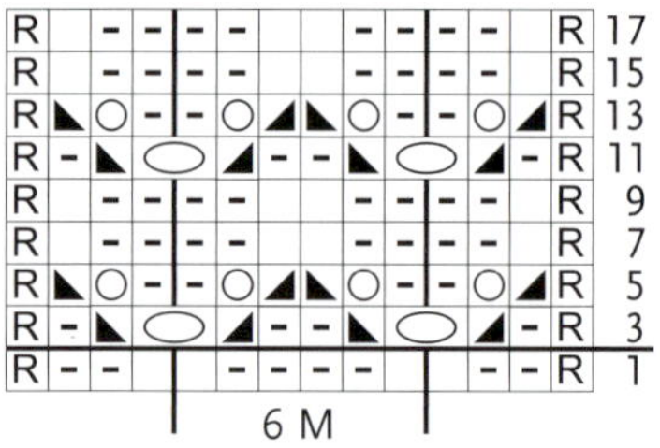

Ajourmuster 27

Maschenzahl teilbar durch 10 + 2 Maschen + 2 Randmaschen.

In den Hinreihen nach der Strickschrift stricken wie folgt: Randmasche, die 1 Masche vor dem Rapport, den Rapport von 10 Maschen fortlaufend wiederholen, die 1 Masche nach dem Rapport, Randmasche.

In den Rückreihen alle Maschen stricken, wie sie erscheinen, die Umschläge links abstricken.

Die 1.–20. Reihe stets wiederholen.

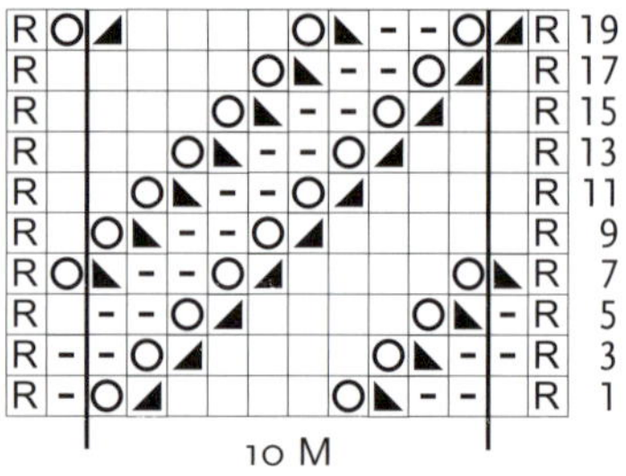

Ajourmuster 28

Maschenzahl teilbar durch 6 + 2 Maschen + 2 Randmaschen.
In den Hinreihen nach der Strickschrift stricken wie folgt: Randmasche, die 1 Masche vor dem Rapport, den Rapport von 6 Maschen fortlaufend wiederholen, die 1 Masche nach dem Rapport, Randmasche.
In den Rückreihen alle Maschen stricken,

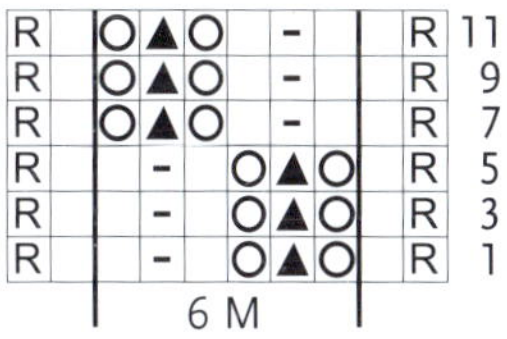

wie sie erscheinen, die Umschläge links abstricken.
Die 1.–12. Reihe stets wiederholen.

Ajourmuster 29

Maschenzahl teilbar durch 12 + 2 Maschen + 2 Randmaschen.
In den Hinreihen nach der Strickschrift stricken wie folgt: Randmasche, die 1 Masche vor dem Rapport, den Rapport von 12 Maschen fortlaufend wiederholen, die 1 Masche nach dem Rapport, Randmasche.
In den Rückreihen alle Maschen stricken,

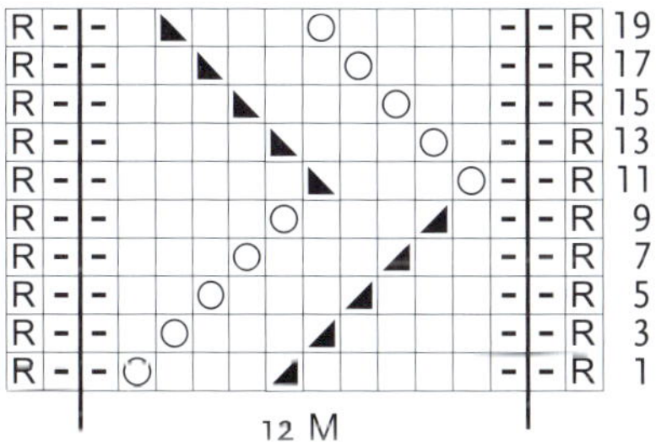

wie sie erscheinen, die Umschläge links abstricken.
Die 1.–20. Reihe stets wiederholen.

Ajourmuster 30

Maschenzahl teilbar durch 16 + 2 Randmaschen.
In den Hinreihen nach der Strickschrift stricken wie folgt: Randmasche, den Rapport von 16 Maschen fortlaufend wiederholen, Randmasche.
In den Rückreihen alle Maschen und Umschläge links stricken.

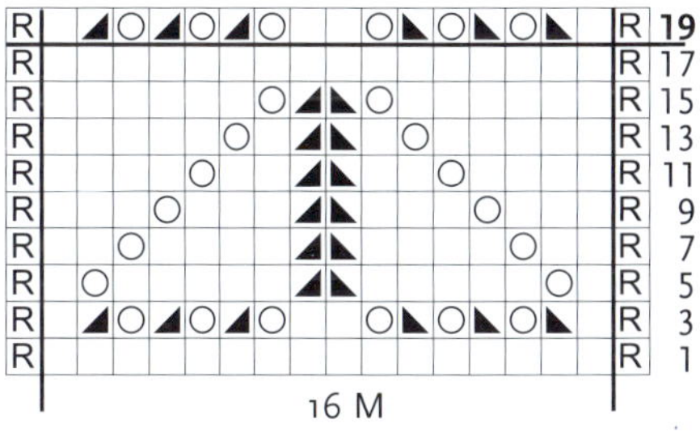

1 x die 1.–20. Reihe stricken, dann die 19. und 20. Reihe stets wiederholen.

Ajourmuster 31

Maschenzahl teilbar durch 10 + 1 Masche + 2 Randmaschen.
In den Hinreihen nach der Strickschrift stricken wie folgt: Randmasche, den Rapport von 10 Maschen fortlaufend wiederholen, die 1 Masche nach dem Rapport, Randmasche.
In den Rückreihen alle Maschen stricken, wie sie erscheinen, die Umschläge

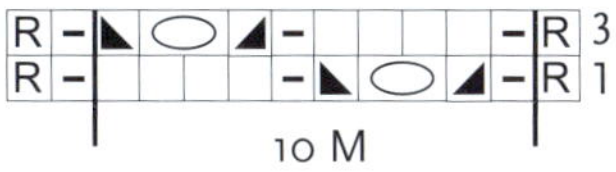

1 x rechts, 1 x links abstricken (= 2 Maschen).
Die 1.–4. Reihe stets wiederholen.

Ajourmuster 32

Maschenzahl teilbar durch 14 + 2 Randmaschen.

In den Hinreihen nach der Strickschrift stricken wie folgt: Randmasche, den Rapport von 14 Maschen fortlaufend wiederholen, Randmasche.

In den Rückreihen alle Maschen stricken, wie sie erscheinen, die Umschläge links abstricken.

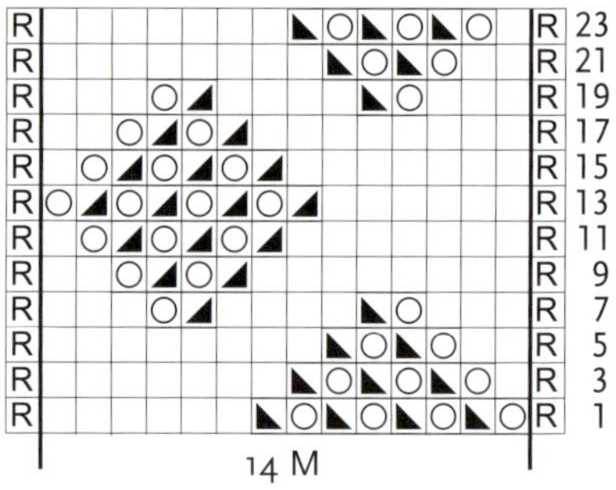

Die 1.–24. Reihe stets wiederholen.

Ajourmuster 33

Maschenzahl teilbar durch 3/4 + 1 Masche + 2 Randmaschen.

In den Hinreihen nach der Strickschrift stricken. In den Rückreihen alle Maschen und Umschläge links abstricken, die Fallmaschen zur besseren Übersicht rechts stricken.

1 x die 1.–6. Reihe stricken, dann die 3.–6. Reihe stets wiederholen.

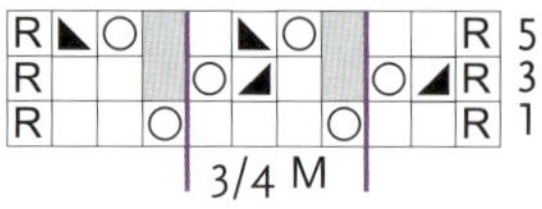

= Fallmasche: in Hin- und Rückreihen 1 rechte Masche stricken und erst in der letzten Hinreihe diese Masche von der Nadel gleiten lassen

Ajourmuster 34

Maschenzahl teilbar durch 10 + 5 Maschen + 2 Randmaschen.

In den Hinreihen nach der Strickschrift stricken wie folgt: Randmasche, die 1 Masche vor dem Rapport, den rechten Rapport von 5 Maschen fortlaufend wiederholen, die 3 Mittelmaschen stricken, den linken Rapport von 5 Maschen fortlaufend wiederholen, die 1 Masche nach dem Rapport, Randmasche.

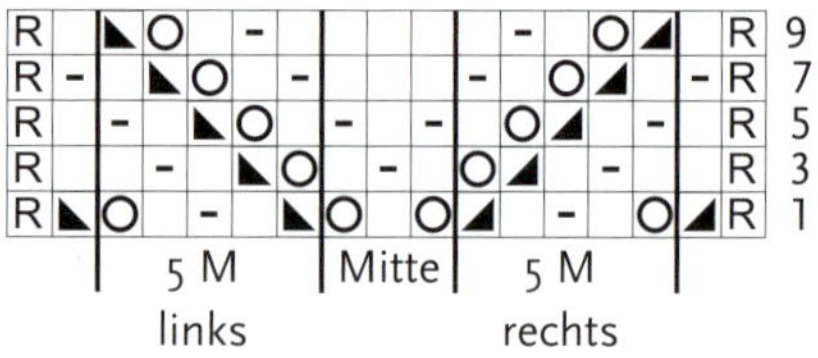

In den Rückreihen alle Maschen stricken, wie sie erscheinen, die Umschläge links abstricken.

Die 1.–10. Reihe stets wiederholen.

Ajourmuster 35

Maschenzahl teilbar durch 12 + 2 Maschen + 2 Randmaschen.

In den Hinreihen nach der Strickschrift stricken wie folgt: Randmasche, die 1 Masche vor dem Rapport, den Rapport von 12 Maschen fortlaufend wiederholen, die 1 Masche nach dem Rapport, Randmasche. In den Rückreihen alle Maschen stricken, wie sie erscheinen, jedoch die Umschläge links abstricken.

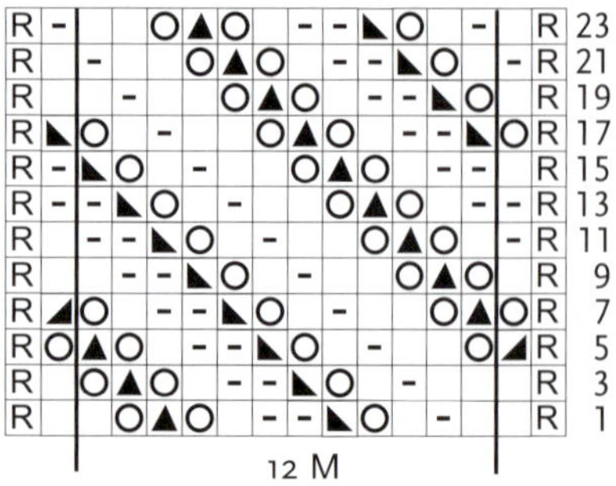

Die 1.–24. Reihe stets wiederholen.

Ajourmuster 36

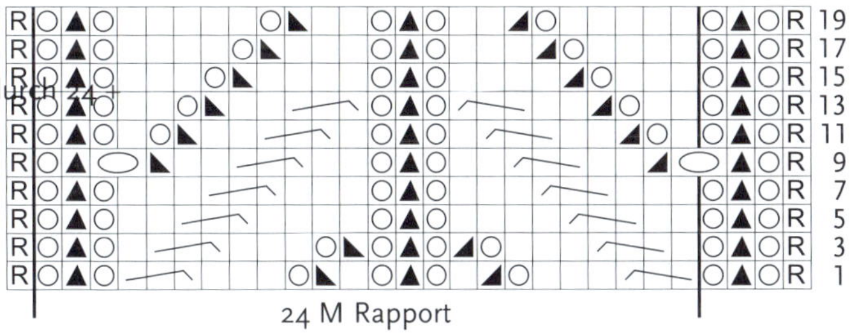

Maschenzahl teilbar durch 24 + 3 Maschen + 2 Randmaschen.

In den Hinreihen nach der Strickschrift stricken wie folgt: Randmasche, die 3 Maschen vor dem Rapport, den Rapport von 24 Maschen fortlaufend wiederholen, Randmasche.

In den Rückreihen alle Maschen und Umschläge links stricken, den großen Umschlag in der 9. Reihe jedoch je 1 x rechts und 1 x links abstricken (= 2 Maschen).

Die 1.–20. Reihe stets wiederholen.

Ajourmuster 37

Maschenzahl teilbar durch 14 + 1 Masche + 2 Randmaschen.

In den Hinreihen nach der Strickschrift stricken wie folgt: Randmasche, den Rapport von 14 Maschen fortlaufend wiederholen, die 1 Masche nach dem Rapport, Randmasche.

In den Rückreihen alle Maschen stricken, wie sie erscheinen, die Umschläge links abstricken.

1 x die 1.–32. Reihe stricken, dann die 33. und 34. Reihe stets wiederholen.

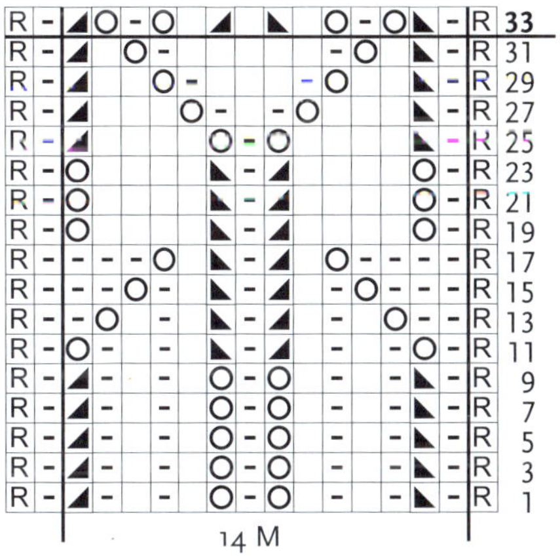

Ajourmuster 38

Maschenzahl teilbar durch 44 + 1 Masche + 2 Randmaschen.

In den Hinreihen nach der Strickschrift stricken wie folgt: Randmasche, den Rapport von 44 Maschen fortlaufend wiederholen, die 1 Masche nach dem Rapport, Randmasche.

In den Rückreihen alle Maschen und Umschläge links stricken.

Die 1.–16. Reihe stets wiederholen.

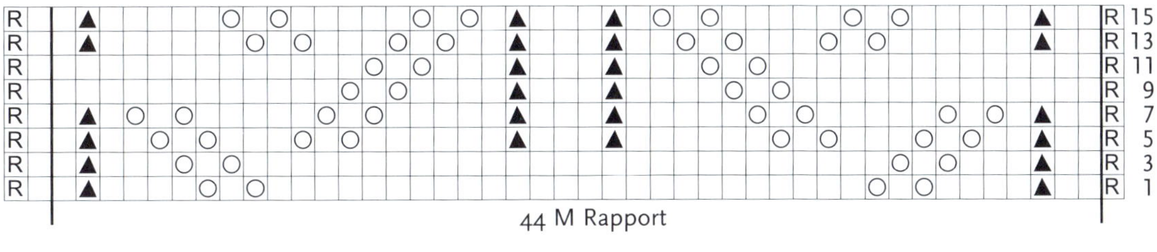

Ajourmuster 39

Maschenzahl teilbar durch 7 + 3 Maschen + 2 Randmaschen.
In den Hinreihen nach der Strickschrift stricken wie folgt: Randmasche, die 6 Maschen vor dem Rapport, den Rapport von 7 Maschen fortlaufend wiederholen, die 4 Maschen nach dem Rapport, Randmasche.
In den Rückreihen alle Maschen und Umschläge links abstricken.
Die 1.–24. Reihe stets wiederholen.

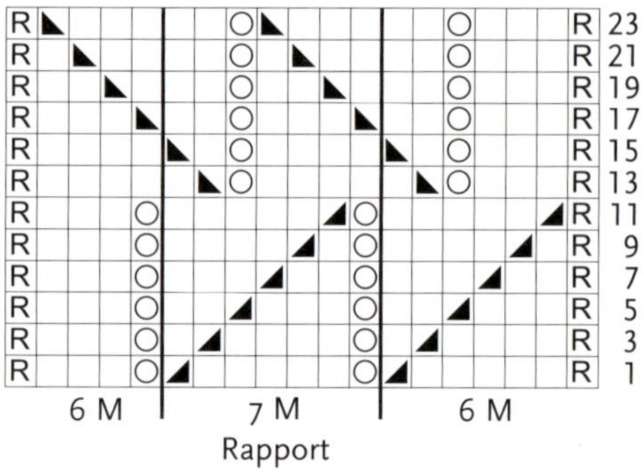

Ajourmuster 40

Maschenzahl teilbar durch 10 + 1 Masche + 2 Randmaschen.
In den Hinreihen nach der Strickschrift stricken wie folgt: Randmasche, die 5 Maschen vor dem Rapport, den Rapport von 10 Maschen fortlaufend wiederholen, die 6 Maschen nach dem Rapport, Randmasche.
In den Rückreihen alle Maschen stricken, wie sie erscheinen, die Umschläge links abstricken.
Die 1.–28. Reihe stets wiederholen.

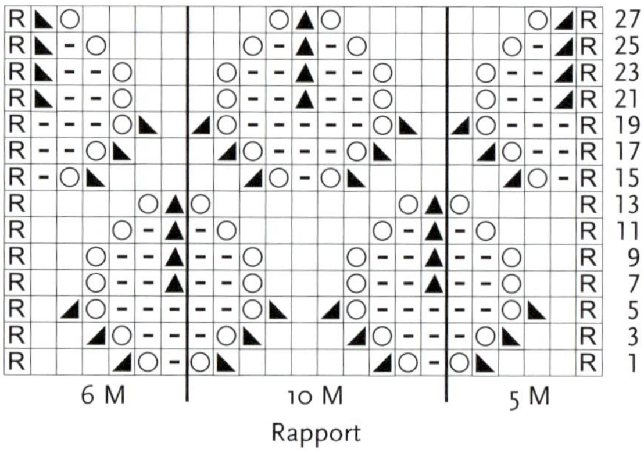

Ajourmuster 41

Maschenzahl teilbar durch 20 + 1 Masche + 2 Randmaschen.
In den Hinreihen nach der Strickschrift stricken wie folgt: Randmasche, den Rapport von 20 Maschen fortlaufend wiederholen, die 1 Masche nach dem Rapport, Randmasche.
In den Rückreihen alle Maschen stricken, wie sie erscheinen, die Umschläge links abstricken.
Die 1.–48. Reihe stets wiederholen.

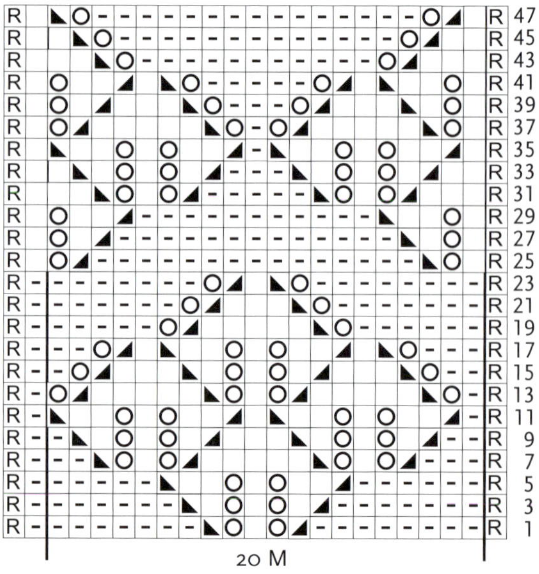

Aranmuster 1

Zopfstreifen über 16 Maschen. In den Hinreihen nach der Strickschrift arbeiten, in den Rückreihen die Maschen stricken, wie sie erscheinen. Die 1.–30. Reihe stets wiederholen oder die Reihenzahl zwischen den Verkreuzungen beliebig wählen.

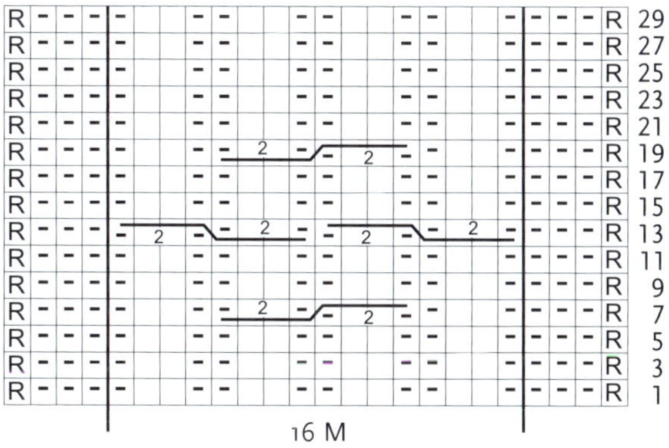

Aranmuster 2

Zopfstreifen über 25 Maschen. In den Hinreihen nach der Strickschrift arbeiten, In den Rückreihen die Maschen stricken, wie sie erscheinen. Die 1.–22. Reihe stets wiederholen.

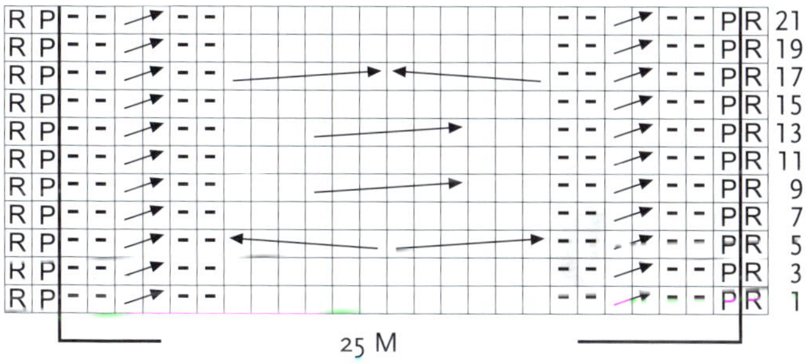

Aranmuster 3

Maschenzahl teilbar durch 34 + 20 Maschen + 2 Randmaschen. In den Hinreihen nach der Strickschrift arbeiten wie folgt: Randmasche, 2 Maschen links, den Rapport von 34 Maschen fortlaufend wiederholen, die 18 Maschen nach dem Rapport, Randmasche. In den Rückreihen alle Maschen stricken, wie sie erscheinen. Die 1.–32. Masche stets wiederholen. Die Musterstreifen können auch einzeln gearbeitet oder mit anderen Mustern kombiniert werden.

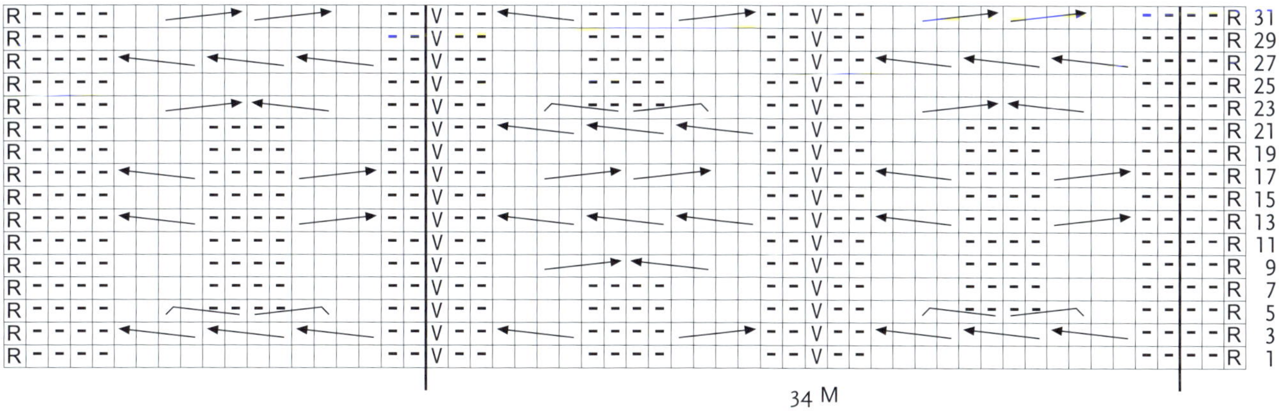

Aranmuster 4

Zopfstreifen über 36 Maschen.
In den Hinreihen nach der Strickschrift arbeiten, in den Rückreihen die Maschen stricken, wie sie erscheinen.

Es sind nicht alle Hinreihen gezeichnet.
Die 13., 15. und 17. Reihe wie die 11. Reihe stricken.
Die 1.–20. Reihe stets wiederholen.

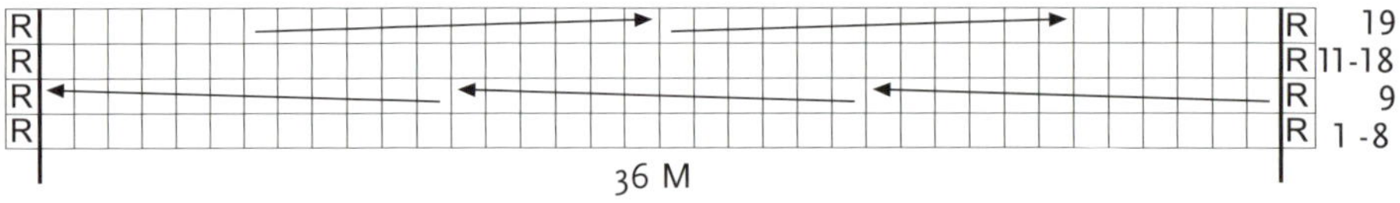

Aranmuster 5

Maschenzahl teilbar durch 8 + 2 Randmaschen.
In den Hinreihen nach der Strickschrift stricken wie folgt:
Randmasche, die 4 Maschen vor dem Rapport stricken, den Rapport von 8 Maschen fortlaufend wiederholen, enden mit den 4 Maschen nach dem Rapport, Randmasche.

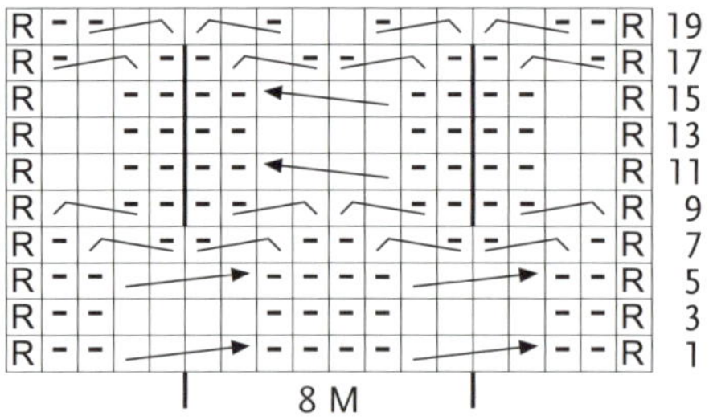

In den Rückreihen die Maschen stricken, wie sie erscheinen.
Die 1.–20. Reihe stets wiederholen.

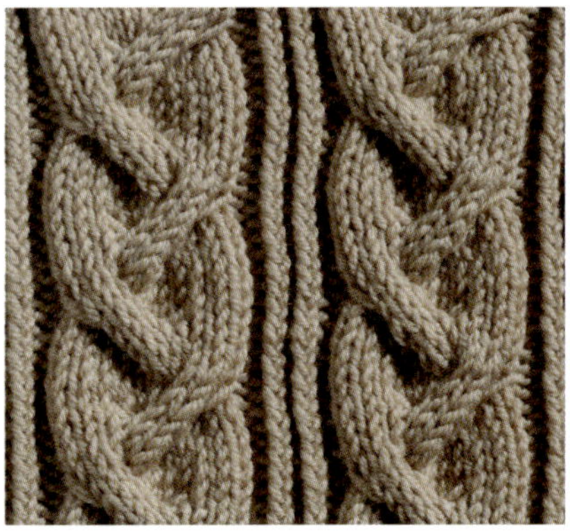

Aranmuster 6

Maschenzahl teilbar durch 19 + 7 Maschen + 2 Randmaschen.
In den Hinreihen nach der Strickschrift stricken wie folgt:
Randmasche, den Rapport von 19 Maschen fortlaufend wiederholen, enden mit den 7 Maschen nach dem Rapport, Randmasche.

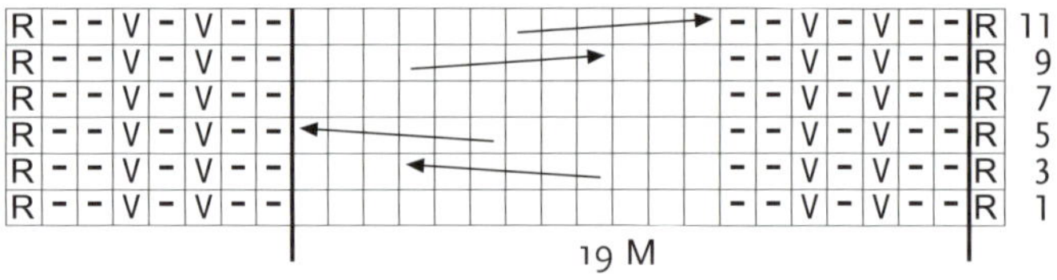

In den Rückreihen die Maschen stricken, wie sie erscheinen.
Die 1.–12. Reihe stets wiederholen.
Die Muster können auch individuell aufgeteilt werden.

Aranmuster 7

Maschenzahl teilbar durch 10 + 1 Masche + 2 Randmaschen.
In den Hinreihen nach der Strickschrift stricken wie folgt:
Randmasche, den Rapport von 10 Maschen fortlaufend wiederholen, enden mit 1 Masche links, Randmasche.
In den Rückreihen die Maschen stricken, wie sie erscheinen.

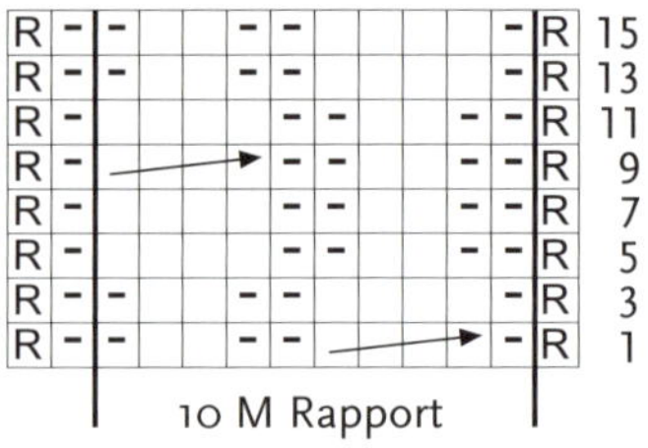

Die 1.–16. Reihe stets wiederholen.
Die Zöpfe können auch einzeln gearbeitet oder mit anderen Mustern kombiniert werden.

Aranmuster 8

Maschenzahl teilbar durch 24 + 3 Maschen + 2 Randmaschen.
In den Hinreihen nach der Strickschrift stricken wie folgt:
Randmasche, den Rapport von 24 Maschen fortlaufend wiederholen, enden mit den 3 Maschen nach dem Rapport, Randmasche.
In den Rückreihen die Maschen stricken, wie sie erscheinen.
Die 1.–8. Reihe stets wiederholen.
Die Zöpfe können auch einzeln gearbeitet oder mit anderen Mustern kombiniert werden.

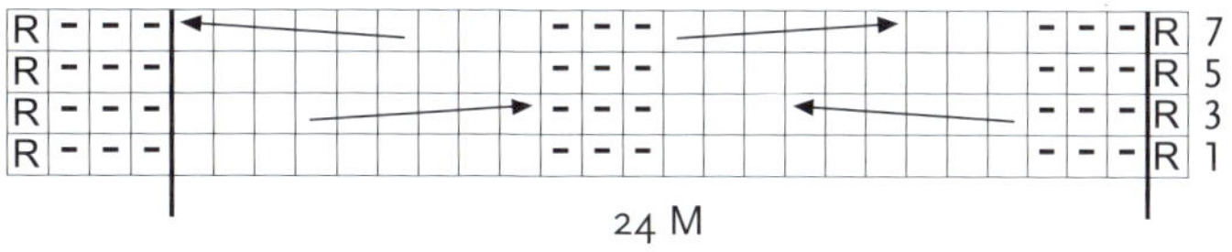

Aranmuster 9

Maschenzahl teilbar durch 20 + 2 Maschen + 2 Randmaschen.
In den Hinreihen nach der Strickschrift stricken wie folgt:
Randmasche, 1 Masche links, den Rapport von 20 Maschen fortlaufend wiederholen, enden mit 1 Masche links, Randmasche.
In den Rückreihen die Maschen stricken, wie sie erscheinen.
Die 1.–20. Reihe stets wiederholen.
Die Zöpfe können auch einzeln gearbeitet oder mit anderen Mustern kombiniert werden.

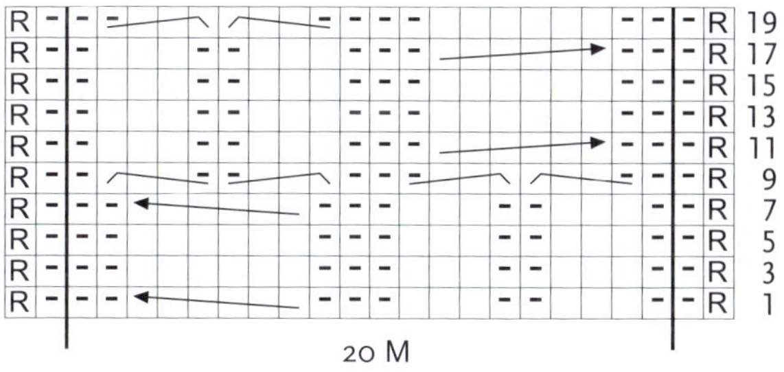

Aranmuster 10

Maschenzahl teilbar durch 16 + 2 Randmaschen.
In den Hinreihen nach der Strickschrift stricken wie folgt:
Randmasche, den Rapport von 16 Maschen fortlaufend wiederholen, Randmasche.
In den Rückreihen die Maschen stricken, wie sie erscheinen.
Die 1.–40. Reihe stets wiederholen.

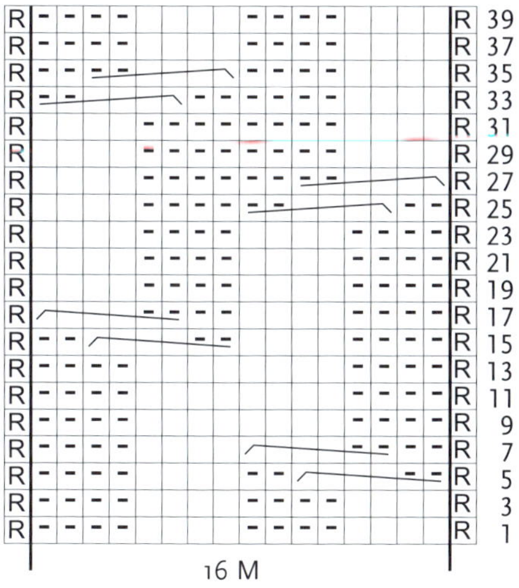

Aranmuster 11

Maschenzahl teilbar durch 28 + 10 Maschen + 2 Randmaschen.
In den Hinreihen nach der Strickschrift stricken wie folgt:
Randmasche, 2 Maschen links, den Rapport von 28 Maschen fortlaufend wiederholen, enden mit den 8 Maschen nach dem Rapport, Randmasche.
In den Rückreihen die Maschen stricken, wie sie erscheinen.
Die 1.–16. Reihe stets wiederholen.
Die Zöpfe können auch einzeln gearbeitet oder mit anderen Mustern kombiniert werden.

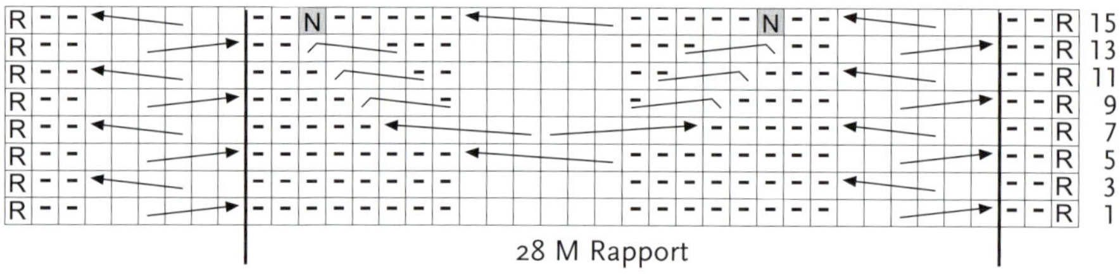

Aranmuster 12

Maschenzahl teilbar durch 16 + 2 Randmaschen.
In den Hinreihen nach der Strickschrift stricken wie folgt:
Randmasche, die 8 Maschen vor dem Rapport, den Rapport von 16 Maschen fortlaufend wiederholen, enden mit den 8 Maschen nach dem Rapport, Randmasche.
In den Rückreihen die Maschen stricken, wie sie erscheinen.
Die 1.–24. Reihe stets wiederholen.

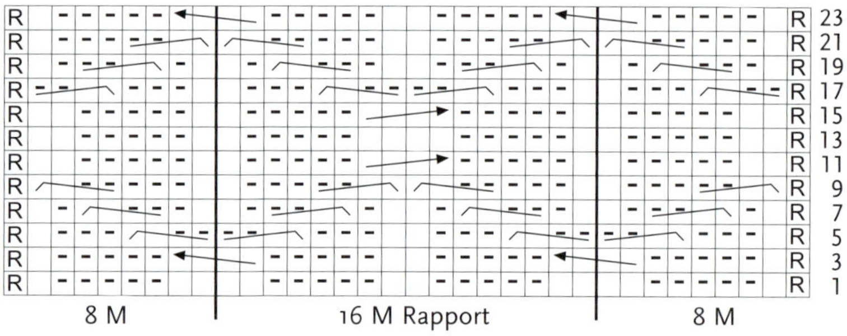

Aranmuster 13

Maschenzahl teilbar durch 20 + 10 Maschen + 2 Randmaschen.
In den Hinreihen nach der Strickschrift stricken wie folgt:
Randmasche, die 5 Maschen vor dem Rapport, den Rapport von 20 Maschen fortlaufend wiederholen, enden mit den 5 Maschen nach dem Rapport, Randmasche.
In den Rückreihen die Maschen stricken, wie sie erscheinen.
Die 1.–16. Reihe stets wiederholen.

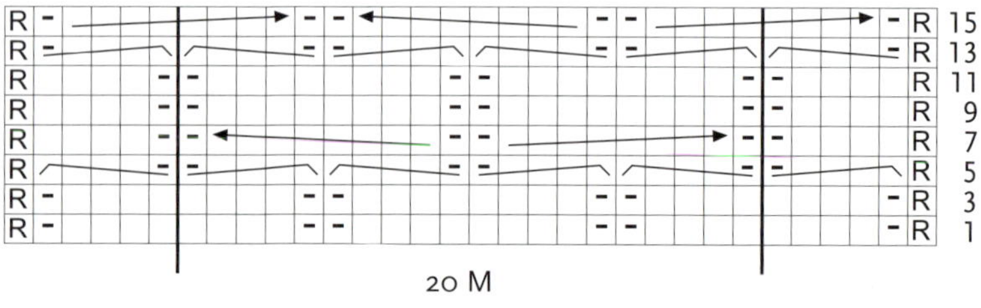

Aranmuster 14

Die Muster können den Rapporten entsprechend aufgeteilt und auch mit anderen Mustern kombiniert werden.
In den Hinreihen nach der Strickschrift arbeiten, in den Rückreihen die Maschen stricken, wie sie erscheinen.

Das Mittelmotiv über 27 Maschen und 48 Reihen stricken, die kleinen Flechtmuster über 4 Maschen und 12 Reihen arbeiten. Die Rapporte sind eingezeichnet.

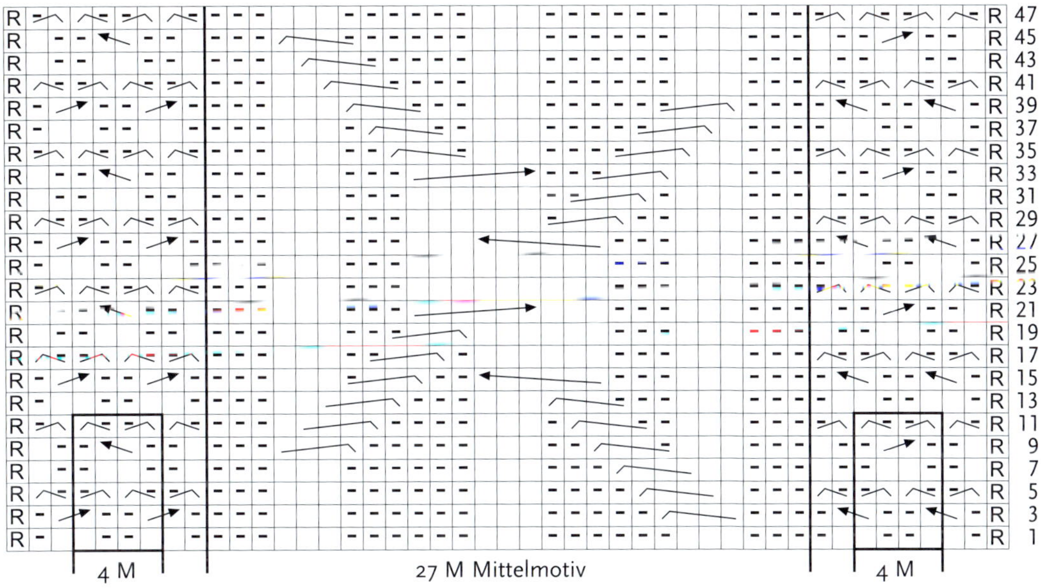

Aranmuster 15

Die Muster können den Rapporten entsprechend beliebig oft um jeweils 12 Maschen ergänzt werden.
In den Hinreihen nach der Strickschrift arbeiten, in den Rückreihen die Maschen stricken, wie sie erscheinen.
1 x die 1.–26. Reihe stricken, dann die 3.–26. Reihe stets wiederholen.

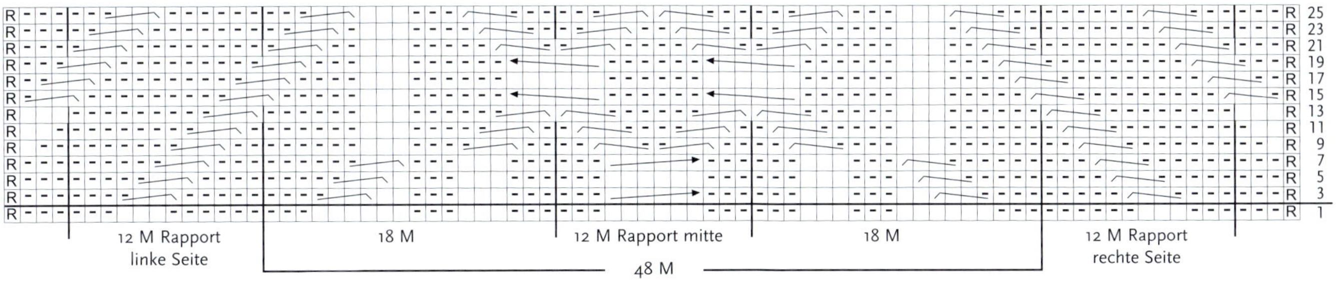

Aranmuster 16

Die Muster können den Rapporten entsprechend aufgeteilt und auch mit anderen Mustern kombiniert werden.
In den Hinreihen nach der Strickschrift stricken wie folgt:
Randmasche, 49 Maschen nach der Strickschrift, Randmasche.
In den Rückreihen die Maschen stricken, wie sie erscheinen, das Persianermuster jedoch über 9 Reihen in der Rückreihe nach der Strickschrift arbeiten.
Die 1.–24. Reihe stets wiederholen.
Für Einzelmotive kann das Muster individuell zusammengesetzt oder nur ein Ausschnitt gewählt werden.

■ = 3 Maschen rechts zusammenstricken

3 = aus 1 Masche [1 Masche rechts, 1 Umschlag, 1 Masche rechts] herausstricken (= 3 Maschen)

Persianermuster
Über 9 M in den Rück-R arb, in den Hin-R li M str.

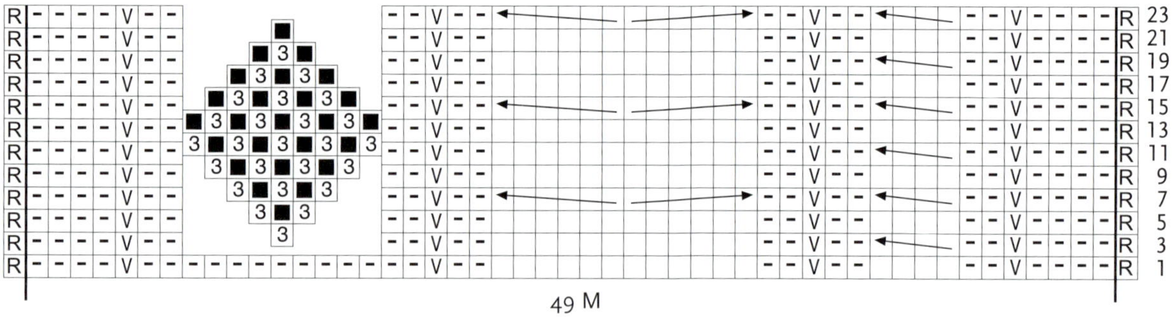

Aranmuster 17

Zopfstreifen über 56 Maschen.
In den Hinreihen nach der Strickschrift arbeiten, in den Rückreihen die Maschen stricken, wie sie erscheinen.
Die 1.–32. Reihe stets wiederholen.

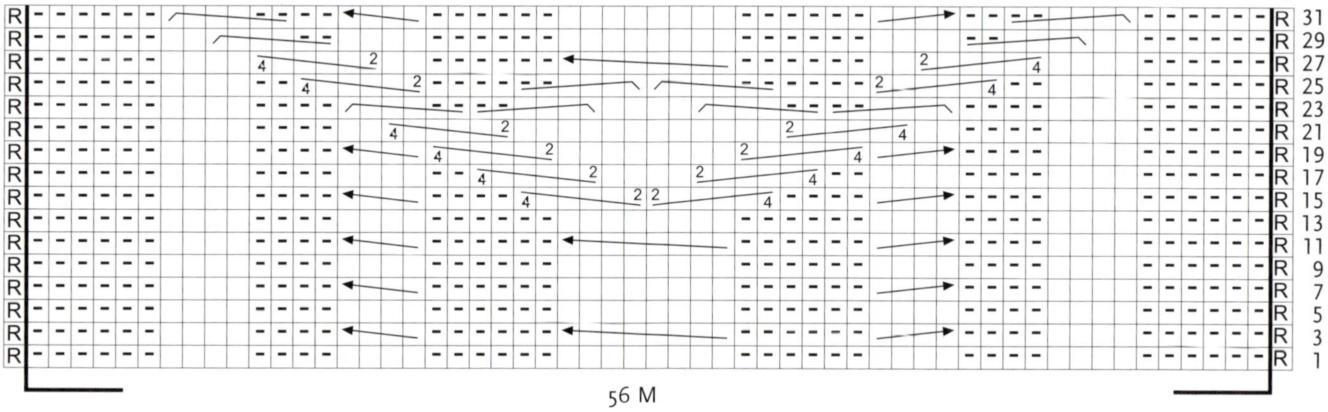

Aranmuster 18

In den Hinreihen nach der Strickschrift arbeiten, in den Rückreihen die Maschen stricken, wie sie erscheinen.

Die 1.–24. Reihe stets wiederholen.

Die Muster können den Rapporten entsprechend aufgeteilt und auch mit anderen Mustern kombiniert werden.

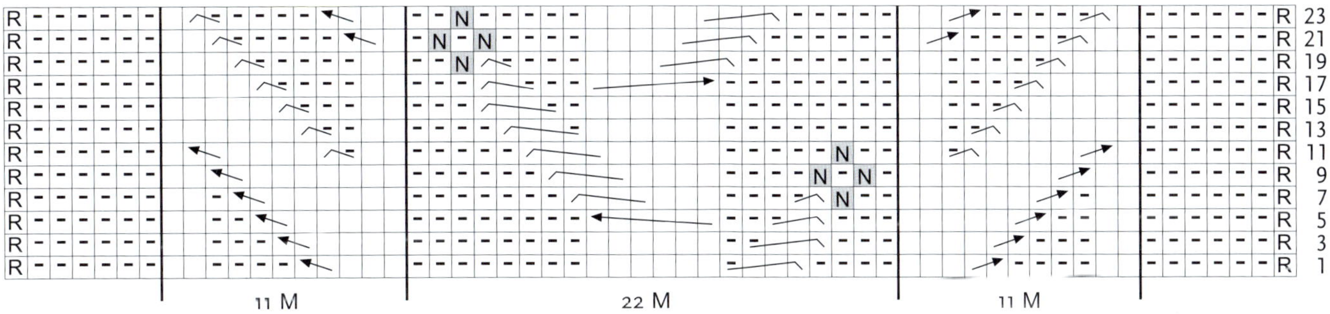

Aranmuster 19

Maschenzahl teilbar durch 24 + 2 Randmaschen.

In den Hinreihen nach der Strickschrift stricken wie folgt:

Randmasche, die 12 Maschen vor dem Rapport, den Rapport von 24 Maschen fortlaufend wiederholen, enden mit den 12 Maschen nach dem Rapport, Randmasche.

In den Rückreihen die Maschen stricken, wie sie erscheinen.

Die 1.–52. Reihe stets wiederholen.

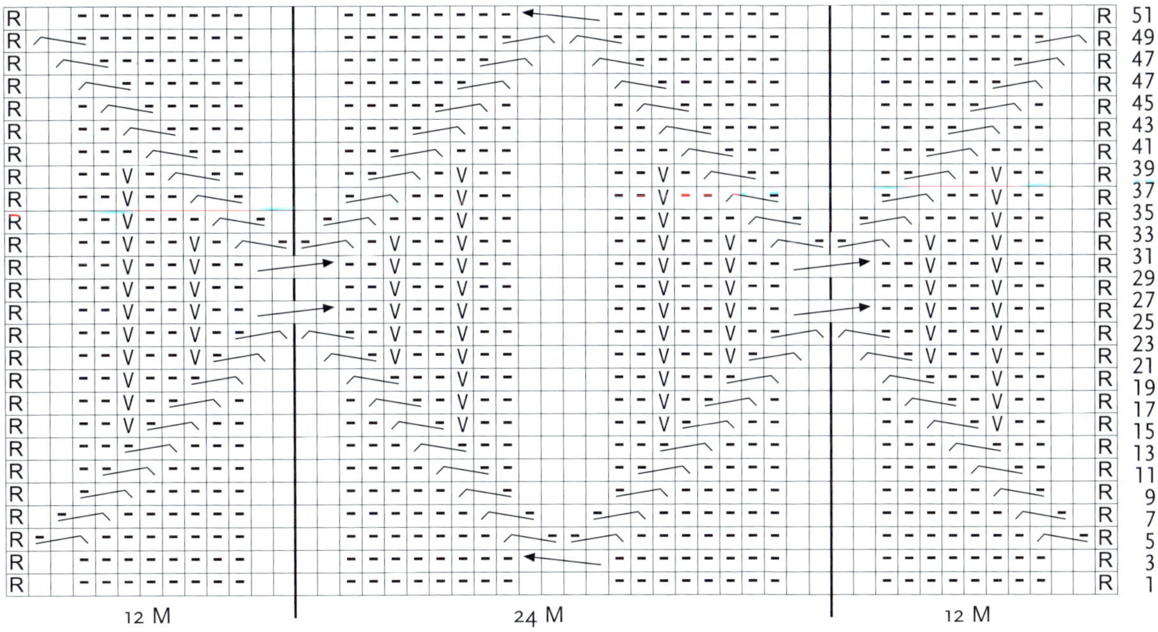

Aranmuster 20

Das Mittelmotiv in den Hinreihen über 41 Maschen nach der Strickschrift arbeiten.

In den Rückreihen die Maschen stricken, wie sie erscheinen.

1 x die Grundreihe 0 stricken, dann die 1.–30. Reihe stets wiederholen.

Das Motiv beidseitig mit linken Maschen oder anderen Mustern ergänzen.

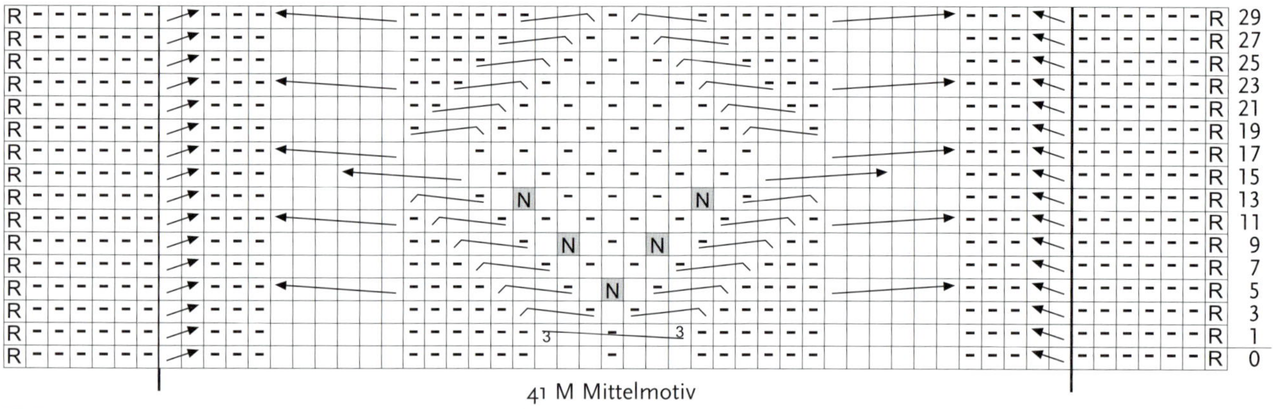

Aranmuster 21

In den Hinreihen das Mittelmotiv über 34 Maschen nach der Strickschrift arbeiten. Beidseitig das Streifenmuster über je 3 Maschen Rapport beliebig oft ergänzen. In den Rückreihen die Maschen stricken, wie sie erscheinen. Die 1.–38. Reihe stets wiederholen.

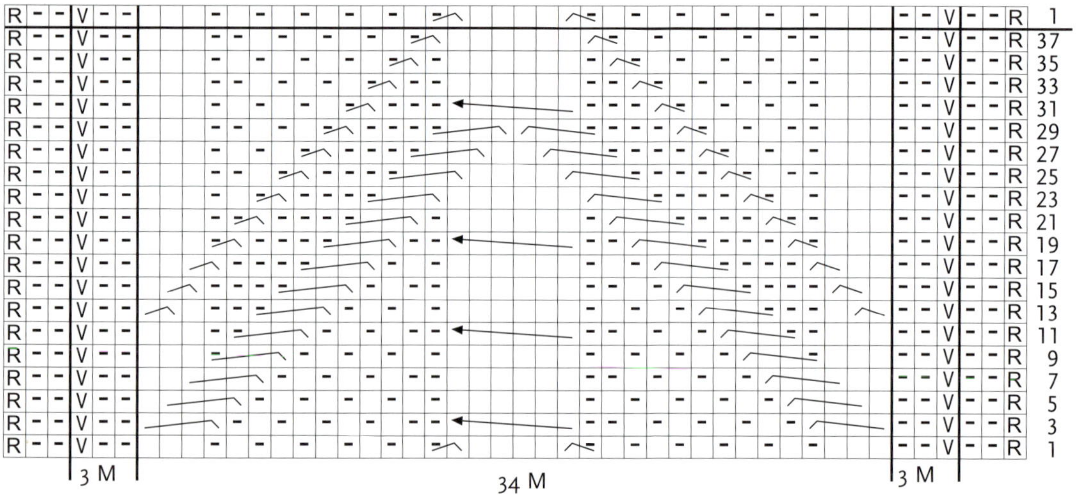

Aranmuster 22

In den Hinreihen die 54 Maschen nach der Strickschrift arbeiten, in den Rückreihen die Maschen stricken, wie sie erscheinen.

Die 1.–32. Reihe stets wiederholen.

Das Muster kann gestrickt werden wie abgebildet. Sie können aber auch die Musterstreifen einzeln verwenden oder mit anderen Mustern kombinieren.

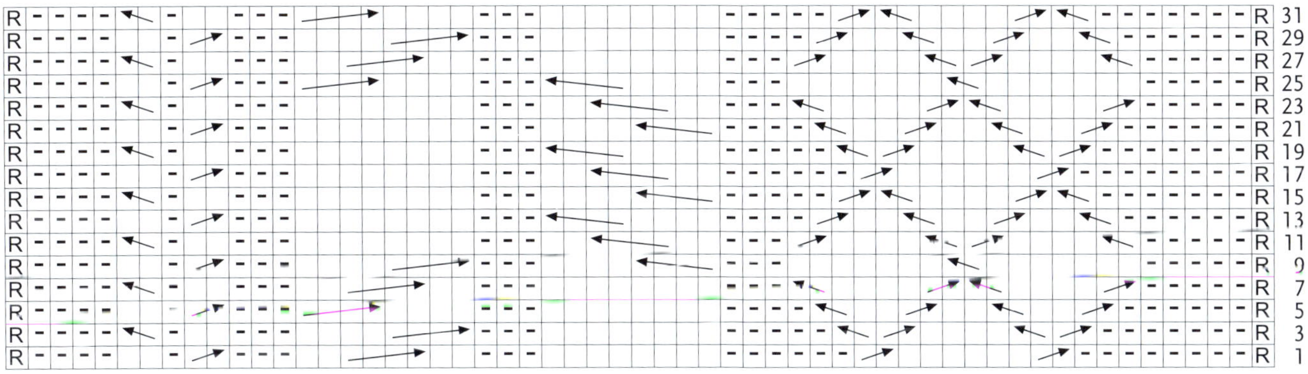

Aranmuster 23

In den Hinreihen zwischen den Randmaschen die 52 Maschen nach der Strickschrift arbeiten, in den Rückreihen die Maschen stricken, wie sie erscheinen.

1 x die Grundreihe 0 stricken, dann die 1.–20. Reihe stets wiederholen.

Das Muster kann gestrickt werden wie abgebildet. Sie können aber auch die Musterstreifen einzeln verwenden oder mit anderen Mustern kombinieren.

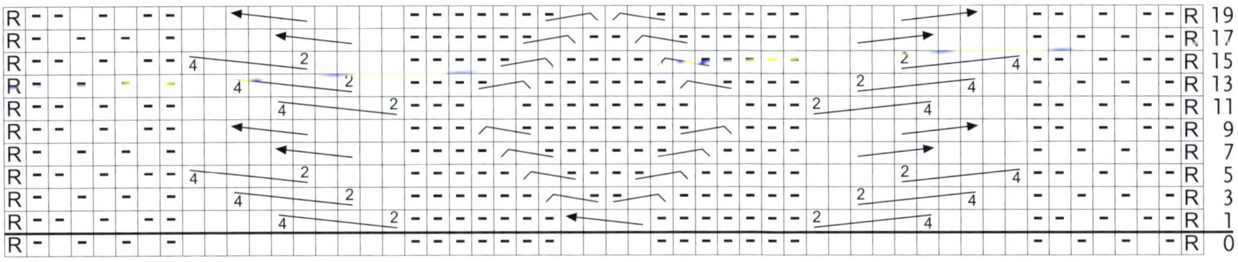

Mini-Jacquardmuster 1

Maschenzahl teilbar durch 8 + 2 Randmaschen.

In Hin- und Rückreihen nach dem Zählmuster stricken und dabei den Rapport von 8 Maschen fortlaufend wiederholen. Die 1.–8. Reihe stets wiederholen.

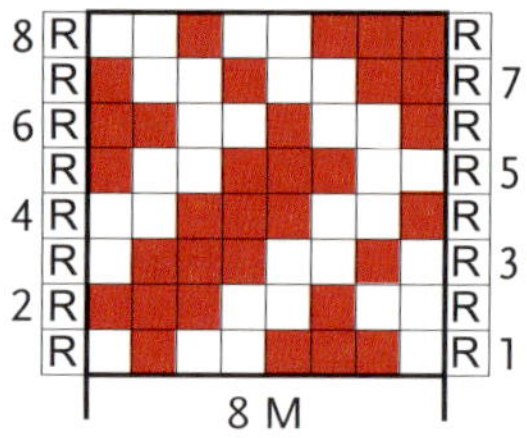

Mini-Jacquardmuster 2

Maschenzahl teilbar durch 8 + 1 Masche + 2 Randmaschen.

In Hin- und Rückreihen nach dem Zählmuster stricken und dabei den Rapport von 8 Maschen fortlaufend wiederholen. Die 1.–10. Reihe stets wiederholen.

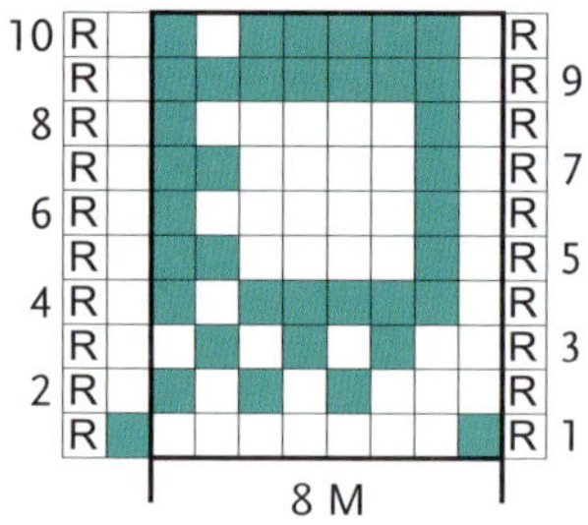

Mini-Jacquardmuster 3

Maschenzahl teilbar durch 12 + 1 Masche + 2 Randmaschen.

In Hin- und Rückreihen nach dem Zählmuster stricken und dabei den Rapport von 8 Maschen fortlaufend wiederholen. Die 1.–12. Reihe stets wiederholen.

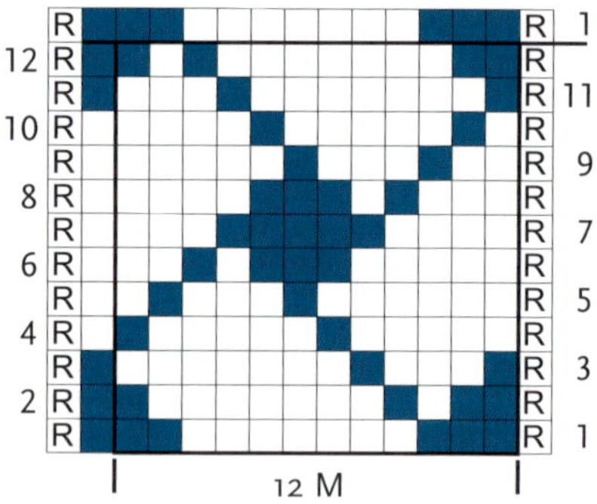

Mini-Jacquardmuster 4

Maschenzahl teilbar durch 8 + 2 Randmaschen.

In Hin- und Rückreihen nach dem Zählmuster stricken und dabei den Rapport von 8 Maschen fortlaufend wiederholen. Die 1.–8. Reihe stets wiederholen.

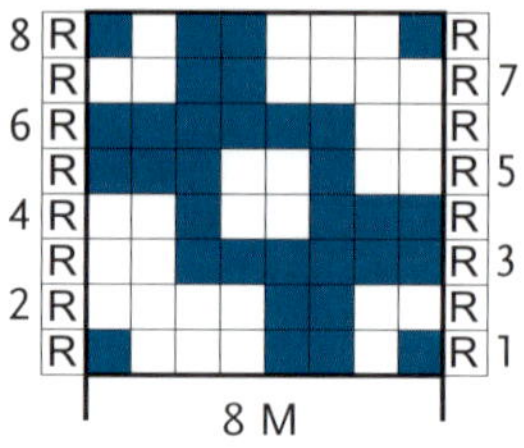

Mini-Jacquardmuster 5

Maschenzahl teilbar durch 8 + 1 Masche + 2 Randmaschen.

In Hin- und Rückreihen nach dem Zählmuster stricken und dabei den Rapport von 8 Maschen fortlaufend wiederholen.

Die 1.–10. Reihe stets wiederholen.

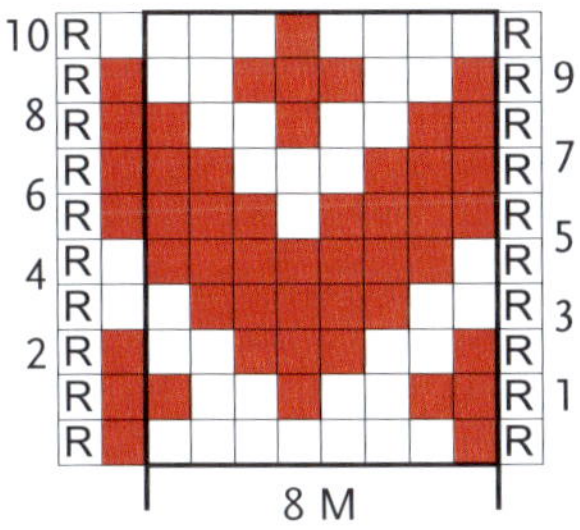

Mini-Jacquardmuster 6

Maschenzahl teilbar durch 8 + 1 Masche + 2 Randmaschen.

In Hin- und Rückreihen nach dem Zählmuster stricken und dabei den Rapport von 8 Maschen fortlaufend wiederholen.

Die 1.–8. Reihe stets wiederholen.

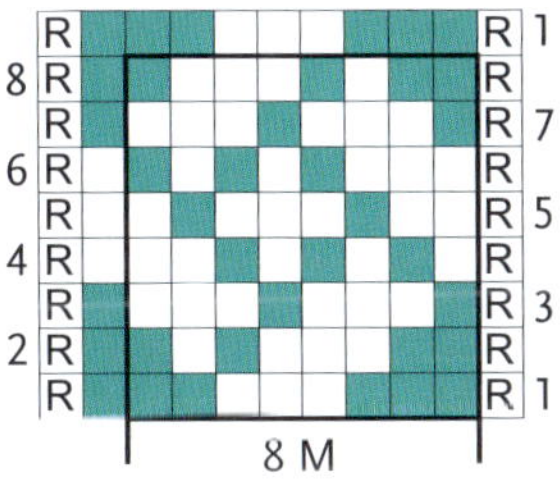

Mini-Jacquardmuster 7

Maschenzahl teilbar durch 8 + 2 Randmaschen.

In Hin- und Rückreihen nach dem Zählmuster stricken und dabei den Rapport von 8 Maschen fortlaufend wiederholen.

Die 1.–8. Reihe stets wiederholen.

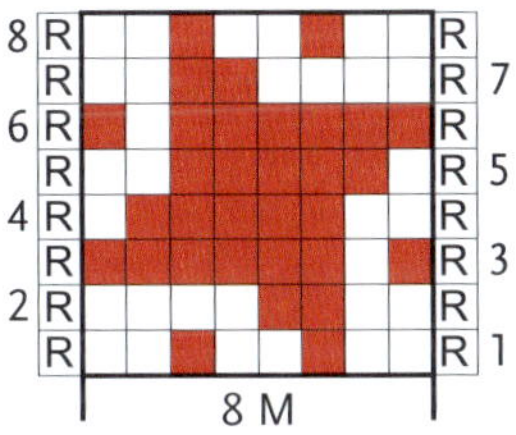

Mini-Jacquardmuster 8

Maschenzahl teilbar durch 8 + 2 Randmaschen.

In Hin- und Rückreihen nach dem Zählmuster stricken und dabei den Rapport von 8 Maschen fortlaufend wiederholen.

Die 1.–10. Reihe stets wiederholen.

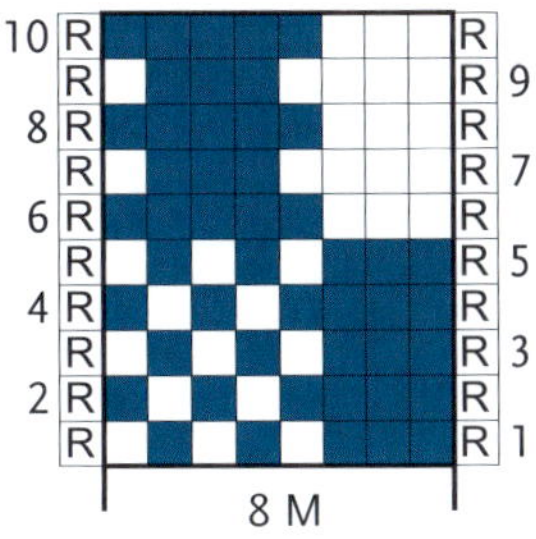

Mini-Jacquardmuster 9

Maschenzahl teilbar durch 12 + 1 Masche + 2 Randmaschen.
In Hin- und Rückreihen nach dem Zählmuster stricken und dabei den Rapport von 12 Maschen fortlaufend wiederholen.
Die 1.–12. Reihe stets wiederholen.

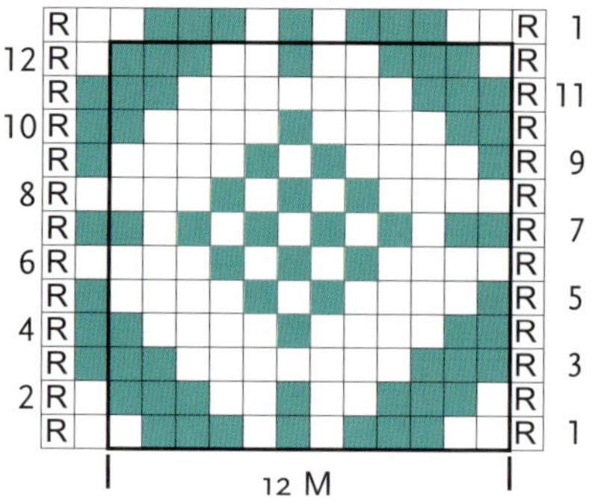

Mini-Jacquardmuster 10

Maschenzahl teilbar durch 8 + 2 Randmaschen.
In Hin- und Rückreihen nach dem Zählmuster stricken und dabei den Rapport von 8 Maschen fortlaufend wiederholen.
Die 1.–8. Reihe stets wiederholen.

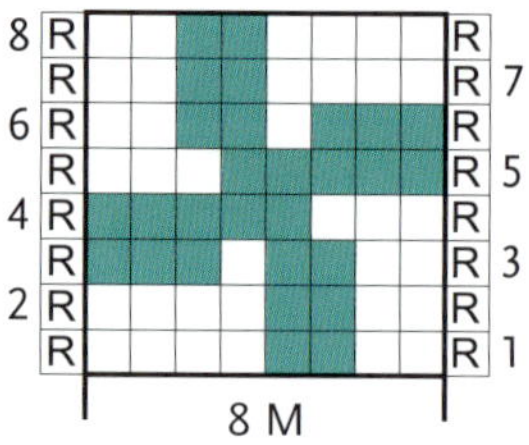

Mini-Jacquardmuster 11

Maschenzahl teilbar durch 8 + 2 Randmaschen.
In Hin- und Rückreihen nach dem Zählmuster stricken und dabei den Rapport von 8 Maschen fortlaufend wiederholen.
Die 1.–10. Reihe stets wiederholen.

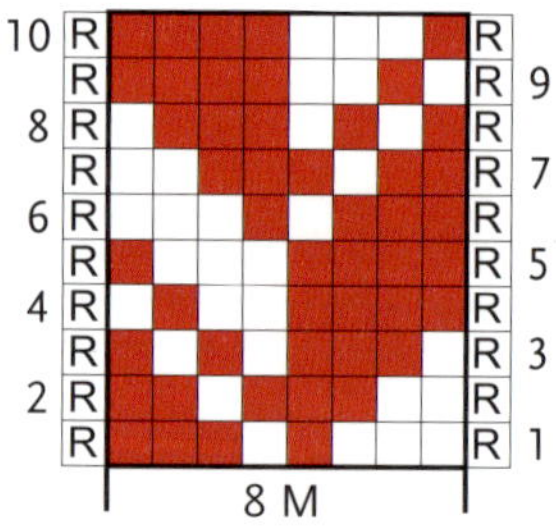

Mini-Jacquardmuster 12

Maschenzahl teilbar durch 12 + 1 Masche + 2 Randmaschen.
In Hin- und Rückreihen nach dem Zählmuster stricken und dabei den Rapport von 12 Maschen fortlaufend wiederholen.
Die 1.–12. Reihe stets wiederholen.

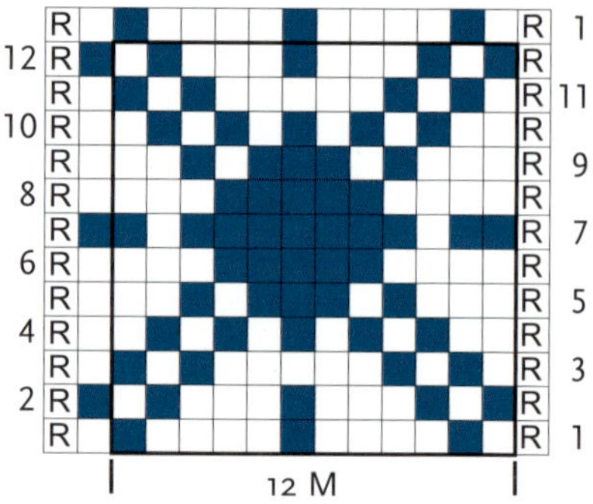

Mini-Jacquardmuster 13

Maschenzahl teilbar durch 8 + 2 Randmaschen.

In den Hinreihen nach dem Zählmuster stricken und dabei den Rapport von 8 Maschen fortlaufend wiederholen. In den Rückreihen die Farben abstricken, wie sie erscheinen.

Die 1.–24. Reihe stets wiederholen.

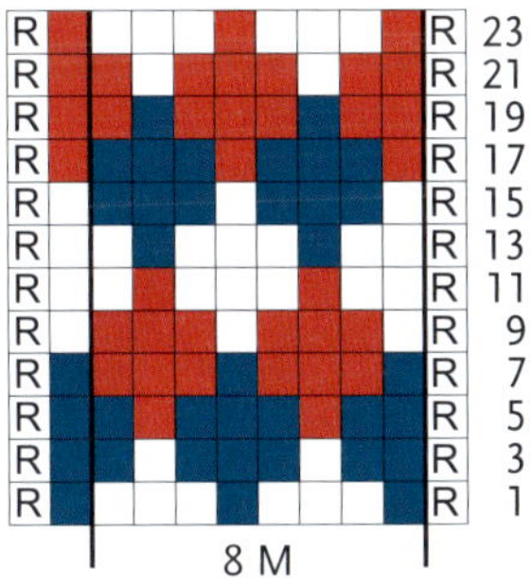

Mini-Jacquardmuster 14

Maschenzahl teilbar durch 6 + 2 Randmaschen.

In den Hinreihen nach dem Zählmuster stricken und dabei den Rapport von 6 Maschen fortlaufend wiederholen. In den Rückreihen die Farben abstricken, wie sie erscheinen.

Die 1.–24. Reihe stets wiederholen.

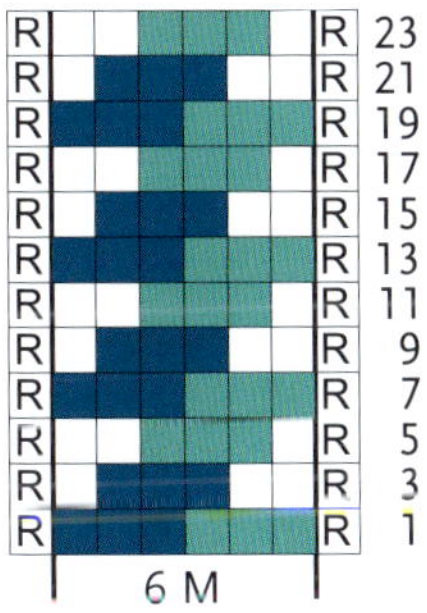

Mini-Jacquardmuster 15

Maschenzahl teilbar durch 12 + 1 Masche + 2 Randmaschen.

In Hin- und Rückreihen nach dem Zählmuster stricken und dabei den Rapport von 12 Maschen fortlaufend wiederholen. 1 x die 1.–22. Reihe stricken, dann die 7.–22. Reihe stets wiederholen und mit der 23.–28. Reihe enden.

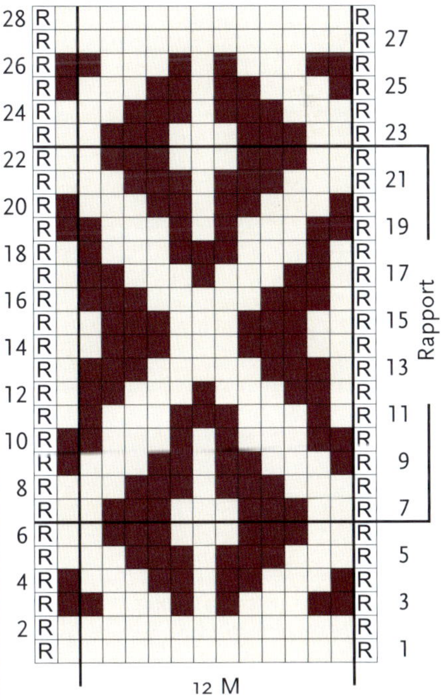

Praxis-Tipp

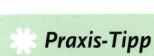

So gelingen Jacquardmuster

Beim Stricken in Jacquardtechnik wird der Faden in der gerade nicht benötigten Farbe locker auf der linken Seite mitgeführt, in Hinreihen also hinter der Arbeit, in Rückreihen davor. Dehnen Sie das Gestrick von Zeit zu Zeit, damit die Spannfäden auf der Rückseite es nicht zusammenziehen.

Wenn der mitgeführte Faden bis zu seinem nächsten Einsatz fünf oder mehr Maschen überspannt, so weben Sie ihn ein, damit sich auf der Rückseite keine Schlaufen bilden, in denen man leicht hängen bleibt. Dazu ergreifen Sie den Arbeitsfaden einmal oberhalb und einmal unterhalb des mitgeführten Fadens.

Fellmuster 1

Maschenzahl teilbar durch 24 + 2 Randmaschen.

In Hin- und Rückreihen in Jacquardtechnik nach dem Zählmuster stricken.

Die 1.–24. Reihe stets wiederholen.

Die Farben und Garnstrukturen können beliebig gewählt werden.

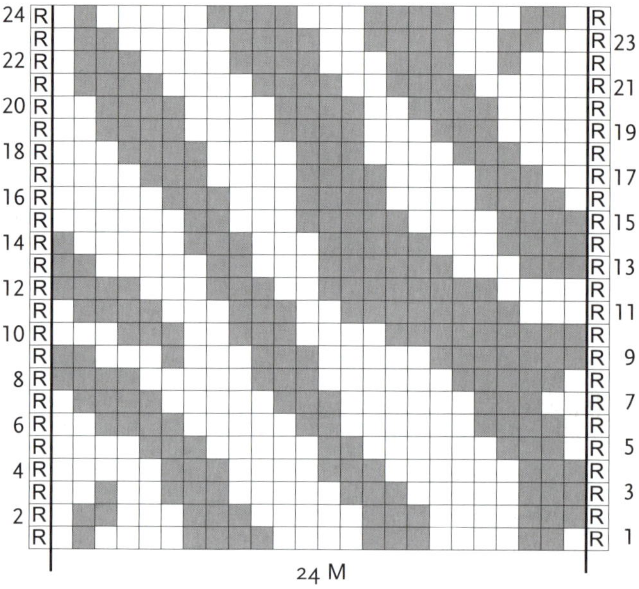

Fellmuster 2

Maschenzahl teilbar durch 16 + 2 Randmaschen.

In Hin- und Rückreihen in Jacquardtechnik nach dem Zählmuster stricken.

Die 1.–16. Reihe stets wiederholen.

Die Farben und Garnstrukturen können beliebig gewählt werden.

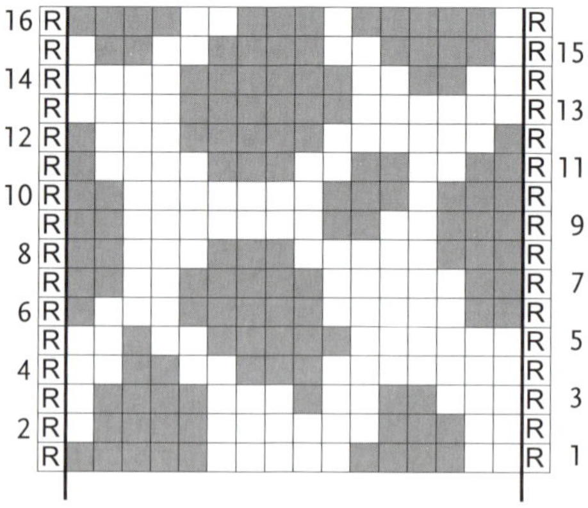

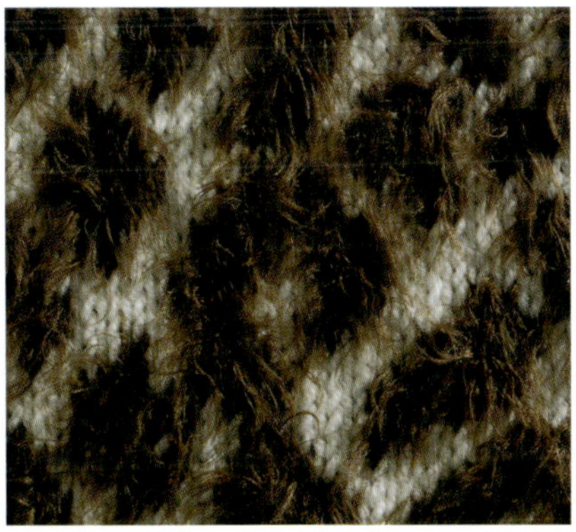

Fellmuster 3

Maschenzahl teilbar durch 24 + 2 Randmaschen.

In Hin- und Rückreihen in Jacquardtechnik nach dem Zählmuster stricken.

Die 1.–24. Reihe stets wiederholen.

Die Farben und Garnstrukturen können beliebig gewählt werden.

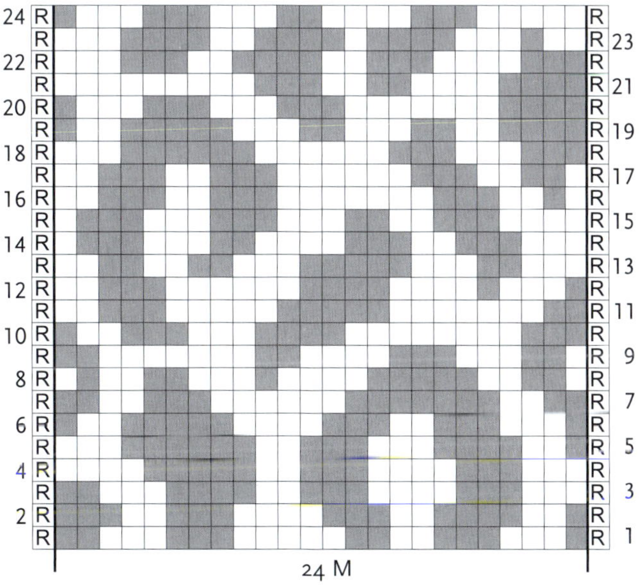

Fellmuster 4

Maschenzahl teilbar durch 24 + 2 Randmaschen.

In Hin- und Rückreihen in Jacquardtechnik nach dem Zählmuster stricken.

Die 1.–16. Reihe stets wiederholen.

Die Farben und Garnstrukturen können beliebig gewählt werden.

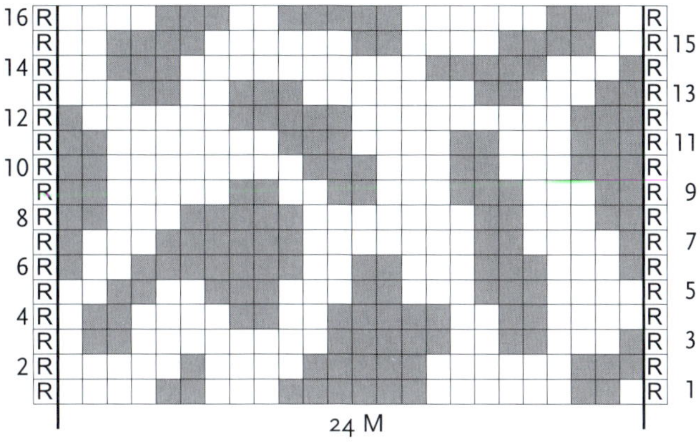

Fellmuster 5

Maschenzahl teilbar durch 20 + 2 Randmaschen.
In Hin- und Rückreihen in Jacquardtechnik nach dem Zählmuster stricken.

Die 1.–18. Reihe stets wiederholen.
Die Farben und Garnstrukturen können beliebig gewählt werden.

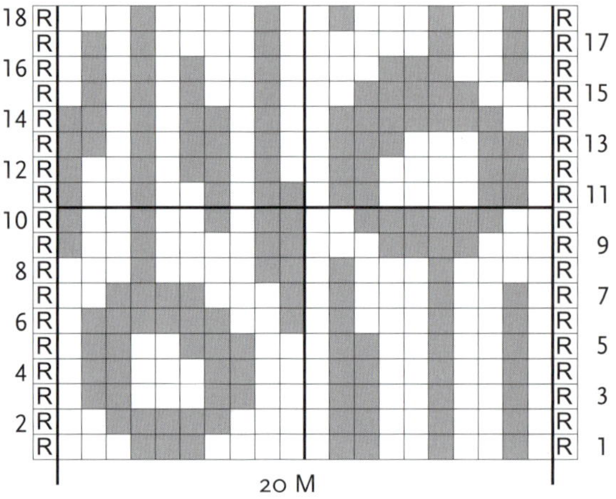

Fellmuster 6

Maschenzahl teilbar durch 24 + 2 Randmaschen.
In Hin- und Rückreihen in Jacquardtechnik nach dem Zählmuster stricken.

Die 1.–20. Reihe stets wiederholen.
Die Farben und Garnstrukturen können beliebig gewählt werden.

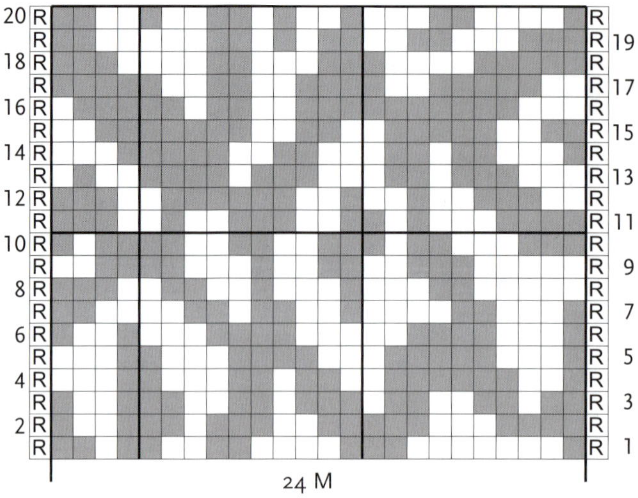

Fellmuster 7

Maschenzahl teilbar durch 18 + 2 Randmaschen.

In Hin- und Rückreihen in Jacquardtechnik nach dem Zählmuster stricken.

Die 1.–36. Reihe stets wiederholen.

Die Farben und Garnstrukturen können beliebig gewählt werden.

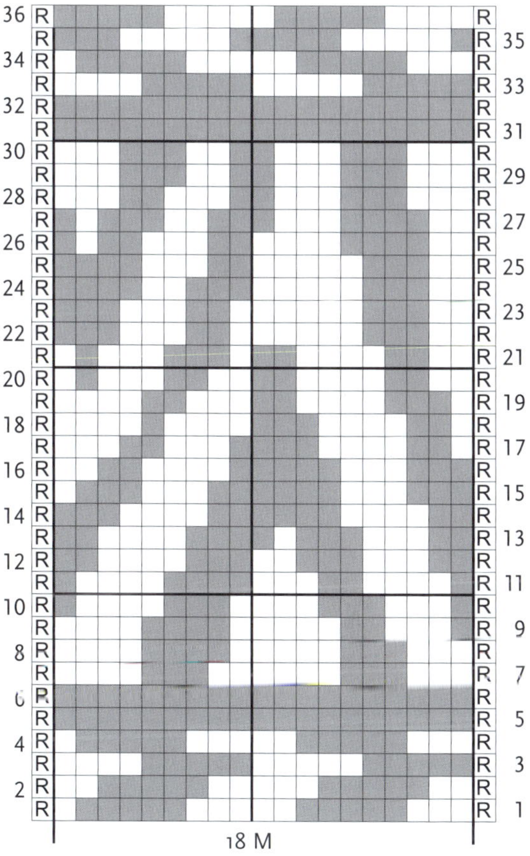

Fellmuster 8

Maschenzahl teilbar durch 20 + 2 Randmaschen.

In Hin- und Rückreihen in Jacquardtechnik nach dem Zählmuster stricken.

Die 1.–32. Reihe stets wiederholen.

Die Farben und Garnstrukturen können beliebig gewählt werden.

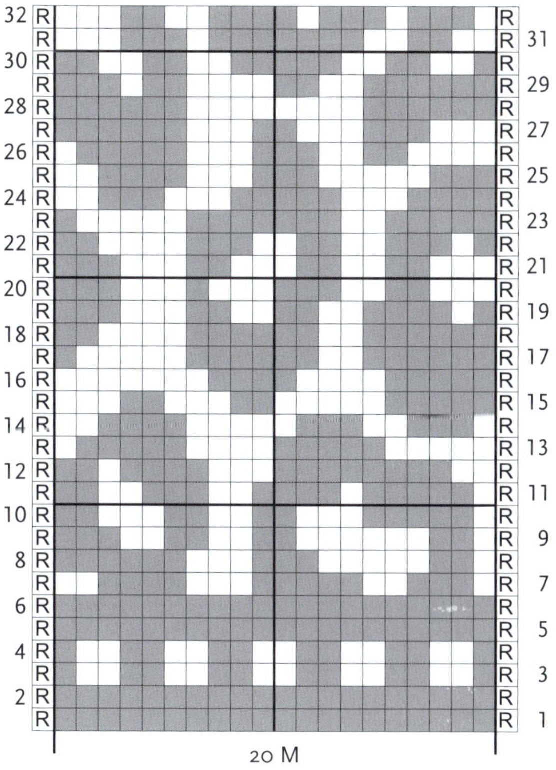

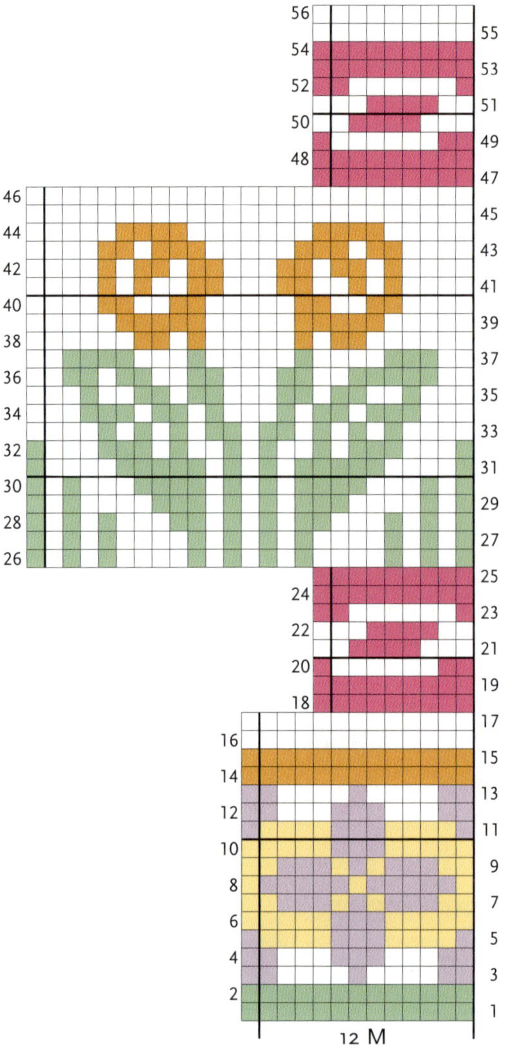

Jacquardbordüren 1

Maschenzahl je nach Muster (siehe Zählmuster) teilbar durch 24, 12 bzw. 8 + 1 Masche + 2 Randmaschen.

In Hin- und Rückreihen in Jacquardtechnik nach dem Zählmuster stricken, dabei den jeweiligen Rapport innerhalb der Reihe fortlaufend wiederholen und wie gezeichnet enden.

Die 1.–56. Reihe stets wiederholen oder einzelne Bordüren auswählen und nach Belieben kombinieren.

Jacquardbordüren 2

Maschenzahl teilbar durch 34 + 2 Randmaschen.

In Hin- und Rückreihen in Jacquardtechnik nach dem Zählmuster stricken, dabei den Rapport innerhalb der Reihe fortlaufend wiederholen.

Die 1.–38. Reihe stets wiederholen.

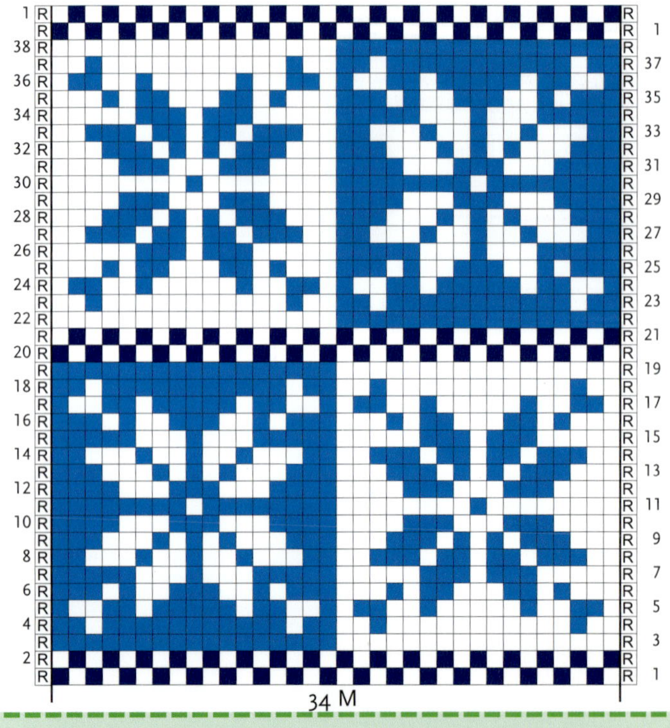

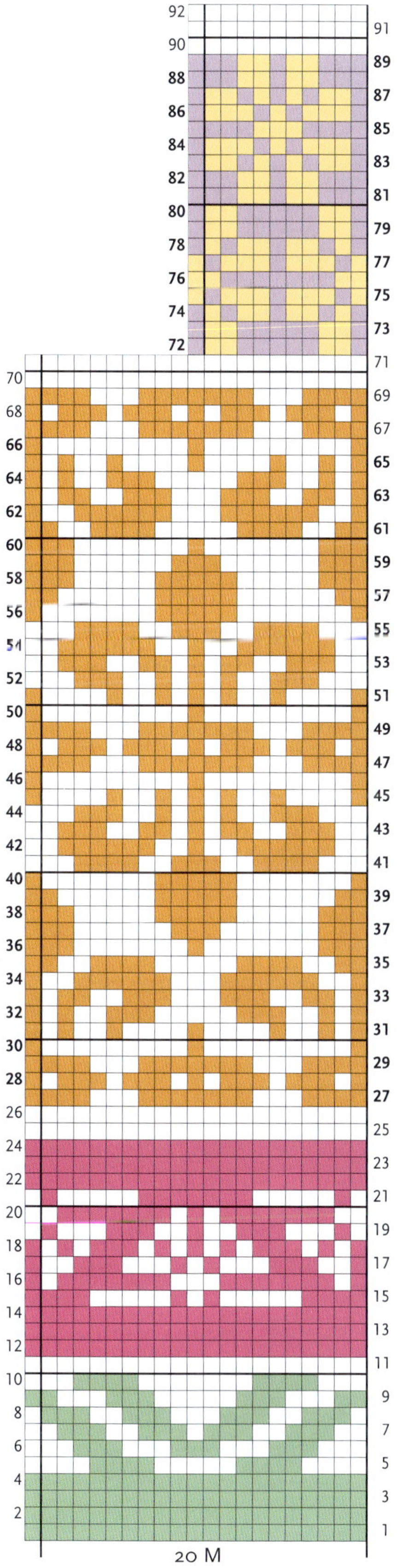

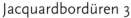

Jacquardbordüren 3

Maschenzahl je nach Muster (siehe Zählmuster) teilbar durch 20 bzw. 10 + 1 Masche + 2 Randmaschen.

In Hin- und Rückreihen nach dem Zählmuster stricken, dabei den jeweiligen Rapport innerhalb der Reihe fortlaufend wiederholen und wie gezeichnet enden.

Die 1.–92. Reihe stets wiederholen oder einzelne Bordüren auswählen und nach Belieben kombinieren.

In der Höhe wiederholt sich der Rapport für das Mittelornament von der 27. bis zur 66. Reihe, der Rapport für die gelben Blüten wiederholt sich von der 72. bis zur 89. Reihe.

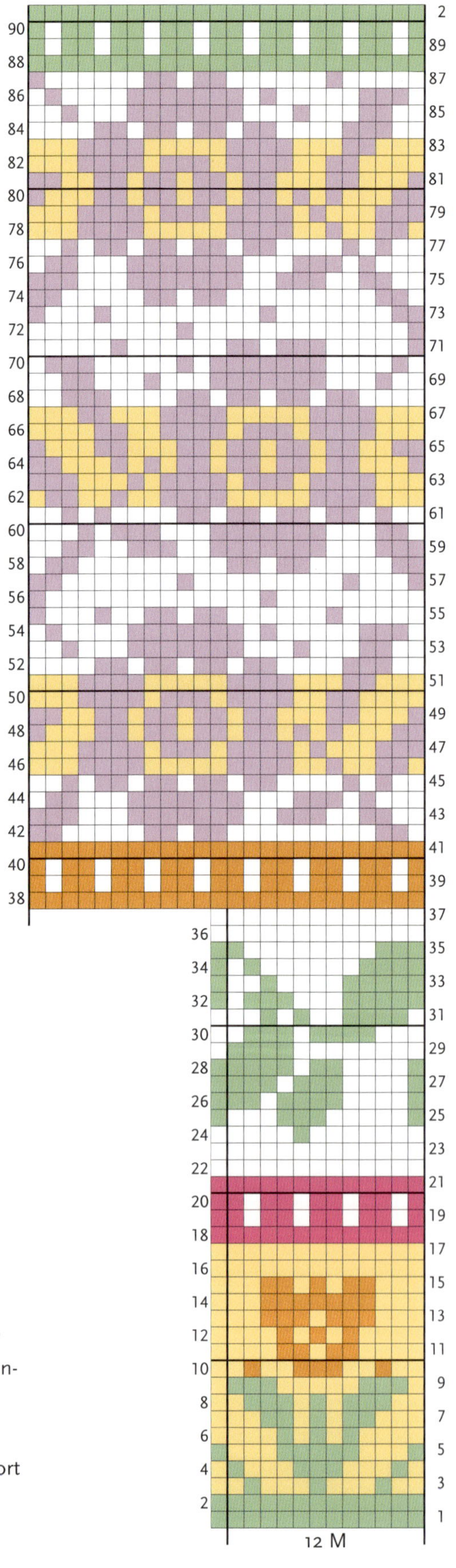

Jacquardbordüren 4

Maschenzahl je nach Muster (siehe Zählmuster) teilbar durch 12 + 1 Masche bzw. durch 24 + 2 Randmaschen.
In Hin- und Rückreihen nach dem Zählmuster stricken, dabei den jeweiligen Rapport innerhalb der Reihe fortlaufend wiederholen und wie gezeichnet enden.

1 x die 1.– 90. Reihe stricken, dann die 2.–90. Reihe stets wiederholen oder einzelne Bordüren auswählen und nach Belieben kombinieren.
In der Höhe wiederholt sich der Rapport für das Blütenmotiv von der 42. bis zur 73. Reihe.

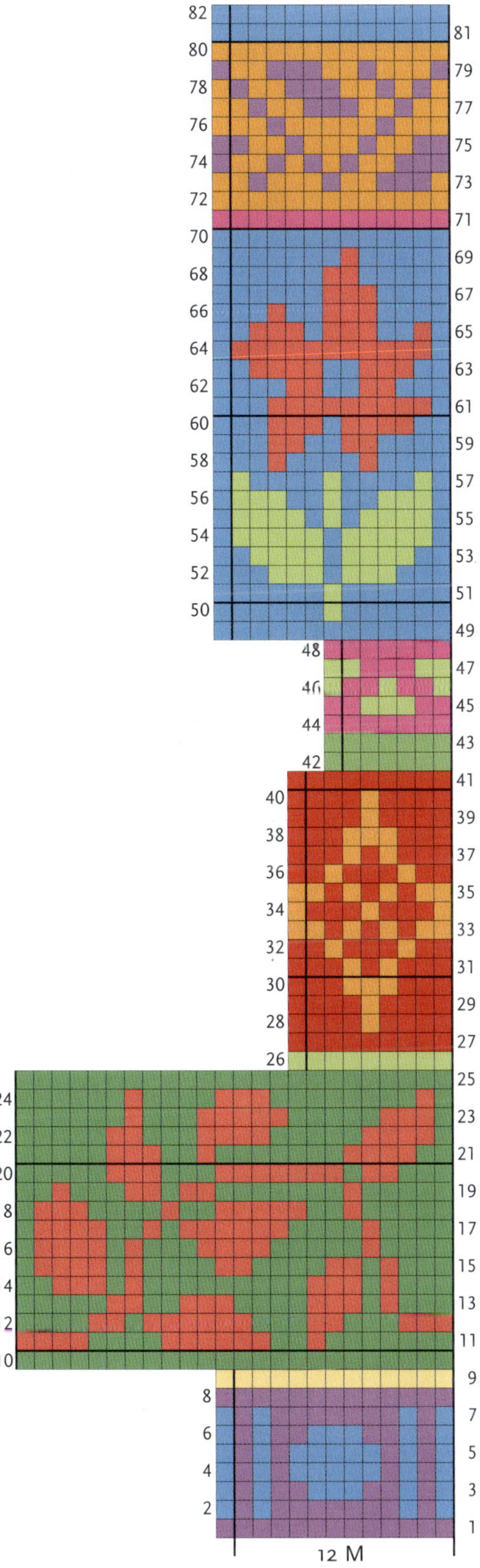

Jacquardbordüren 5

Maschenzahl je nach Muster (siehe Zählmuster) teilbar durch 24, 12, 8 bzw. 6 + 1 Masche + 2 Randmaschen.

In Hin- und Rückreihen nach dem Zählmuster stricken, dabei den jeweiligen Rapport innerhalb der Reihe fortlaufend wiederholen und wie gezeichnet enden. Es sind 82 Reihen gezeichnet. Ab der 82. Reihe wiederholen sich die Muster. Die 1.–82. Reihe stets wiederholen oder einzelne Bordüren auswählen und nach Belieben kombinieren.

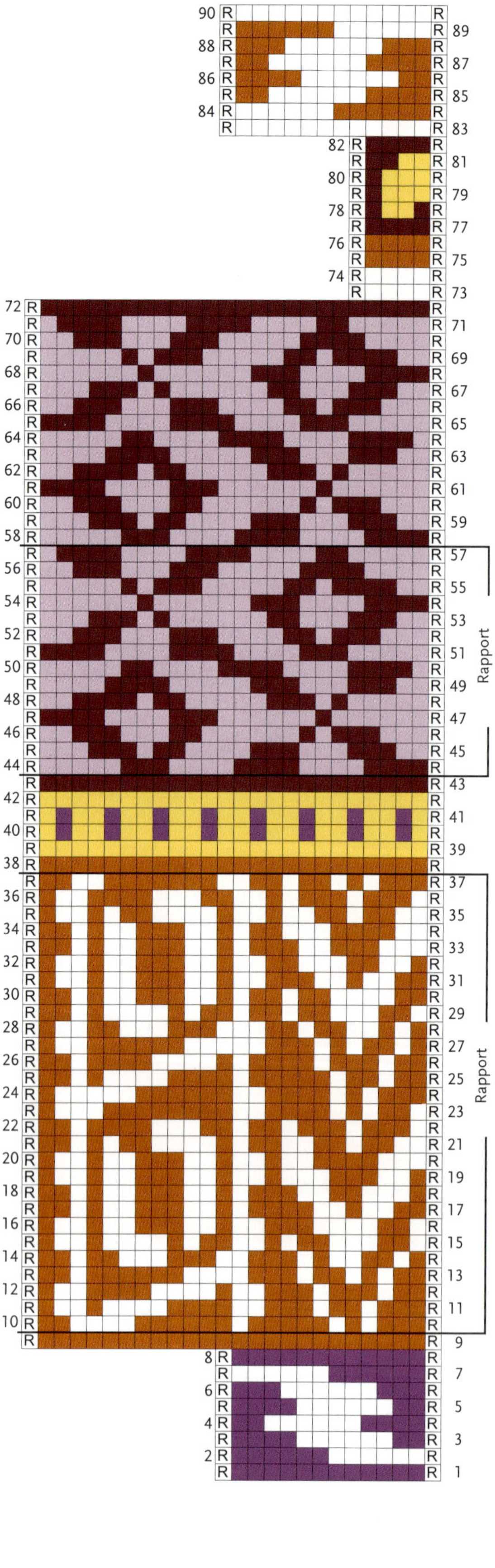

Jacquardbordüren 6

Maschenzahl je nach Muster (siehe Zählmuster) teilbar durch 24, 12 bzw. 4 + 2 Randmaschen.

In Hin- und Rückreihen nach dem Zählmuster stricken, dabei den jeweiligen Rapport innerhalb der Reihe fortlaufend wiederholen.

Die 1.–90. Reihe stets wiederholen oder einzelne Bordüren auswählen und nach Belieben kombinieren. Die beiden höheren Bordüren können auch als Flächenmuster verwendet werden; die Rapporthöhe ist am rechten Rand des Zählmusters eingezeichnet.

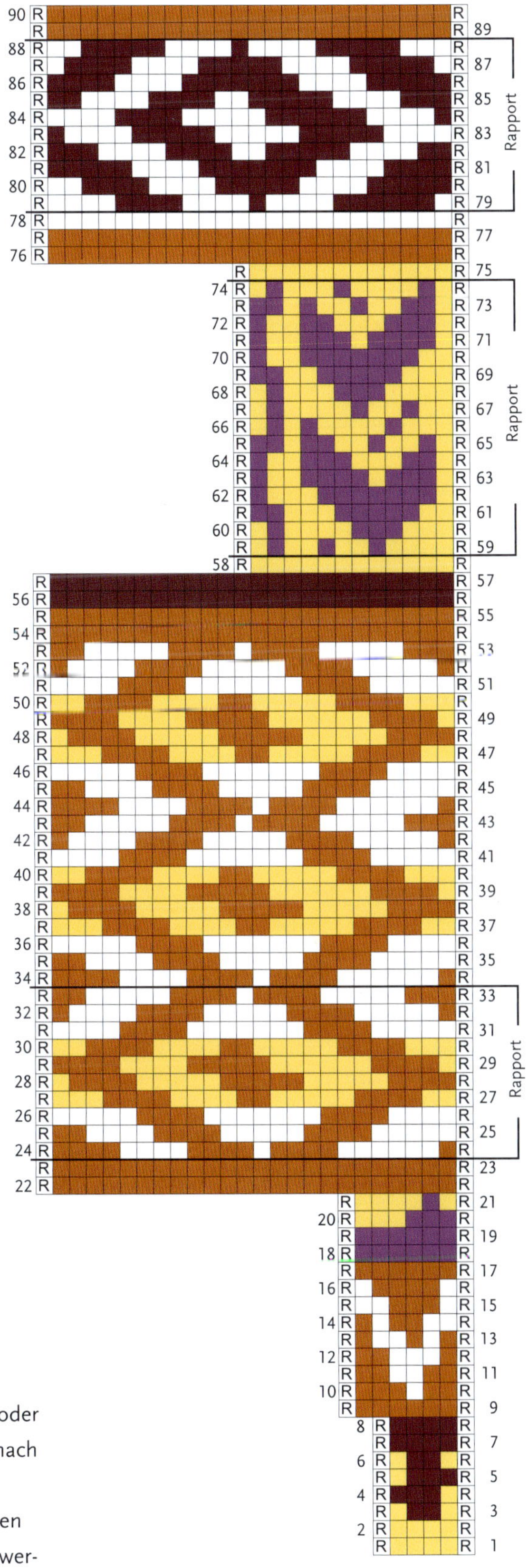

Jacquardbordüren 7

Maschenzahl je nach Muster (siehe Zählmuster) teilbar durch 24, 12 bzw. 4 + 2 Randmaschen.

In Hin- und Rückreihen nach dem Zählmuster stricken, dabei den jeweiligen Rapport innerhalb der Reihe fortlaufend wiederholen.

Die 1.–90. Reihe stets wiederholen oder einzelne Bordüren auswählen und nach Belieben kombinieren.

Die beiden höheren Bordüren können auch als Flächenmuster verwendet werden; die Rapporthöhe ist am rechten Rand eingezeichnet.

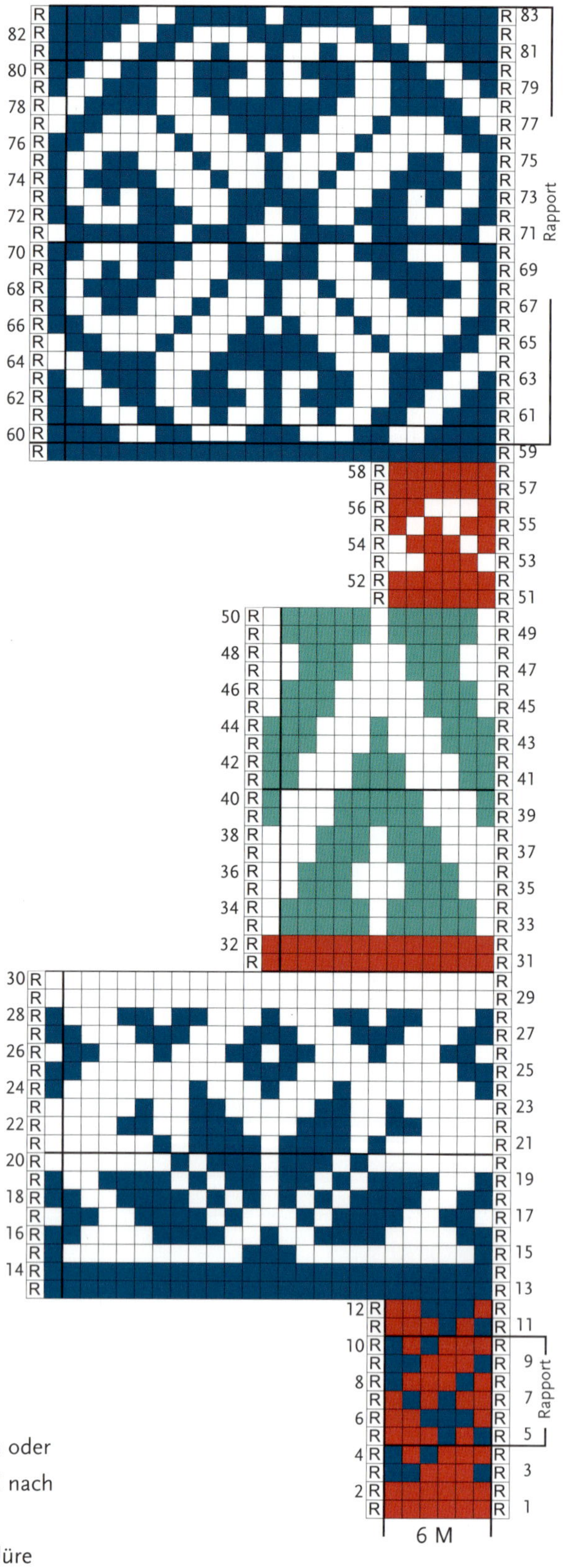

Jacquardbordüren 8

Maschenzahl je nach Muster (siehe Zählmuster) teilbar durch 24, 12 bzw. 6 + 1 Masche + 2 Randmaschen.

In Hin- und Rückreihen nach dem Zählmuster stricken, dabei den jeweiligen Rapport innerhalb der Reihe fortlaufend wiederholen und wie gezeichnet enden.

Die 1.–83. Reihe stets wiederholen oder einzelne Bordüren auswählen und nach Belieben kombinieren.

Die unterste und die oberste Bordüre können auch als Flächenmuster verwendet werden; die Rapporthöhe ist am rechten Rand eingezeichnet.

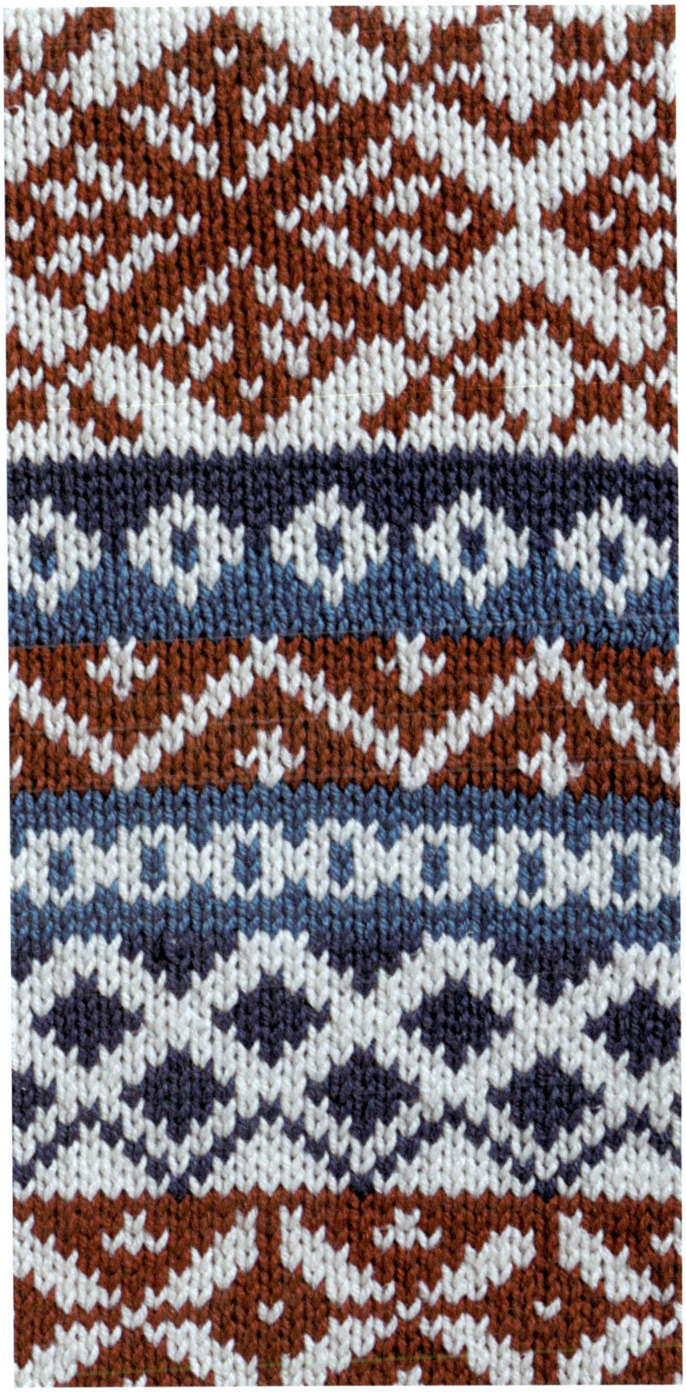

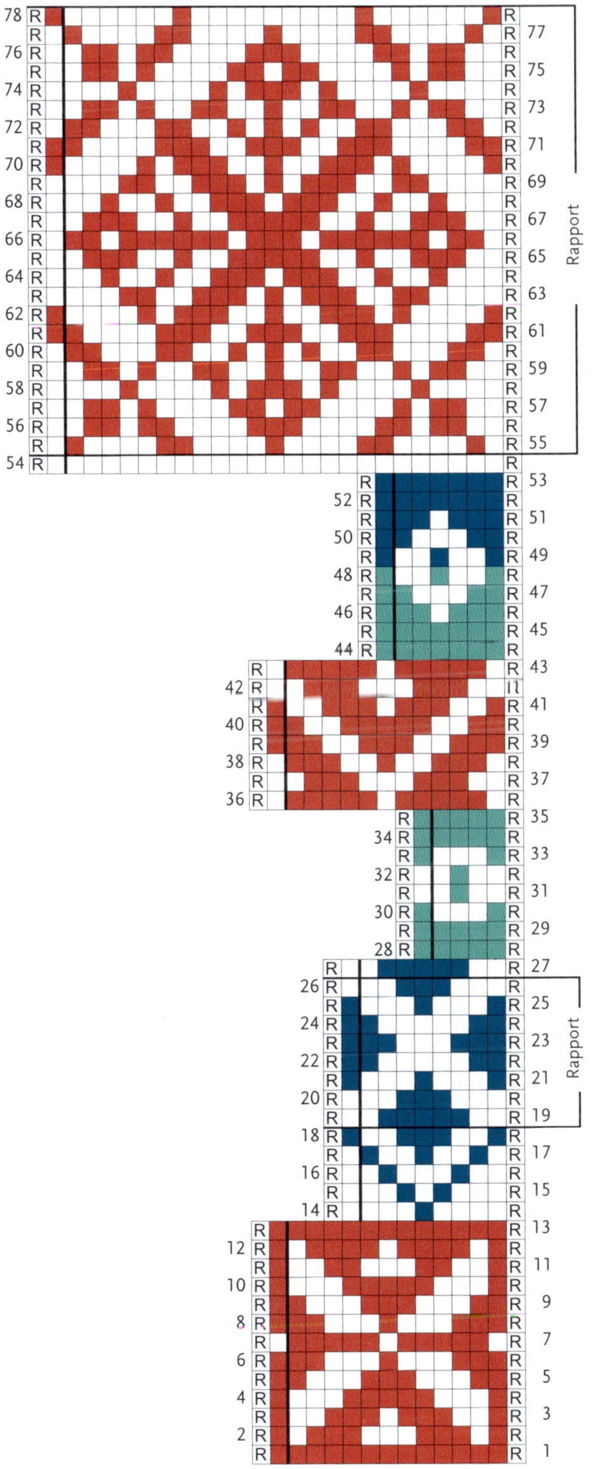

Jacquardbordüren 9

Maschenzahl je nach Muster (siehe Zählmuster) teilbar durch 24, 12, 8 bzw. 4 + 1 Masche + 2 Randmaschen.
In Hin- und Rückreihen nach dem Zählmuster stricken, dabei den jeweiligen Rapport innerhalb der Reihe fortlaufend wiederholen und wie gezeichnet enden.

Die 1.–78. Reihe stets wiederholen oder einzelne Bordüren auswählen und nach Belieben kombinieren.
Drei der Bordüren können auch als Flächenmuster verwendet werden; die Rapporthöhe ist am rechten Rand des Zählmusters eingezeichnet.

Jacquardbordüren 10

Maschenzahl je nach Muster (siehe Zählmuster) teilbar durch 30 bzw. 10 + 1 Masche + 2 Randmaschen.

In Hin- und Rückreihen nach dem Zählmuster stricken, dabei den jeweiligen Rapport innerhalb der Reihe fortlaufend wiederholen und wie gezeichnet enden.

Die 1.–52. Reihe stets wiederholen oder einzelne Bordüren auswählen und nach Belieben kombinieren.

Die Sternbordüre kann auch als Flächenmuster verwendet werden; die Rapporthöhe ist am rechten Rand des Zählmusters eingezeichnet.

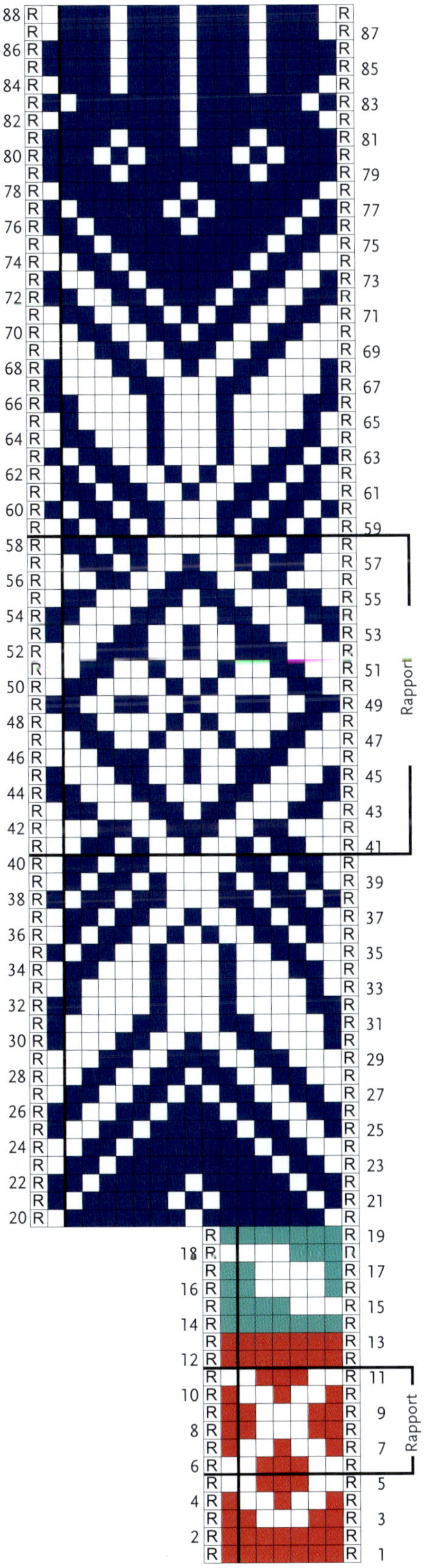

Jacquardbordüren 11

Maschenzahl je nach Muster (siehe Zählmuster) teilbar durch 16 bzw. 6 + 1 Masche + 2 Randmaschen.

In Hin- und Rückreihen nach dem Zählmuster stricken, dabei den jeweiligen Rapport innerhalb der Reihe fortlaufend wiederholen und wie gezeichnet enden.

Die 1.–88. Reihe stets wiederholen oder einzelne Bordüren auswählen und nach Belieben kombinieren.

Zwei der Bordüren können auch als Flächenmuster verwendet werden; die Rapporthöhe ist am rechten Rand des Zählmusters eingezeichnet.

Modelle

Wer beim Stricken nur an Pullover oder Socken denkt, kennt die vielfältigen Möglichkeiten dieser faszinierenden Handarbeitstechnik nicht. Nach den ausführlichen Anleitungen in diesem Kapitel stricken Sie Kissenhüllen, Taschen und Täschchen, Babykleidung, Mützen und Handschuhe für die ganze Familie, ja sogar Handyhüllen, Teddybären und Faschingsperücken – aber natürlich auch Socken und Pullover.

Mütze mit Jacquardmuster

Ein Feuerwerk an Farben und Mustern ziert diese pfiffige Mütze mit pelzartigen Details aus Effektgarn. Lassen Sie sich von unserer Farbstellung inspirieren oder wählen Sie Ihre Lieblingsfarben.

Material

Für Modell A:
Je 50 g Wollgarn in Stroh, Rauchblau, Salbeigrün, Chianti und Cyclam (100 % Schurwolle; LL ca. 125 m/50 g; z.B. Schachenmayr Extra, Fb 3557, 3513, 3691, 3604 und 3681)
50 g Multicolor-Effektgarn in Rottönen (100 % Polyamid/Mikrofaser; LL ca. 25 m/25 g; z.B. Schachenmayr Hip Hop, Fb 83)

Für Modell B:
Je 50 g Wollgarn in Burgund, Heiderose, Moos, Mandel und Salbeigrün (100 % Schurwolle; LL ca. 125 m/50 g; z.B. Schachenmayr Extra, Fb 3535, 3692, 3660, 3694 und 3691)
50 g Multicolor-Effektgarn in Rottönen (100 % Polyamid/Mikrofaser; LL ca. 25 m/25 g; z.B. Schachenmayr Hip Hop, Fb 84)
Für beide Modelle:
Nadelspiele Nr. 3–4 und 7–8
Häkelnadel Nr. 7–8

Strickmuster

Glatt rechts: In Runden jede Rd re str; in Reihen in Hin-R re M, in Rück-R li M str.
Jacquardmuster: In Runden bzw. Reihen glatt re nach Zählmuster str.
Für die **Mütze** in Runden 1 x die 1.–52. Rd str, dabei den Rapport innerhalb der Rd fortlfd wdh.
Für die **Ohrenklappen** in Reihen 1 x die 19.–52. R str.

Maschenprobe

22 M und 28 R/Rd mit Wollgarn im Jacquardmuster gestrickt = 10 x 10 cm
9 M und 13 R/Rd mit Effektgarn glatt re gestrickt = 10 x 10 cm

Anleitung

Die Angaben für Modell A stehen vor dem Schrägstrich, die für Modell B dahinter. Steht nur eine Angabe, so gilt sie für beide Modelle.

Obermütze
Mit dem Wollgarn in Stroh/Burgund 132 M auf das Nadelspiel Nr. 3–4 verteilt anschl (= 33 M je Nd) und glatt re nach Zählmuster A bzw. B 6x den Rapport str, dabei wie gezeichnet in der 16., 32., 37., 41., 44., 46., 48., 50., 51. und 52. Rd nach jedem Rapport 6 x 2 M abn. Für die Abnahmen am Rundenübergang in den Abnahmerunden am Rundenbeginn die 1. M in der entsprechenden Fb str und am Rundenende die beiden letzten M der Rd zusammen re abh, die 1. M der Rd re str und die abgehobenen M überziehen. Nach 52 Rd (= 18,5 cm Mützenhöhe) die restlichen 12 M mit doppeltem Faden zusammenziehen; Faden vernähen.
Für die Ohrenklappen aus dem Mützenrand über jeweils 22 M des 2. und 5. Rapports 23 M in Stroh/Burgund auffassen, dann Rand-M, 21 M Jacquardmuster und Rand-M str, dabei mit der 19. R des Zählmusters beginnen.
Für die Abnahmen jedoch anstelle der gezeichneten Abnahmen in Hin-R am Reihenbeginn die Rand-M mit der folgenden M re übz zus-str (1 M re abh, 1 M re str und die abgehobene M überziehen), am Reihenende die Rand-M mit der M davor re zus-str; in Rück-R am Reihenbeginn die Rand-M mit der folgenden M li zus-str, am Reihenende die Rand-M mit der M davor li verschränkt zus-str (= 5 M nach 34 R = 12 cm). Alle M abk.
Beide Ohrenklappen gleich arbeiten.

Untermütze
54 M mit Effektgarn auf das Nadelspiel Nr. 7–8 verteilt anschl und glatt re str. In 12 cm Mützenhöhe bzw. nach 15 Rd für die Abnahmen 6 x jede 9. M markieren. In der folgenden Rd, dann 1 x in der 4. Rd und 2 x in jeder 2. Rd jede markierte M und die M davor zusammen re abh, die folgende M re str und die abgehobenen M überziehen (= 6 M nach 24 Rd = 18,5 cm Mützenhöhe). Diese M mit doppeltem Faden zusammenziehen, Faden auf der glatt rechten Seite vernähen.
Für eine **Ohrenklappe** 11 M mit Effektgarn auffassen und glatt re str (1. R = Rück-R).
In der 12. R (= nach 8,5 cm), dann in jeder 2. R 2 x beidseitig je 1 M wie bei den Ohrenklappen für die Obermütze beschrieben abn (= 5 M nach 16 R = 12,5 cm). Alle M abk.

Die 2. Ohrenklappe ebenso str. Dafür im Abstand von 16 M zur 1. Klappe 11 M auffassen.

Für den **Mützenschirm** zwischen den Ohrenklappen 16 M mit Effektgarn auffassen und 7 R (= 5 cm) glatt re str. In der folgenden R am Reihenbeginn die Rand-M mit der folgenden M re übz und am Reihenende die Rand-M mit der M davor re zus-str (= 14 M). In der folgenden R alle M abk, dabei die Rand-M am Reihenbeginn mit der folgende M, am Reihenende mit der M davor li zus-str.

Fertigstellung

Die Mützen über ein Gefäß passender Größe, z.B. eine Vase, spannen, anfeuchten und trocknen lassen. Die Untermütze mit der glatt rechten Seite in die Obermütze stecken. Dann die Mützen zusammennähen, dabei bleiben die Ränder der Untermütze ca. 1 cm breit sichtbar.

Den Mützenschirm auf die Obermütze nähen. Für die Bindebänder 2 jeweils ca. 16 cm lange Luftmaschenketten mit doppeltem Faden aus Effektgarn an die Ohrenklappen anhäkeln.

Zählmuster für Modell A

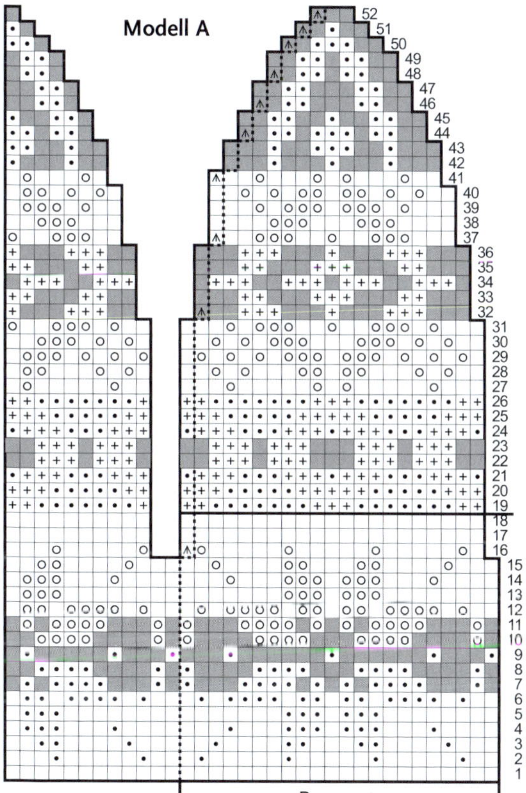

Zählmuster für Modell B

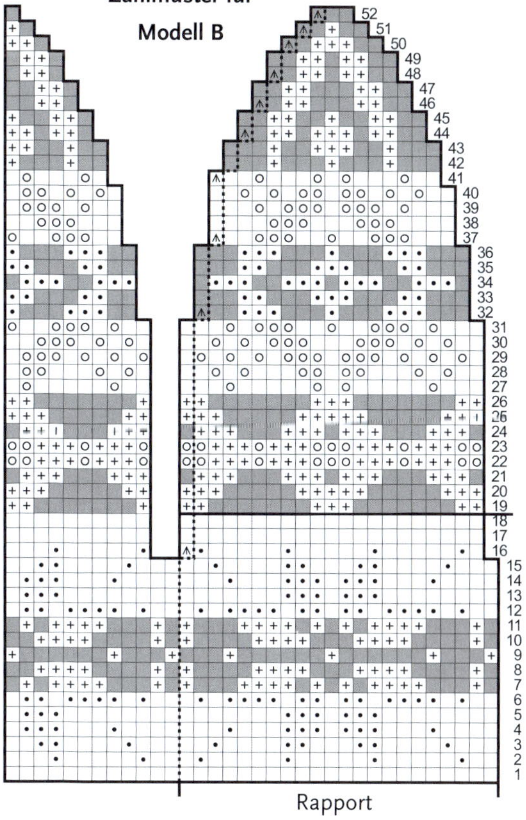

Zeichenerklärung:

Modell A

- □ 1 M in Stroh
- ⊡ 1 M in Rauchblau
- ⊞ 1 M in Cyclam
- ⌾ 1 M in Chianti
- ■ 1 M in Salbeigrün
- ⋀ In der entsprechenden Fb 2 M zus re abh, 1 M re str und die abgehobenen M überziehen

Modell B

- □ 1 M in Burgund
- ⊡ 1 M in Salbeigrün
- ⊞ 1 M in Moos
- ⌾ 1 M in Mandel
- ■ 1 M in Heiderose
- ⋀ In der entsprechenden Fb 2 M zus re abh, 1 M re str und die abgehobenen M überziehen

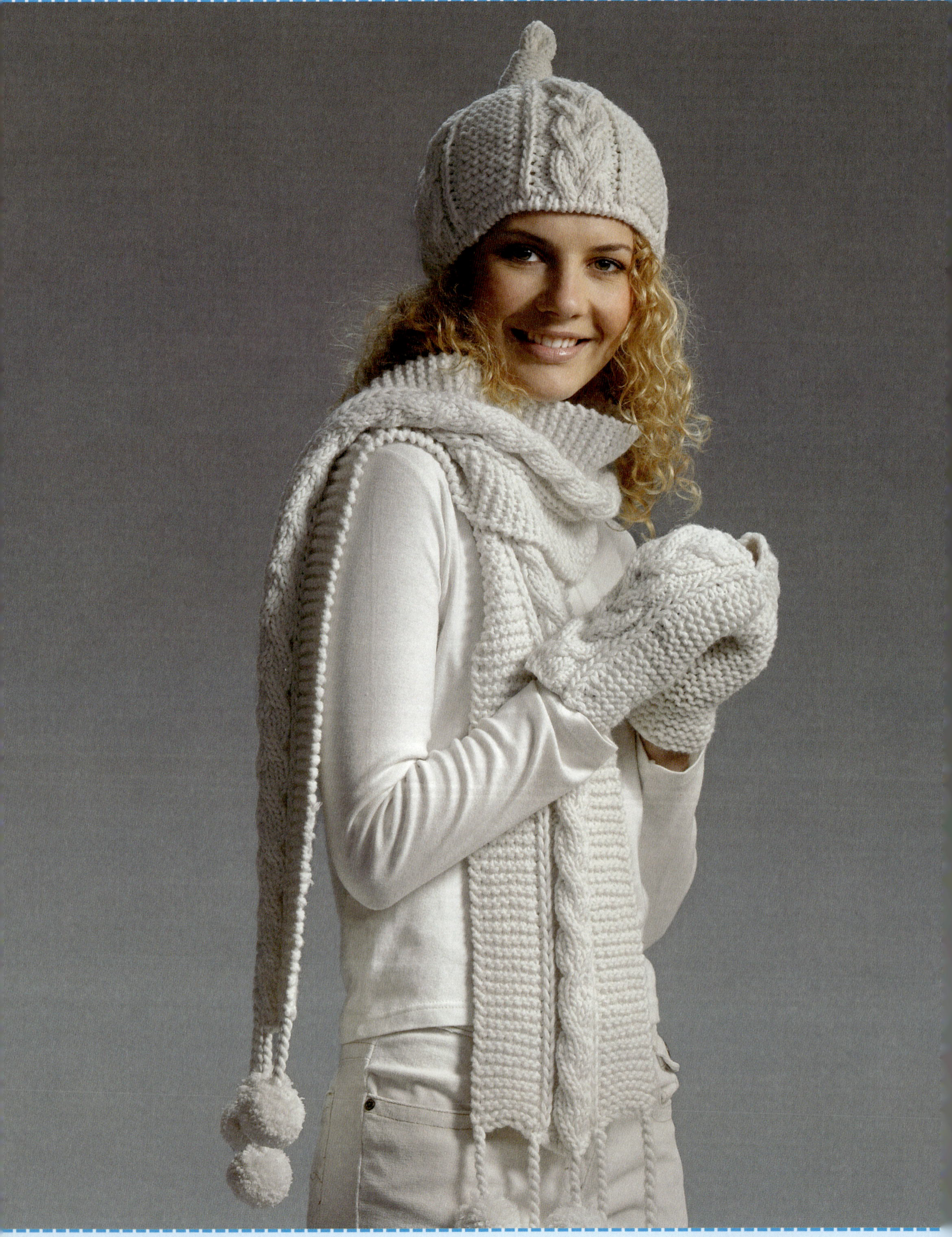

Schal, Mütze und Handschuhe mit Zöpfen

Diese Kombination aus Mütze, Schal und Handschuhen mit klassischem Zopfmuster in gebrochenem Weiß kommt nie aus der Mode und passt zu vielen Mänteln und Anoraks.

Größe

Schal: 22 cm breit, 170 cm lang
Mütze: ca. 58 cm Umfang
Handschuhe: Einheitsgröße

Material

550 g dickes Wollmischgarn in Natur (70 % Polyacryl, 30 % Schurwolle; LL 55 m/50 g; z.B. Schachenmayr Boston, Fb 02)
Stricknadeln Nr. 7
Nadelspiel Nr. 7
Hutgummiband (nach Belieben)

Strickmuster

Kraus rechts: Jede R re str; in Runden 1 Rd re M und 1 Rd li M im Wechsel str.

Zopfmuster: Nach der Strickschrift für das Zopfmuster arb.
Es sind nur die Hin-R bzw. ungeraden Rd gezeichnet, in Rück-R bzw. geraden Rd die M wie angegeben str.
Die 1.–8. R/Rd stets wdh.
Achtung: Für den Schal das Muster über 17 M wie gezeichnet str, also beidseitig der mittleren 7 M je 3 M glatt li str. Für Mütze und Handschuhe die grau unterlegten M weglassen, also beidseitig der mittleren 7 M nur 2 M glatt li str (= 15 M).

Maschenprobe

12–13 M und 22 R/Rd kraus re gestrickt = 10 cm x 10 cm
17 M Zopf sind ca. 11 cm, 15 M Zopf sind ca. 9,5 cm breit.

ANLEITUNG

Schal

33 M anschl und wie folgt str: Knötchen-Rand-M (= die M in jeder R re str), 7 M kraus re, 17 M Zopf, 7 M kraus re, Knötchen-Rand-M.
In 160 cm Höhe alle M abk.
10 Pompons mit je ca. 4–5 cm Durchmesser sowie eine lange Kordel anfertigen.
Die Kordel in 10 unterschiedlich lange Teile von ca. 5 bis 12 cm Länge schneiden.
Jeweils 1 Pompon an ein Kordelende nähen, dann an jede Schmalseite des Schals 5 unterschiedlich lange Kordeln nähen (siehe Foto).

Mütze

Für den Anschlag mit einem glatten, kontrastfarbenen Hilfsfaden 45 M anschl und 1 Rück-R li M str. Dann mit dem Arbeitsgarn 5 R glatt re [Hin-R re, Rück-R li M] str. In der folgenden Rück-R nach der Rand-M * aus der 1. R ab Anschlag den Querfaden des Arbeitsgarnes auf die linke Nd heben und li str, 1 M der linken Nd li str, ab * wdh, mit 1 Rand-M enden (= 88 M). Den Hilfsfaden entfernen.
Weiter mit dem Nd-Spiel in Runden 4 x im Wechsel 7 M kraus re und 15 M Zopfmuster str.
In ca. 12 cm Höhe (nach 24 Rd), für die Mützen-Abnahmen die 25. bis 39. Rd nach der Strickschrift arb (= 24 M am Ende der Zeichnung). In der folgenden Rd 12 x 2 M re zus-str und über die restlichen 12 M für den Zipfel noch 16 cm re M str. Dann die M mit dem Arbeitsfaden fest zusammenziehen und den Zipfel verknoten.
Nach Wunsch etwas Hutgummiband in den runden Anschlag einziehen und die Mützenweite der Kopfweite entsprechend einhalten. Die kurze Naht des runden Anschlags schließen.

Handschuhe

Rechter Handschuh: 27 M anschl (= je 6 M für die 1. und 2. Nd, 8 M für die 3. Nd und 7 M für die 4. Nd). Über die 12 M der 1. und 2. Nd kraus re, über die 15 M der 3. und 4. Nd in der 1. Rd 1 M li, 1 M re, 2 M li, 7 M re, 2 M li, 1 M re und 1 M li str, danach weiter im Zopfmuster str.
In 9 cm Höhe für den Daumenspickel nach der 1. M der 1. Nd 1 M zun (= re verschränkt aus dem Querfaden str).
Weiter 4 x in jeder 2. Rd vor und nach der bzw. den zuvor zugenommenen M je 1 M zunehmen (= 9 Spickel-M). Noch 1 Rd str,

dann die 9 Spickel-M stilllegen. Über die 27 M weiterarbeiten und in der 1. Rd anstelle der stillgelegten M 2 M neu anschl und diese M kraus re str (= 29 M).
In ca. 22 cm Höhe alle M abk, dabei alle M li str und über den 7 Zopf-M 2 x je 2 M li zus-str.
Für den Daumen zu den stillgelegten 9 Spickel-M aus den neu angeschlagenen 2 M je 1 M aufnehmen und die 11 M auf 3 Nadeln verteilen. Noch 10 Rd kraus re str, dann die M abk.
Den **linken Handschuh** gegengleich arbeiten, d.h. in 9 cm Höhe die 1. Spickel-Zunahme vor der letzten M der 2. Nd arbeiten.

Strickschrift für das Zopfmuster

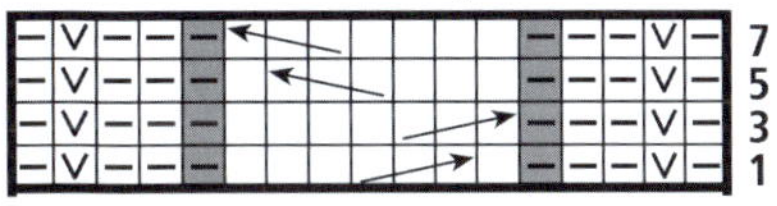

Muster = 17 M bzw. 15 M

Strickschrift für die Mützen-Abnahmen

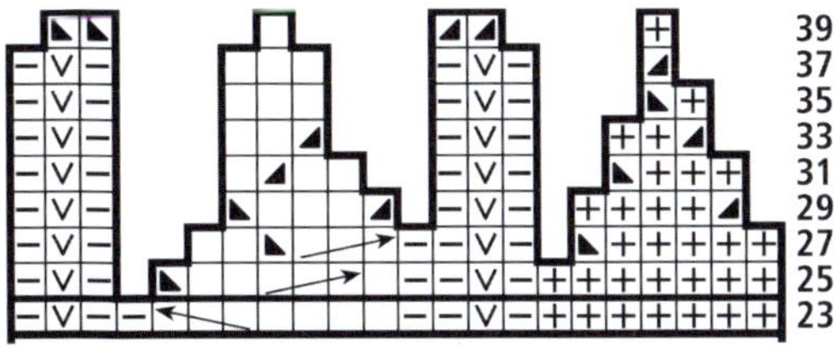

Rapport = 22 M

Zeichenerklärung

= in Hin-R bzw. Rd 1 M re, in Rück-R 1 M li
= in Hin-R bzw. Rd 1 M li, in Rück-R 1 M re
= nur für den Schal, wie ((Symbol!))
= 1 Patent-M: In Hin-R bzw. ungeraden Rd 1 M re str, dabei 1 R tiefer in die M der Vorreihe einstechen, die M dazwischen löst sich auf; in Rück-R die M re, in geraden Rd die M li str
= 1 M auf einer Hilfs-Nd hinter die Arbeit legen, 2 M re, dann die M der Hilfsnadel re str
= 2 M auf einer Hilfs-Nd vor die Arbeit legen, 1 M re, dann die M der Hilfsnadel re str
= 1 M kraus re
= 2 M re zus-str
= 2 M re übz zus-str (= 1 M re abh, 1 M re str und die abgehobene M überziehen)

Praxis-Tipp

Pompons und Kordeln

Drehen Sie die lange Kordel für den Schal sehr fest und sichern Sie die abgeschnittenen Enden sorgfältig, damit sie sich nicht auflösen.
Für jeden Pompon zwei Kartonringe (außen ca. 25 mm Ø, innen ca. 13 mm Ø) zusammenlegen und dicht mit Garn umwickeln. Die Wicklungen rundum mit einer scharfen Schere aufschneiden, einen doppelt gelegten Faden zwischen beiden Kartonringen durchziehen und fest verknoten. Die Kartonringe entfernen, den Pompon in Form schneiden und mit dem Abbindefaden annähen.

Mützen und Schals für Vater und Sohn

Mütze über die Ohren, Schal um den Hals: So können Vater und Sohn den Spaß im Schnee richtig genießen. Alle vier Modelle sind leicht und schnell zu stricken.

Set für Herren

Schal: ca. 20 cm breit und 200 cm lang (ohne Fransen)
Mütze: Kopfumfang ca. 56–58 cm

Material

Für den Schal:
Je 250 g Sockengarn in Jeansblau meliert und Graublau meliert (55 % Schurwolle, 25 % Polyamid, 20 % Seide; LL ca. 200 m/ 50 g; z.B. Schachenmayr Regia Silk, Fb 53 und Fb 52)
Stricknadeln Nr. 4–5
Häkelnadel Nr. 4–5
Für die Mütze:
Je 50 g Sockengarn in Jeansblau meliert und Graublau meliert (siehe oben)
Nadelspiel Nr. 4–5

Hinweis: Durchweg je 1 Faden in Jeansblau meliert und Graublau meliert zusammen verstricken!

Strickmuster

Rippenmuster: 3 M re, 3 M li im Wechsel str.

Maschenprobe

37 M und 29 R/Rd im Rippenmuster mit doppeltem Faden gestrickt = 10 x 10 cm (ungedehnt gemessen)

Anleitung

Schal

(Abb. S. 139)
75 M mit doppeltem Faden (je 1 Faden in Graublau meliert und Jeansblau meliert) anschl und im Rippenmuster str, dabei sind die Rand-M die 1. bzw. letzte M des Musters. In 200 cm Höhe alle M abk.
In den Abkettrand 13 Fransen in Jeansblau meliert, in den Anschlagrand 13 Fransen in Graublau meliert knüpfen. Für jede Franse 6 ca. 45 cm lange Fäden mittig zusammenlegen, dann mit der Häkelnadel die Schlaufe durch den Rand und die losen Fäden durch die Schlaufe ziehen, den Knoten festziehen.
Die Fransen auf gleiche Länge schneiden.

Mütze

108 M mit doppeltem Faden (je 1 Faden in Graublau meliert und Jeansblau meliert) auf das Nd-Spiel verteilt anschl und im Rippenmuster str, mit 3 M re beginnen. In 18 cm Höhe für die Abnahmen die 3. M und 5 x jede folgende 18. M markieren und in der folgenden Rd mit der M danach re übz zus-str (1 M re abh, 1 M re str und die abgehobene M überziehen; = 102 M).
Diese Abn noch 1 x in der 4. Rd, 1 x in 3. Rd, 3 x in jeder 2. Rd und 10 x in jeder Rd wdh. Die restlichen 12 M mit dem Arbeitsfaden zusammenziehen; den Faden vernähen. (Mützenhöhe: ca. 26 cm)
Den Anschlagrand ca. 6 cm breit nach außen umschlagen.

Praxis-Tipp

Farbenspiele

Statt der beiden Garne in Jeansblau und Graublau meliert können Sie für Herrenmütze und -schal auch zwei Fäden der gleichen Farbe oder einen Faden eines melierten Garnes und einen einfarbigen Faden zusammen verstricken. Probieren Sie gegebenenfalls Ihre Farbkombination an einem Probefleck aus!

Set für Kinder

Schal: ca. 13 cm breit und 117 cm lang

Mütze: Kopfumfang ca. 48–52 cm

Material

Für den Schal:

Je 100 g Sockengarn in Graublau meliert (55 % Schurwolle, 25 % Polyamid, 20 % Seide; LL ca. 200 m/50 g; z.B. Schachenmayr Regia Silk, Fb 53)

Stricknadeln Nr. 2,5–3

Für die Mütze:

Je 50 g Sockengarn in Jeansblau meliert und Graublau meliert (siehe oben)

Nadelspiel Nr. 4–5

Hinweis: Für die Mütze je 1 Faden in Jeansblau meliert und Graublau meliert zusammen verstricken!

Strickmuster

Grundmuster: In Hin-R nach der Strickschrift über der gestrichelten Linie Str. In Rück-R die M str, wie sie erscheinen. Die 1.–20. R stets wdh.

Rippenmuster: In Hin-R 4 M re, 2 M li im Wechsel str (siehe auch Strickschrift unter der gestrichelten Linie). In Rück-R die M str, wie sie erscheinen.

Maschenprobe

32–33 M und 43 R im Grundmuster mit Nd Nr. 2,5–3 gestrickt = 10 x 10 cm (leicht gedehnt gemessen)

30 M und 28 R im Rippenmuster mit doppeltem Faden und Nd Nr. 4–5 gestrickt = 10 x 10 cm (leicht gedehnt gemessen)

Strickschrift für das Kinderset

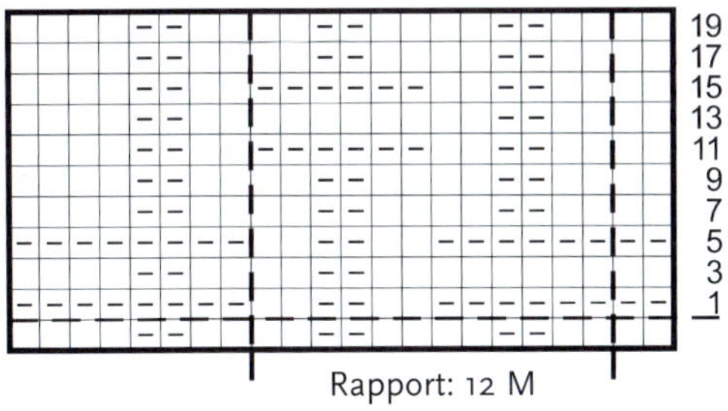

Zeichenerklärung

□ = 1 re M

⊟ = 1 li M

Anleitung

Schal

54 M anschl und im Grundmuster 1 x die 17.–20. R str, dann die 1.–20. R stets wdh; dabei sind die Rand-M die 1. bzw. letzte M des Musters.

In 117 cm (504 R) Höhe alle M abk.

Mütze

96 M mit doppeltem Faden (je 1 Faden in Graublau meliert und Jeansblau meliert) auf das Nd-Spiel verteilt anschl und im Rippenmuster str, dabei mit 4 M re beginnen.

In 14 cm Höhe für die Abn die 4. M und 7 x jede folgende 12. M markieren und in der folgenden Rd mit der M danach re übz zus-str (= 1 M re abh, 1 M re, die abgehobene M überziehen; = 88 M). Diese Abn noch 2 x in jeder 3. Rd, 4 x in jeder 2. Rd und 4 x in jeder Rd wdh. Die restlichen 8 M mit dem Arbeitsfaden zusammenziehen; den Faden vernähen. (Mützenhöhe: ca. 20,5 cm)

Den Anschlagrand ca. 4 cm breit nach außen umschlagen.

Praxis-Tipp

Breit oder schmal gerippt

Statt im angegebenen Muster können Sie auch den Kinderschal in einem einfachen Rippenmuster stricken. Arbeiten Sie wie beim Herrenschal das breite Rippenmuster (2 Maschen rechts, 2 Maschen links im Wechsel) oder aber das schmale Rippenmuster (1 Masche rechts, 1 Masche links im Wechsel).

Fäustlinge und Partnerhandschuh

Dank Partnerhandschuh müssen verliebte Paare auch im Winter nicht aufs Händchenhalten verzichten: Stricken Sie trotzdem für jeden zusätzlich einen zweiten Fäustling.

Größe

Handschuhgröße 6 und 8

Angaben für Größe 6 stehen vor, für Größe 8 hinter dem Schrägstrich. Steht nur eine Angabe, gilt sie für beide Größen.

Material

Für die Fäustlinge:

50/100 g 6-fädiges Sockengarn in Kirsche (75 % Schurwolle, 25 % Polyamid; LL ca. 125 m/50 g; z.B. Schachenmayr Regia 6-fädig, Fb 2002)

Für den Partnerhandschuh:

50/100 g 6-fädiges Sockengarn in Kirsche (s.o.)

Für alle Modelle:

Rest 6-fädiges Sockengarn in Weiß (s.o.) für die Stickerei

Nadelspiel Nr. 3–4

Sticknadel ohne Spitze

Strickmuster

Bündchenmuster: 2 M re, 2 M li im Wechsel str.

Glatt rechts: In Hin-R re M, in Rück-R li M str.

Maschenprobe

22 M und 30 R/Rd glatt re gestrickt = 10 x 10 cm

Anleitung

Fäustlinge

Rechter Fäustling: 36/44 M in Kirsche auf das Na-Spiel verteilt anschl und 10 cm im Bündchenmuster str.

Weiter glatt re str. Dabei für den **Daumenzwickel** in der 3. Rd vor und nach der 3. M der 1. Nd je 1 M re verschr aus dem Querfaden str. Danach jeweils vor und nach der zuvor zugenommenen M in jeder 3. Rd 3 x je 1 M und in jeder 2. Rd 1/3 x je 1 M zun (= 11/15 Zwickel-M und 46/58 M insgesamt). Noch 2 Rd str, dann die 11/15 Zwickel-M stilllegen.

Weiter über den stillgelegten Zwickel-M für den Daumensteg 3 M neu anschl und über 38/46 M die Hand str. In der folgenden 2. Rd die 3 M des **Daumenstegs** re übz zus-str (1 M re abh, 2 M re zus-str und die abgehobene M überziehen) (= 36/44 M).

Nach ca. 14/16 cm ab Bündchen die **Spitze** beginnen. Dafür bei der 1. und bei der 3. Nd die 1. M re str, dann die 2. und 3. M re übz zus-str, bei der 2. und bei der 4. Nd bis 3 M vor Ende der Nd str, dann die folgenden 2 M re zus-str, die letzte M re str. Diese Abn 3 x in jeder 2. Rd, dann in jeder Rd wdh, bis noch 8 M übrig sind. Diese M zusammenziehen.

Für den **Daumen** zu den stillgelegten 11/15 M aus dem Querfaden vor dem Steg 1 M, aus dem Steg 3 M und aus dem Querfaden nach dem Steg 1 M auffassen, die M auf 3 N verteilen und über 16/20 M glatt re str, dabei in der 1. Rd die beiden M vor dem Steg re verschr und die beiden M nach dem Steg re zus-str (= 14/18 M). In ca. 4,5/5,5 cm Daumenhöhe für die Spitze in jeder Rd die letzten 2 M jeder Nd re zus-str, bis noch 6 M übrig sind. Diese M zusammenziehen.

Um den Anschlagrand Langettenstiche in Weiß sticken.

Das Bündchen zur Hälfte nach außen umschlagen.

Linker Fäustling: Gegengleich str, dabei den Daumenzwickel mit der drittletzten Masche der 4. Nd beginnen.

Partnerhandschuh

44 M in Kirsche auf das Na-Spiel verteilt (= 11 M je Nd) anschl und für das **1. Bündchen** 10 cm im Bündchenmuster str.

Weiter glatt re str, dabei in der 1. Rd je Nd 2 M zun (= 13 M je Nd und 52 M insgesamt). In der 3. Rd und 4 x in jeder 2. Rd bei der 1. Nd und bei der 3. Nd vor der letzten M je 1 M zun, bei der 2. Nd und bei der 4. Nd nach der 1. M je 1 M zun (= 72 M nach der 11. Rd). Noch 1 Rd str.

Danach für das **2. Bündchen** eine Öffnung zwischen der 1. und 2. Nd arb. Dafür 10 cm in Reihen str. In Runden weiterstr.

Für die **Spitze** nach 15 cm ab Bündchen 8 x jede 9. M markieren und mit der M davor re zus-str (= 64 M). Noch 7 x in jeder 2. Rd jede markierte M mit der M davor re zus-str, die restlichen 8 M mit doppeltem Faden zusammenziehen, Faden vernähen.

Für das **2. Bündchen** aus der Öffnung 44 M auffassen und 10 cm im Bündchenmuster str, die M abk.

Mit Kettenstichen in Weiß ein Herz aufsticken (s. Foto).

Um die Bündchenränder Langettenstiche in Weiß sticken.

Die Bündchen zur Hälfte nach außen umschlagen.

Massagesocken

In die Sohle der Socken eingestrickte Biesen sorgen für einen angenehmen Massageeffekt. Das Ringelmuster kommt bei vielen aktuellen Sockengarnen direkt aus dem Knäuel.

Größe

Schuhgröße 38/39

Nach der Tabelle auf Seite 54/55 können Sie diese Socken auch in jeder beliebigen anderen Größe stricken.

Material

100 g Sockengarn mit Ringeleffekt in Blau-Grau (75 % Schurwolle, 25 % Polyamid; LL ca. 210 m/50 g; z.B. Schachenmayr Regia 4-fädig Patch Antik Colors, Fb 5759)

50 g Sockengarn in Jeans meliert (siehe oben; z.B. Schachenmayr Regia 4-fädig, Fb 2137)

Nadelspiel Nr. 2–3

Hinweis: Achten Sie bitte bei Garnen mit „eingebautem“ Ringeleffekt darauf, den Faden von außen vom Knäuel zu nehmen und jede Socke mit dem gleichen Farbrapport zu beginnen.

Strickmuster

Bündchenmuster: 2 M re, 2 M li im Wechsel str.

Glatt rechts: In Hin-R re M, in Rück-R li M str; in Runden jede Rd re str.

Biesen-Technik: Für jede Biese über die M der 1. und 4. Nd in einer Kontrastfarbe 8 R glatt re str. Damit der Rand nicht zu locker wird, nach der 1. R jeweils am Anfang der R die 1. M li abh und die folgenden 2 M sehr fest str.

Nach der 8. R (Rück-R) wieder in Runden arb. Dafür zunächst auf der Rückseite (bzw. der Innenseite) der Arbeit die Querfäden der 1. Biesen-R auf eine dünne Hilfsnadel heben, und diese M hinter die Biesen-M legen. Dann in der Grundfarbe jeweils 1 M der vorderen Nd und der Hilfs-Nd re zus-str, dabei am Anfang der neuen Rd den Faden sehr fest anziehen.

Die Biese nach jeweils 4 Rd wdh.

Hinweis: Im Bereich der Ferse die Biesen nur über die M zwischen den doppelten M arbeiten!

Maschenprobe

30 M und 42 R/Rd glatt re gestrickt = 10 cm x 10 cm

Anleitung

Für den Schaft 60 M (= 15 M je Nd) mit dem Ringelgarn anschl und 19 cm im Bündchenmuster str.

Danach den Fuß glatt re nach der Grundanleitung für den Fuß str (siehe Seite 51), dabei über die M der 1. und 4. Nd (= Sohle) Biesen in Jeans meliert nach Biesen-Technik einarbeiten.

Die 1. Hälfte der Bumerangferse ohne Biesen str, wie auf Seite 50/51 beschrieben. Die Biesen werden in der 2. Fersenhälfte begonnen. Die 1. Biese nach 4 verkürzten R str, dann nach jeder 4. R/Rd Biesen nach der Biesen-Technik einarbeiten.

Nach Fersenende den Fuß mit Biesen glatt re weiterstr.

In 20 cm Fußlänge die Bandspitze str, wie auf Seite 51 beschrieben, dabei weiterhin über die M der 1. und 4. Nd Biesen str. (Fußlänge insgesamt: 25 cm)

Beide Socken gleich arbeiten.

Praxis-Tipp

Sie können den Massageeffekt der Socken noch erhöhen, indem Sie aus Strumpfgarn-Resten gehäkelte Luftmaschenketten in die Biesen mit einarbeiten. Die Kette vor dem Zusammenstricken der Biese zwischen die Nadeln legen oder nachträglich mit einer kleinen Sicherheitsnadel oder einer Wollnadel durch die Biesen ziehen. Die Biesen können auch doppelfädig gestrickt werden.

Fußballsocken

Echte Fußballfans tragen nicht nur Schals in den Vereinsfarben, sondern zeigen auch durch ihre Socken, auf welche Sportart und welche Mannschaft sie im wahrsten Sinne des Wortes stehen.

Grüne Socken mit Torraum

Größe

Schuhgröße 38/39

Die Socken können Sie nach der Tabelle auf Seite 54/55 auch in jeder beliebigen anderen Größe stricken.

Material

100 g Sockengarn in Grasgrün (75 % Schurwolle, 25 % Polyamid; LL ca. 210 m/50 g; z.B. Schachenmayr Regia 4-fädig, Fb 1254)

50 g Sockengarn (siehe oben) in Weiß

Nadelspiel Nr. 2–3

Sticknadel ohne Spitze

2 Knöpfe, weiß, 18 mm Ø

Strickmuster

Bündchenmuster: 2 M re, 2 M li im Wechsel str.

Glatt rechts: In Hin-R re M, in Rück-R li M str; in Runden jede Rd re str.

Stickskizze zu den grünen Socken mit Torraum

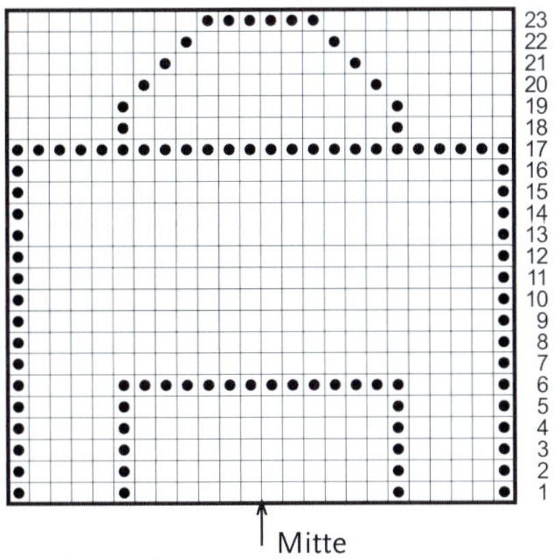

Zeichenerklärung

☐ = 1 M in Grasgrün

⊡ = 1 Maschenstich in Weiß

Maschenprobe

30 M und 42 R/Rd glatt re gestrickt = 10 x 10 cm

Anleitung

60 M in Grasgrün auf das Nd-Spiel verteilt anschl (= 15 M je Nd) und für den Schaft im Bündchenmuster 8 Rd in Grasgrün, je 3 Rd in Weiß, Grasgrün, Weiß und noch 8 Rd in Grasgrün str. Weiter glatt re in Grasgrün str.

In 16 cm Schaftlänge den Fuß glatt re beginnen.

Die Bumerang-Ferse in Reihen glatt re in Grasgrün über die M der 1. und 4. Nd str, dabei die M in 3 Teile teilen. Mit verkürzten R und doppelten M von außen nach innen über die M der Außenteile und über die jeweils äußere M des mittleren Drittels arb, beginnend mit der jeweils äußeren M der 1. bzw. 4. Nd.

1. Reihe (Hin-R): Alle M einschließlich der letzten M der 1. Nd re str, wenden.

2. Reihe (Rück-R): Die doppelte Masche arb. Dafür den Faden vor die Arbeit legen, von rechts in die 1. M einstechen, dann M und Faden zusammen abh und den Faden fest nach hinten ziehen (damit keine Löcher entstehen). Dabei wird die M über die Nd gezogen und liegt nun doppelt. Den Faden wieder nach vorn nehmen und alle M einschließlich der letzten M der 4. Nd li str; wenden.

3. Reihe: 1 doppelte M arb, dann alle M bis zur doppelten M am R-Ende re str (die doppelte M bleibt ungestrickt); wenden.

4. Reihe: 1 doppelte M arb und wieder bis vor die doppelte M li str; wenden.

Die 3. und 4. R wdh, bis die letzten doppelten M mit den äußeren M des mittleren Drittels der Fersen-M gearbeitet sind.

Nun 2 Rd über alle M, über die Fersen-M re, über die M der 2. und 3. Nd im Bündchenmuster str. Dabei in der 1. Rd bei den doppelten M beide M-Teile zugleich erfassen und als 1 M re str.

Nach den 2 R wieder verkürzte R mit doppelten M, aber jetzt in entgegengesetzter Richtung von innen nach außen str.

1. Reihe (Hin-R): Die M des mittleren Drittels re str; wenden.

2. Reihe (Rück-R): 1 doppelte M arb. Nun li bis einschließlich der letzten M des mittleren Drittels zurückstricken; wenden.

3. Reihe: 1 doppelte M arb. Nun re bis zur doppelten M str, diese wie beschrieben re str, die folgende M re str; wenden.

adidas

4. Reihe: 1 doppelte M arb. Nun li bis zur doppelten M str, diese wie beschrieben li str, die folgende M li str; wenden.
Die 3. und 4. R wdh, bis auch über den äußeren Fersen-M eine doppelte M gestrickt wurde.
Nach der letzten Rück-R (in der folgenden R bzw. am Rd-Anfang wird noch einmal 1 doppelte M gearbeitet) in Rd weiterarb, dabei in der 1. Rd die doppelten M wie beschrieben re str.
Weiter bis zur Spitze 4 Rd in Grasgrün und 1 Rd in Weiß im Wechsel str.
In 20 cm Fußlänge mit der Bandspitze in Gras beginnen. Dafür bei der 1. und bei der 3. Nd bis 3 M vor Ende der Nd str, dann 2 M re zus-str und die letzte M re str; bei der 2. und 4. Nd die 1. M re str und die beiden folgenden M re übz zus-str. Diese Abn noch 1 x in der 4. folgenden Rd, 2 x in jeder 3. Rd, 3 x in jeder 2. und anschließend in jeder Rd wdh, bis nur noch 8 M übrig sind. Diese M mit doppeltem Faden fest zusammenziehen und den Faden vernähen. (Fußlänge: 25 cm)
Beide Socken gleich str.

Fertigstellung

Auf die Außenseite jeder Socke die Torlinien nach Stickskizze unterhalb des Bündchens mit Maschenstichen in Weiß aufsticken. Jeweils 1 Knopf annähen (siehe Foto).

Deutschlandsocken

Größe

Schuhgröße 42/43
Die Socken können Sie nach der Tabelle auf Seite 54/55 auch in jeder beliebigen anderen Größe stricken.

Material

100 g Sockengarn in Schwarz-Rot-Gold (75 % Schurwolle, 25 % Polyamid; LL ca. 210 m/50 g; z.B. Schachenmayr Regia 4-fädig Nation Color, Fb 5397)
50 g Sockengarn (siehe oben) in Weiß
Nadelspiel Nr. 2–3
Sticknadel ohne Spitze
2 Fußballknöpfe, 18 mm Ø

Hinweis: Die abgebildeten Socken wurden mit einem speziell gefärbten Garn gestrickt, bei dem die Ringel in den Deutschlandfarben automatisch entstehen. Jede Socke mit einem vollständigen Farbteil in Schwarz beginnen und den Faden so vom Knäuel nehmen, dass die Farbfolge Schwarz-Rot-Gold gestrickt wird (siehe auch Praxis-Tipp).

Strickmuster

Bündchenmuster: 2 M re, 2 M li im Wechsel str.
Glatt rechts: In Hin-R re M, in Rück-R li M str; in Runden jede Rd re str.

Maschenprobe

30 M und 42 R/Rd glatt re gestrickt = 10 x 10 cm

Anleitung

64 M auf das Nd-Spiel verteilt anschl (siehe Hinweis oben!).
Bis zum Farbwechsel zu Rot im Bündchenmuster str, dann weiter glatt re str.
In ca. 17 cm Schaftlänge, nach einem Streifen in Rot, den Fuß mit Bumerangferse str, wie bei den grünen Socken beschrieben.
In 22 cm Fußlänge die Bandspitze str, wie oben beschrieben.
(Fußlänge: 27,5 cm)
Beide Socken gleich arb.

Praxis-Tipp

Socken in Vereinsfarben

Neben dem Garn in den Farben der deutschen Flagge gibt es weitere Farbkombinationen, bei denen die Ringel direkt aus dem Knäuel kommen. So können Sie Fan-Socken für verschiedene Nationalitäten, aber auch für die Anhänger einzelner Bundesliga-Vereine stricken. Angeboten werden unter anderem Garne in Rot und Weiß, Rot und Gelb, Grün und Weiß, Blau und Weiß sowie Schwarz und Gelb. Achten Sie beim Verstricken von Garnen mit Ringeleffekt jedoch immer darauf, jede Socke mit derselben Farbe zu beginnen und den Faden stets von außen vom Knäuel zu nehmen. Sonst ist ein Strumpf in Schwarz-Rot-Gold geringelt und der andere in Gold-Rot-Schwarz. Notfalls wickeln Sie so viel Garn ab, bis der nächste Abschnitt in der gewünschten Farbe beginnt. Den abgewickelten Rest können Sie für eventuell notwendige Flickarbeiten aufheben.

Hausschuhe im Zebra-Look

Solche Hausschuhe aus Wollfilz gibt's nicht an jeder Ecke zu kaufen! Sie sind warm, bequem und schick – und dank einer Beschichtung mit Latexmilch sogar rutschfest.

Größe

Schuhgröße 39/40

Material

Je 100 g Wollgarn zum Filzen in Weiß und Schwarz (s.o.; z.B. Coats Wash + Filz-it!, Fb 0002 und 0001)
Nadelspiel Nr. 6
Häkelnadel Nr. 6
Sticknadel ohne Spitze zum Vernähen der Fäden
1 Flasche Filzbeschleuniger (z.B. Coats Filz-it! Turbo-Filzer), nach Belieben
Latexmilch (z.B. Glorex Plasty-late, Art. 6230500)
Schuhspanner oder mehrere Plastiktüten

Strickmuster

Glatt rechts: In Hin-R re M, in Rück-R li M str; in Runden jede Rd re str.

Anleitung

Stricken

32 M anschl, mit 2 R in Schwarz beginnen, dann jeweils 2 R in Weiß bzw. in Schwarz im Wechsel arb; insgesamt 12 R str.
Ferse: Die M auf 3 Nd verteilen (1. Nd 12, 2. Nd 8 und 3. Nd 12 M) und die Ferse in Schwarz str, wie folgt: 1. und 2. Nd re str, dabei * die letzte M der 2. Nd re abh, die nächste M ader 3. Nd re str und die abgehobene M darüberziehen. Arbeit wenden. 1 M li abh, die M der 2. Nd li str und die letzte M der Nd mit der anschließenden M der 1. Nd li zus-str. Arbeit wenden. 1 M re ab, die folgende M der 2. Nd bis zur letzten M str, dann ab * fortlfd wdh, bis alle M der 1. und 3. Nd aufgebraucht sind.
Dann für das Fußteil aus den Rand-M der Ferse je 13 M herausstr und für den Spann zusätzlich 8 M anschl (= insgesamt 42 M). Nun 28 R glatt re str (im Wechsel jeweils 2 Rd in Schwarz, 2 Rd in Weiß).
Für die Spitze die M umverteilen (10/11/10/11 M, Rd-Anfang Mitte unten). Die Spitze arb, dafür bei der 1. und 3. Nd bis 3 M vor Ende der Nadel str, dann 2 M re zus-str, die letzte M re str. Bei der 2. und 4. Nd die erste M re str, die folgende M re abh, 1 M re str, die abgehobenen M darüberziehen. Diese Abn-Rd in der 3., 2. und dann in jeder Rd wdh, bis auf jeder Nd 4 M sind. Faden abschneiden, das Ende durch die letzten M führen und zusammenziehen.
Für das Bündchen 2 Rd fM in Schwarz häkeln (= ca. 40 M). Alle Fadenenden vernähen.
Beide Schuhe gleich stricken.

Filzen

Die Schuhe in der Waschmaschine bei 40 °C mit etwas Filzbeschleuniger oder Feinwaschmittel waschen. Normales Programm mit niedrigem Wasserstand und Schleudern wählen. Nach dem Waschen kann man die Schuhe noch etwas strecken und weiten. Sollten sie noch zu groß sein, ein weiteres Mal waschen. Dann die Filzteile trocknen lassen und währenddessen immer wieder in Form ziehen.
Nach der Wäsche die Schuhe in Form ziehen und – ausgestopft mit Schuhspanner oder Plastiktüten – trocknen lassen.
Die Sohle mit Latexmilch bestreichen.

Durch das Bestreichen mit Latexmilch werden die Sohlen der Hausschuhe strapazierfähig und rutschfest.

Norwegerpullover für die ganze Familie

Zu einem richtigen Winter gehören Schnee und dicke Norwegerpullover. Diese Kollektion für die ganze Familie zieren Elche – mal als Bordüre, mal locker über die Fläche verteilt.

Herrenpullover und Stirnband

Größe

46/48, 50/52 und 54/56
Stirnband: ca. 52 cm Umfang
Die Angaben für die verschiedenen Größen sind durch Schrägstriche voneinander getrennt. Steht nur eine Angabe, so gilt sie für alle Größen.

Material

Für den Pullover:
550/600/600 g Sportgarn mit Seidenanteil in Schwarz (55 % Schurwolle, 25 % Polyamid, 20 % Seide; LL ca. 125 m/50 g; z.B. Schachenmayr Regia Silk 6-fädig, Fb 99)
250/250/300 g Sportgarn mit Seidenanteil in Natur meliert (s.o.; z.B. Regia Silk, Fb 02)
Für das Stirnband:
Garnreste vom Pullover oder je 50 g Sportgarn mit Seidenanteil (s.o.) in Schwarz und Natur meliert
Für beide Modelle:
Stricknadeln Nr. 2,5–3,5 und 3–4
Je 1 Rundstricknadel Nr. 2,5–3,5 und 3–4 (40 cm lang)

Strickmuster

Bündchenmuster: 2 M re, 2 M li im Wechsel str.
Glatt rechts: In Hin-R re M, in Rück-R li M str; in Runden jede Rd re str.
Jacquardmuster A, B, C: Glatt re in Jacquardtechnik in Hin- und Rück-R nach Zählmuster A, B und C str. Dabei die Hin-R von rechts nach links, die Rück-R von links nach rechts lesen.
Jacquardmuster A: 1 x die 1.–22. R und 8 x die 23.–32. R = 102 R = 32 cm str.
Jaquardmuster B: 1 x die 1.–29. R str.
Jacquardmuster C: Die 1.–6. R stets wdh.
Jacquardmuster D: In Runden glatt re in Jacquardtechnik nach Zählmuster D str, dabei den Rapport innerhalb der R fortlfd wdh. 1 x die 1.–17. Rd str.
Hinweis: Müssen mehr als 5–7 M überspannt werden, empfiehlt es sich, beide Fäden auf der Arbeitsrückseite zu verkreuzen.

Maschenprobe

28 M und 32 R mit Nd Nr. 3 4 im Jacquardmuster gestrickt = 10 x 10 cm

Anleitung

Rückenteil
126/134/146 M in Schwarz mit Nd Nr. 2,5–3,5 anschl und 5 cm im Bündchenmuster str, mit 1 Rück-R beginnen und in der letzten Rück-R verteilt 21/25/25 M zun (= 147/159/171 M).
Mit Nd Nr. 3–4 im Jacquardmuster A 102 R (= ca. 32 cm) weiterstr, dabei in der 1. R die Rand-M str, den Rapport von 12 M fortlfd wdh, enden mit der M nach dem Rapport, Rand-M.
Danach im Jacquardmuster B 29 R = ca. 9 cm str. Dabei in der 1. R für Größe 46/48 und 50/52 über den äußeren je 14 M Rand-M und 13 M Muster A str, über den mittleren 119/131 M im Jacquardmuster B str, dabei mit der 8./3. M beginnen, 3 x den Rapport von 36 M str und mit 5/12 M nach dem Rapport enden; für Größe 54/56 nach der Rand-M mit der 1. M beginnen, 4 x den Rapport von 36 M str, enden mit den 12 M nach dem Rapport, Rand-M.
Danach im Jacquardmuster C str, dabei in der 3. R (= Rück-R) nach der Rand-M die 2. und 1. M str, den Rapport stets wdh, restliche M anpassen, Rand-M.
Nach 36 cm (116 R) ab Bündchen, bzw. nach 14 R im Muster B, für die Armausschnitte beidseitig 2 M und in jeder 2. R noch 6 x 2 M abk (= 119/131/143 M).
Nach 59/61/63 cm (188/196/202 R) ab Bündchen bzw. nach 57/65/71 R im Muster C für die Schulterschrägungen beidseitig 1 x 5/6/9 M abk und in jeder 2. R 5 x 6/7/7 M abk.
Gleichzeitig mit der 3. Abnahme für den Halsausschnitt die mittleren 39/39/45 M und beidseitig in jeder 2. R 1 x 3 M und 2 x 1 M abk. (Gesamthöhe: 67/69/71 cm)

Vorderteil
Wie das Rückenteil str, aber nach 51/53/55 cm (162/170/176 R) ab Bündchen, bzw. nach 31/39/45 R im Muster C für den Halsausschnitt die mittleren 17/17/23 M und beidseitig in jeder 2. R 2 x 3 M, 3 x 2 M und 4 x 1 M abk.
(Gesamthöhe: 67/69/71 cm)

Ärmel

58/66/66 M mit Nd Nr. 2,5–3,5 in Schwarz anschl und 5 cm im Bündchenmuster str, mit 1 Rück-R beginnen und in der letzten Rück-R verteilt 17/21/21 M zun (= 75/87/87 M). Weiter mit Nd Nr. 3–4 im Jacquardmuster A str, dabei in der 1. R nach der Rand-M den Rapport fortlfd wdh, enden mit der M nach dem Rapport, Rand-M. Nach der 1.–22. R die 23.–32. R stets wdh. Für die Ärmelschrägungen beidseitig in jeder 6. R 2 x 1 M und in jeder 4. R 26 x 1 M zun/in jeder 6. R 6 x 1 M und in jeder 4. R 22 x 1 M zun/in jeder 4. R 32 x 1 M und in 2. R 1 x 1 M zun (= 131/143/153 M).

Nach 37,5/40/42 cm (120/128/134 R) ab Bündchen beidseitig 2 M und in jeder 2. R 7 x abwechselnd 1 M und 2 M (insgesamt 12 M) abk. Danach die restlichen 107/119/129 M abk. (Gesamthöhe: 47,5/50/52 cm)

Beide Ärmel gleich arbeiten.

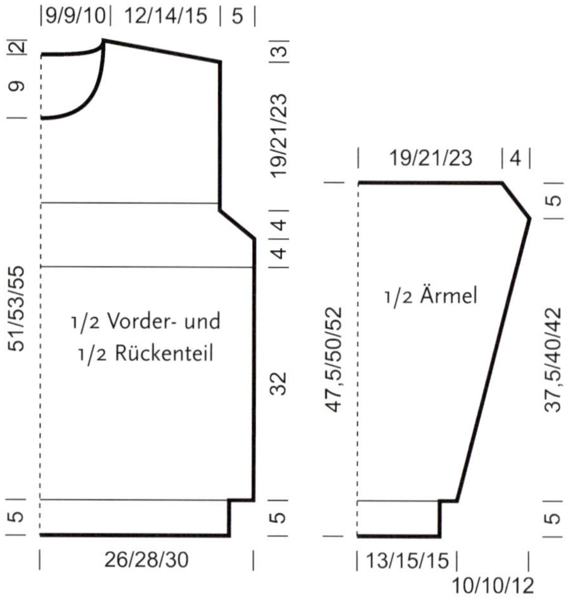

Zählmuster A

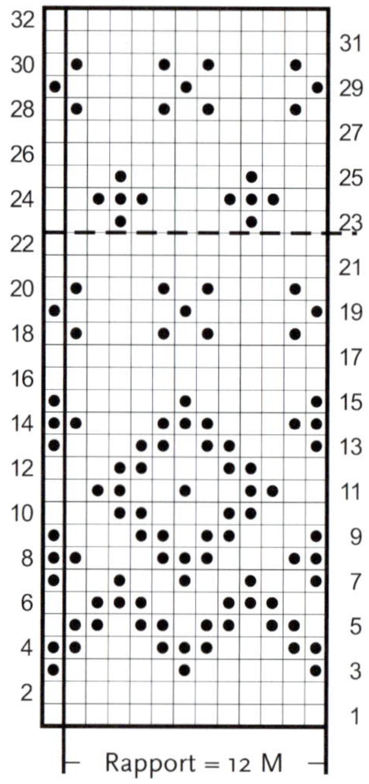

Zählmuster C

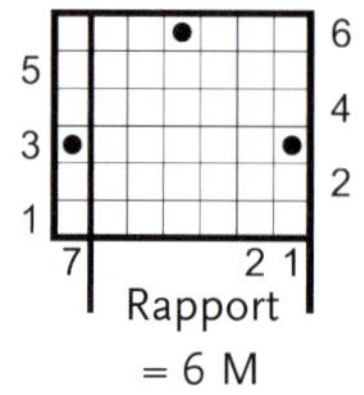

Zählmuster D für das Stirnband

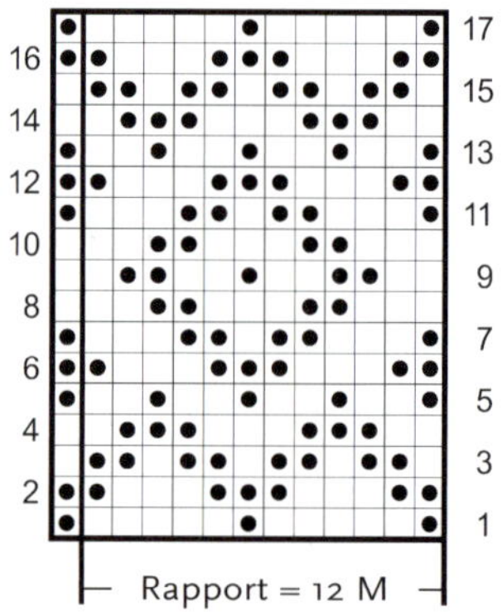

Zeichenerklärung: □ = 1 M in Schwarz
⊡ = 1 M in Natur meliert

Zählmuster B

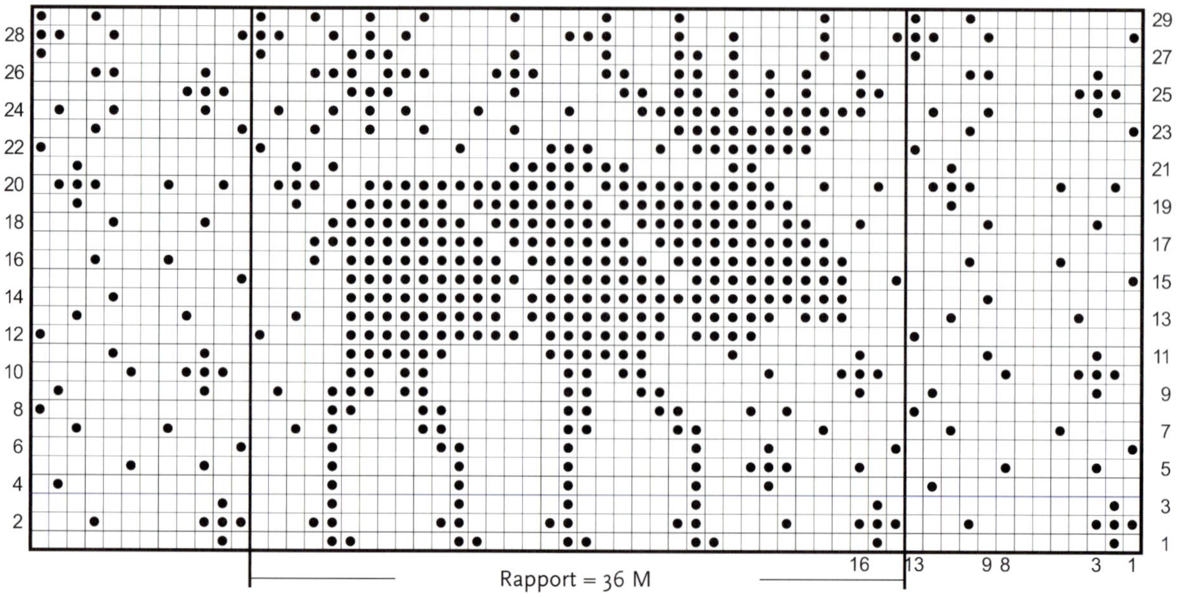

Fertigstellung

Alle Teile spannen, anfeuchten und trocknen lassen. Schulternähte schließen, Ärmel annähen, Ärmel- und Seitennähte schließen.
Für den Rollkragen mit der Rundstrick-Nd Nr. 2,5–3,5 in Schwarz ca. 124/124/132 M auffassen und 20 cm im Bündchenmuster str, dann alle M abk. Den Kragen nach außen umschlagen.

Stirnband

Mit der Rundstrick-Nd Nr. 2,5–3,5 in Natur meliert 144 M anschl, 3 Rd li M und 1 Rd re M str. Weiter mit der Rundstrick-Nd Nr. 3–4 in Schwarz 2 Rd re M, die 1.–17. Rd nach Zählmuster D und in Schwarz 2 Rd re M str. In Natur meliert noch 1 Rd re M und 3 Rd li M str, danach alle M abk. (Höhe: ca. 8,5 cm)

Jungenpullover und Mütze

Größe

110/116, 122/128 und 134/140
Mütze: ca. 46 cm Umfang
Die Angaben für die verschiedenen Größen sind durch Schrägstriche voneinander getrennt. Steht nur eine Angabe, so gilt sie für alle Größen.

Material

Für den Pullover:
250/300/350 g Sportgarn mit Seidenanteil in Tanne (55 % Schur-wolle, 25 % Polyamid, 20 % Seide; LL ca. 125 m/50 g; z.B. Schachenmayr Regia Silk 6-fädig, Fb 71)
100/100/150 g Sportgarn mit Seidenanteil in Natur meliert (s.o.; z.B. Regia Silk, Fb 02)
Für die Mütze:
100 g Sportgarn mit Seidenanteil in Tanne (55 % Schurwolle, 25 % Polyamid, 20 % Seide; LL ca. 125 m/50 g; z.B. Schachenmayr Regia Silk 6-fädig, Fb 71)
50 g Sportgarn mit Seidenanteil in Natur meliert (s.o.; z.B. Regia Silk, Fb 02)
Für beide Modelle:
Stricknadeln Nr. 2,5–3,5 und 3–4
Je 1 Nadelspiel Nr. 2,5–3,5 und 3–4

Strickmuster

Bündchenmuster: 2 M re, 2 M li im Wechsel str.
Jacquardmuster D, B, und C: Glatt re (Hin-R re, Rück-R li) in Jacquardtechnik in Hin- und Rück-R nach Zählmuster D bzw. Zählmuster B und Zählmuster C (siehe Herrenpullover) str. Die Hin-R von rechts nach links, die Rück-R von links nach rechts lesen.
Jacquardmuster D, Einteilung: In der 1. R nach der Rand-M den Rapport von 12 M fortlfd wdh, enden mit der M nach dem Rapport, Rand-M. 1 x die 1.–17. R str.
Jacquardmuster B, Einteilung: In der 1. R nach der Rand-M mit der 13./8./1. M beginnen, 3 x den Rapport von 36 M str, enden mit 0/7/12 M nach dem Rapport, Rand-M. 1 x die 1.–29. R str.
Jacquardmuster C, Einteilung: In der 3. R (Rück-R) nach der Rand-M mit der 7. M der Zeichnung beginnen, dann den Rapport von 6 M fortlfd wdh, Rand-M. Die 1.–6. R stets wdh.
Jacquardmuster für die Mütze: Glatt re (jede Rd re) in Jacquardtechnik nach Zählmuster für die Mütze str, dabei den Rapport von 32 M fortlfd wdh. 1 x die 1.–29. Rd str.
Jacquardmuster C für die Mütze: In Runden glatt re nach Zählmuster C (siehe Herrenpullover) str, dabei den Rapport von 6 M fortlfd wdh. Die 1.–6. Rd stets wdh.
Hinweis: Müssen mehr als 5–7 M überspannt werden, empfiehlt es sich beide Fäden auf der Arbeitsrückseite zu verkreuzen.

Maschenprobe

28 M und 32 R mit Nd Nr. 3–4 im Jacquardmuster gestrickt = 10 x 10 cm

Anleitung

Rückenteil
102/110/122 M in Tanne mit Nd Nr. 2,5–3,5 anschl und im Bündchenmuster str, dabei mit 1 Rück-R beginnen. In 4 cm Höhe 1 Rück-R li M str, dabei verteilt 9/13/13 M zun (= 111/123/135 M).
Weiter mit Nd Nr. 3–4 in Tanne 2 R glatt re, 17 R Jacquardmuster D, 2 R glatt re in Tanne, 29 R Jacquardmuster B, dann im Jacquardmuster C str.
Nach 17/20/23 cm (54/64/74 R) ab Bündchen für die Armausschnitte beidseitig 12 M abk (= 87/99/111 M).
Für den Halsausschnitt nach 33/38/43 cm (106/122/138 R) ab Bündchen die mittleren 29/33/33 M und beidseitig in jeder 2 R 1 x 3 M und 1 x 2 M abk.
In 39/44/49 cm Gesamthöhe die restlichen je 24/28/34 Schulter-M abk.

Vorderteil

Wie das Rückenteil str, aber für den Halsausschnitt nach 30/35/38 cm (96/112/122 R) ab Bündchen die mittleren 19/23/23 M und beidseitig in jeder 2. R 1 x 3 M, 2 x 2 M und 3 x 1 M abk. (Gesamthöhe: 39/44/49 cm)

Ärmel

42/42/50 M mit Nd Nr. 2,5–3,5 in Tanne anschl und 4 cm im Bündchenmuster str, mit 1 Rück-R beginnen und in der letzten Rück-R, verteilt 9/9/13 M zun (= 51/51/63 M).

Mit Nd Nr. 3–4 in Tanne 2 R glatt re, dann 17 R Jacquardmuster D str, im Jacquardmuster C weiterstr. Für die Ärmelschrägungen beidseitig abwechselnd in jeder 4. und 2. R 24/28/30 x 1 M und in jeder 2. R 2/3/1 x 1 M zun (= 103 / 113 / 125 M).

Nach 28,5/33,5/38,5 cm (92/108/124 R) ab Bündchen alle M abk. (Gesamthöhe: 32,5/37,5/42,5 cm)

Beide Ärmel gleich arbeiten.

Fertigstellung

Teile spannen, anfeuchten und trocknen lassen. Schulternähte schließen, Ärmel annähen, Ärmel- und Seitennähte schließen. Für den Rollkragen ca. 84/92/92 Min Tanne mit der Rundstrick-Nd Nr. 2,5–3,5 aus dem Ausschnittrand auffassen und 16 cm im Bündchenmuster str, dann alle M abk.

Den Kragen nach außen umschlagen.

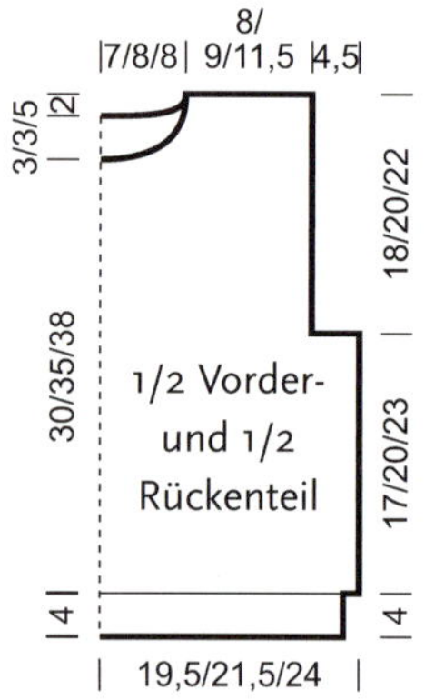

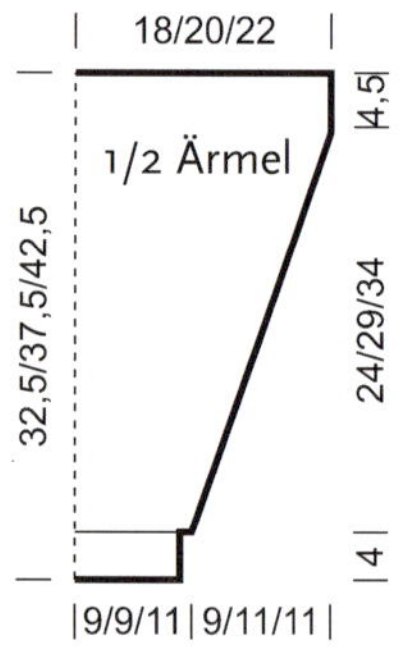

Zählmuster D

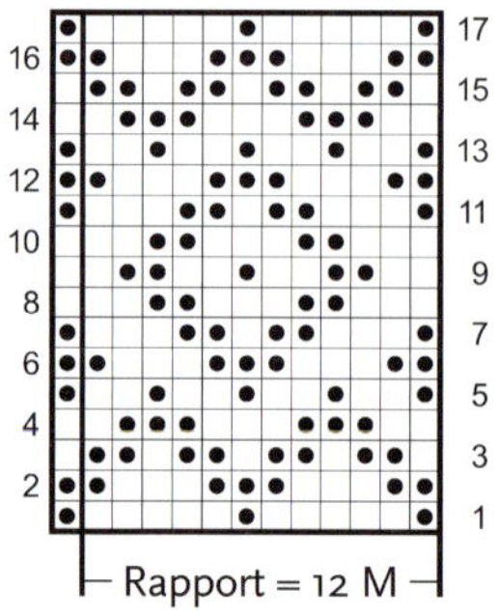

Zeichenerklärung:

□ = 1 M in Tanne

⊡ = 1 M in Natur meliert

Mütze

112 M in Tanne mit dem Nadelspiel 2,5–3,5 anschl und 8 cm im Bündchenmuster str. Danach mit dem Nd-Spiel Nr. 3–4 in Tanne 2 Rd re M str, dabei in der 1. Rd verteilt 16 M zun (= 128 M).

Weiter 29 Rd Jacquardmuster für die Mütze, dann im Jacquardmuster C str, dabei in der 1. Rd 14 M abn (= 114 M). Nach 15 cm ab Bündchen weiter in Tanne str, dabei in der 1. Rd 57 x 2 M re zus-str (= 57 M) und in der folgenden 2. Rd 28 x 2 M re zus-str. Die restlichen 29 M mit doppeltem Faden zusammenziehen, Faden vernähen.

Einen nicht zu festen Pompon aus Tanne zusammen mit Natur meliert mit ca. 7 cm Durchmesser anfertigen und aufnähen.

Das Bündchen zur Hälfte nach außen umschlagen.

Zählmuster für die Mütze

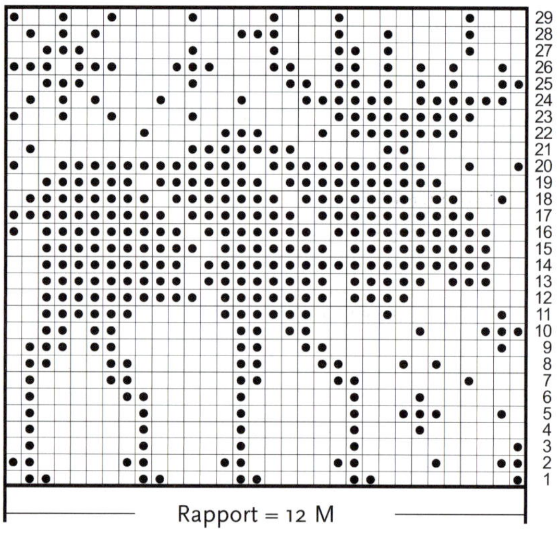

Schnittverkleinerung für den Damenpullover (folgende Seite)

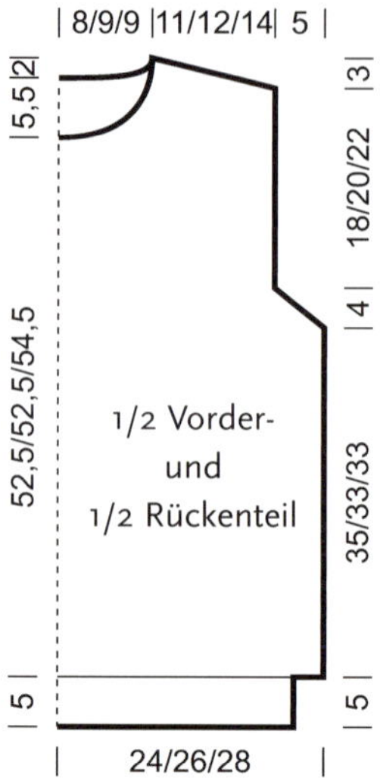

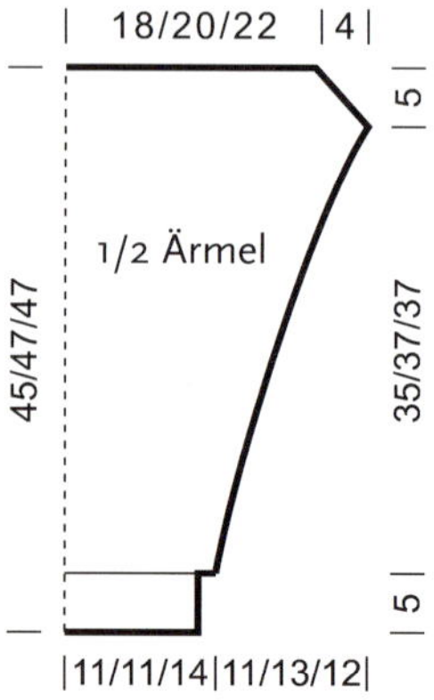

Damenpullover

Größe
36/38, 40/42 und 44/46
Die Angaben für die verschiedenen Größen sind durch Schrägstriche voneinander getrennt. Steht nur eine Angabe, so gilt sie für alle Größen.

Material
500/550/550 g Sportgarn mit Seidenanteil in Burgund meliert (55 % Schurwolle, 25 % Polyamid, 20 % Seide; LL ca. 125 m/ 50 g; z.B. Schachenmayr Regia Silk 6-fädig, Fb 32)
300/350/350 g Sportgarn mit Seidenanteil in Natur meliert (s.o.; z.B. Regia Silk, Fb 02)
Stricknadeln Nr. 2,5–3,5 und 3–4
Rundstricknadel Nr. 2,5–3,5 (40 cm lang)

Strickmuster
Bündchenmuster: 2 M re, 2 M li im Wechsel str.
Jacquardmuster E für Rücken- und Vorderteil: Glatt re (Hin-R re, Rück-R li) in Jacquardtechnik in Hin- und Rück-R nach Zählmuster str. Dabei die Hin-R von rechts nach links, die Rück-R von links nach rechts lesen. 1 x die 1.–112. R und 1 x die 1.–45. R str, dann die 46.–59. R stets wdh.
Jacquardmuster F für die Ärmel: Glatt re in Jacquardtechnik in Hin- und Rück-R nach Zählmuster die M in dem grau unterlegten Quadrat str; in der Breite und in der Höhe ist 1 Rapport gekennzeichnet. In der 1. R nach der Rand-M den Rapport von 14 M fortlfd wdh, restliche M anpassen, Rand-M. Die 46.–59. R stets wdh.
Hinweis: Müssen mehr als 5–7 M überspannt werden, empfiehlt es sich, beide Fäden auf der Arbeitsrückseite zu verkreuzen.

Maschenprobe
28 M und 32 R im Jacquardmuster gestrickt = 10 x 10 cm.

Anleitung
Rückenteil
122/130/142 M in Burgund meliert mit Nd Nr. 2,5–3,5 anschl und 5 cm im Bündchenmuster str, mit 1 Rück-R beginnen.
Die letzte Rück-R li str und dabei verteilt 15/19/17 M zun (= 137/149/159 M).
Weiter mit Nd Nr. 3–4 im Jacquardmuster E str, in der 1. R nach der Rand-M bei Pfeil B/A/C beginnen, dann den Rapport von 56 M fortlfd wdh, restliche M anpassen, Rand-M.
Nach 35/33/33 cm (112/106/106 R) ab Bündchen für die Armausschnitte beidseitig 2 M, dann in jeder 2. R 6 x 2 M abk (= 109/121/131 M).
Für die Schulterschrägungen nach 57/57/59 cm (182/182/188 R) ab Bündchen beidseitig 1 x 8/6/6 M, dann in jeder 2. R 5 x 5/6/7 M abk.
Gleichzeitig mit der 2. Abnahme für den Halsausschnitt die mittleren 33/39/39 M und beidseitig in jeder 2. R 2 x 2 M und 1 x 1 M abk. (Gesamthöhe: 65/65/67 cm)

Vorderteil
Wie das Rückenteil str, aber für den Halsausschnitt nach 52,5/52,5/54,5 cm (168/168/174 R) ab Bündchen die mittleren 15/21/21 M und beidseitig in jeder 2. R 2 x 3 M, 2 x 2 M und 4 x 1 M abk. (Gesamthöhe: 65/65/67 cm)

Ärmel
54/54/66 M mit Nd Nr. 2,5–3,5 in Burgund meliert anschl und 5 cm im Bündchenmuster str, dabei mit 1 Rück-R beginnen.
Die letzte Rück-R li str und dabei verteilt 11/11/13 M zun (= 65/65/79 M).
Dann mit Nd Nr. 3–4 im Jacquardmuster F str. Dabei für die Ärmelschrägungen beidseitig in jeder 4. R 24/21/23 x 1 M und in jeder 2. R 6/15/11 x 1 M zun (= 125/137/147 M).
Nach 35/37/37 cm (112/118/118 R) ab Bündchen beidseitig 2 M, dann in jeder 2. R 7 x abwechselnd 1 M und 2 M (insgesamt 12 M) abk. Danach die restlichen 101/113/123 M abk. (Gesamthöhe 45/47/47 cm)
Beide Ärmel gleich arbeiten.

Fertigstellung
Teile spannen, anfeuchten und trocknen lassen. Schulternähte schließen, Ärmel annähen, Ärmel- und Seitennähte schließen.
Für den Rollkragen mit der Rundstrick-Nd Nr. 2,5–3,5 in Burgund meliert 120 M auffassen und 20 cm im Bündchenmuster str, alle M abk. Den Kragen nach außen umschlagen.

Damenpullover: **Zählmuster für die Jacquardmuster E und F (im grau unterlegten Quadrat)**

Zeichenerklärung: □ = 1 M in Burgund meliert

⊡ = 1 M in Natur meliert

Mädchenpullover und Mütze

Größe

110/116, 122/128 und 134/140
Mütze: ca. 46 cm Umfang
Die Angaben für die verschiedenen Größen sind durch Schrägstriche voneinander getrennt. Steht nur eine Angabe, so gilt sie für alle Größen.

Material

Für den Pullover:
250/300/350 g Sportgarn mit Seidenanteil in Feuer (55 % Schurwolle, 25 % Polyamid, 20 % Seide; LL ca. 125 m/50 g; z.B. Schachenmayr Regia Silk 6-fädig, Fb 30)
100/100/150 g Sportgarn mit Seidenanteil in Natur meliert (s.o.; z.B. Regia Silk, Fb 02)
Für die Mütze:
100 g Sportgarn mit Seidenanteil in Feuer (55 % Schurwolle, 25 % Polyamid, 20 % Seide; LL ca. 125 m/50 g; z.B. Schachenmayr Regia Silk 6-fädig, Fb 30)
50 g Sportgarn mit Seidenanteil in Natur meliert (s.o.; z.B. Regia Silk, Fb 02)
Für beide Modelle:
Stricknadeln Nr. 2,5–3,5 und 3–4
Je 1 Nadelspiel Nr. 2,5–3,5 und 3–4

Strickmuster

Bündchenmuster: 2 M re, 2 M li im Wechsel str.
Jacquardmuster F: Glatt re (Hin-R re, Rück-R li) in Jacquardtechnik in Hin- und Rück-R nach Zählmuster F str. Die Hin-R von rechts nach links, die Rück-R von links nach rechts lesen.
Beim Vorder- und Rückenteil in der 1. R nach der Rand-M für Größe 110/116 und 134/140 mit der 11. M beginnen, dann den Rapport fortlfd wdh, restliche M anpassen, Rand-M; für Größe 122/128 nach der Rand-M den Rapport stets wdh, restliche M anpassen, Rand-M.
Bei den Ärmeln in der 1. R nach der Rand-M für Größe 110/116 mit der 11. M beginnen, dann den Rapport fortlfd wdh, für Größe 122/128 und 134/140 nach der Rand-M den Rapport stets wdh, restliche M anpassen, Rand-M. Die 1.–14. R stets wdh.
Jaquardmuster B: Glatt re in Jacquardtechnik in Hin- und Rück-R über 83/95/105 M nach Zählmuster B bei Modell 6033 str. Die Hin-R von rechts nach links, die Rück-R von links nach rechts lesen.
In der 1. R nach der Rand-M für Größe 110/116 mit der 9. M, für Größe 122/128 mit der 16. M beginnen, für Größe 134/140 nach der Rand-M mit der 9. M beginnen, dann 2/1/3 x den Rapport von 36 M str und enden mit 6 M nach dem Rapport/ den ersten 33 M des Rapports/4 M nach dem Rapport, Rand-M. 1 x die 1.–29. R str.
Hinweis: Müssen mehr als 5–7 M überspannt werden, empfiehlt es sich, beide Fäden auf der Arbeitsrückseite zu verkreuzen.

Maschenprobe

28 M und 32 R mit Nd Nr. 3–4 im Jacquardmuster gestrickt = 10 x 10 cm.

Anleitung

Rückenteil
102/118/122 M in Feuer mit Nd Nr. 2,5–3,5 anschl und 4 cm im Bündchenmuster str, mit 1 Rück-R beginnen und in der letzten Rück-R verteilt 7/11/15 M zun (= 109/129/137 M).
Mit Nd Nr. 3–4 weiter 2 R glatt re in Feuer, 56/70/84 R Jacquardmuster F, dann 2 R glatt re in Feuer und 29 R Jacquardmuster B, 1 R glatt re in Feuer und wieder im Jacquardmuster F str.
Nach 18/22,5/27 cm (58/72/86 R) ab Bündchen, in 1. R des Streifens in Feuer, für die Armausschnitte beidseitig 14 M abk (= 81/101/109 M).
Nach 33/40,5/47 cm (106/130/150 R) ab Bündchen für den Halsausschnitt die mittleren 29/33/33 M und beidseitig in jeder 2 R 1 x 3 M und 1 x 2 M abk.
In 39/46,5/52,5 cm Gesamthöhe die restlichen je 21/29/33 Schulter-M abk.

Vorderteil

Wie das Rückenteil str, aber für den Halsausschnitt nach 31/36,5/42 cm (100/116/134 R) ab Bündchen die mittleren 21/23/23 M abk und beidseitig in jeder 2. R 1 x 3 M, 2 x 2 M und 2/3/3 x 1 M abk.
In 39/46,5/52,5 cm Gesamthöhe die restlichen je 21/29/33 Schulter-M abk.

Ärmel

42/46/46 M mit Nd Nr. 2,5–3,5 in Feuer anschl und 4 cm im Bündchenmuster str, dabei mit 1 Rück-R beginnen und in letzter Rück-R verteilt 9/13/13 M zun (= 51/59/59 M).
Mit Nd Nr. 3–4 weiter im Jacquardmuster F str. Dabei für die Ärmelschrägungen beidseitig abwechselnd in jeder 4. und 2. R

22/26/30 x 1 M und in jeder 2. R 1/2/3 x 1 M zun (= 97/115/125 M).
Nach 27/31/35 cm (86/100/112 R) ab Bündchen alle M abk. (Gesamthöhe 31/35/39 cm)
Beide Ärmel gleich arbeiten.

Fertigstellung

Teile spannen, anfeuchten und trocknen lassen. Schulternähte schließen, Ärmel annähen, Ärmel- und Seitennähte schließen. Für den Rollkragen ca. 84/92/92 M in Feuer auf das Nadelspiel 2,5–3,5 auffassen und 16 cm im Bündchenmuster str, alle M abk. Den Kragen nach außen umschlagen.

Mütze

Wie die Mütze zum Jungenpullover str (siehe Seite 154), aber anstelle der Fb Tanne die Fb Feuer verwenden.

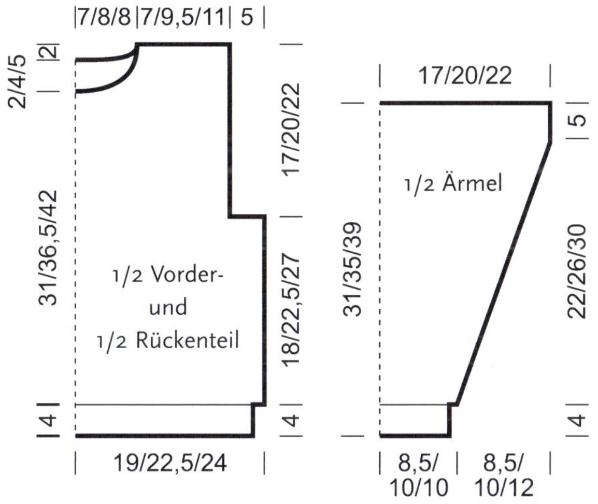

Zählmuster F

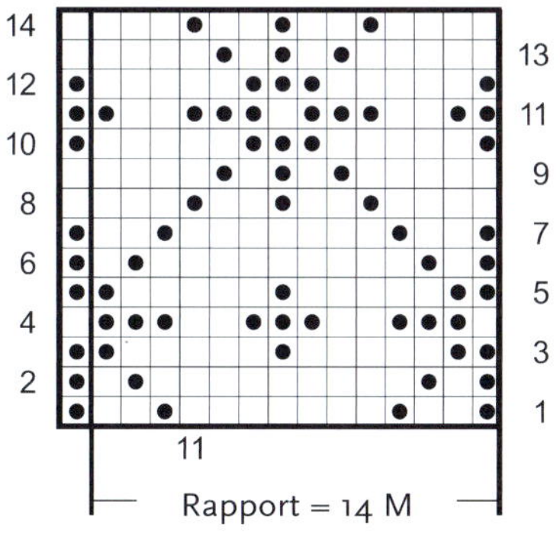

Zeichenerklärung:

□ = 1 M in Feuer
⊡ = 1 M in Natur meliert

Babypullover mit Zopfmuster

Wer sagt, dass Babys immer Hellblau oder Rosa tragen müssen? Ein Pullover aus extraweichem, maschinenwaschbarem Garn in fröhlichen Farben steht Jungen und Mädchen gleichermaßen gut.

Größe

62/68 und 74/80.
Die Angaben für Größe 62/68 stehen vor dem Schrägstrich, die für Größe 74/80 dahinter. Steht nur eine Angabe, so gilt sie für beide Größen.

Material

Babygarn (100 % Polyacryl; LL ca. 184 m/50 g; z.B. Schachenmayr Bravo Baby, Fb 170, 153, 122, 101 und 126) in Grün, Bleu, Gelb, Weiß und Orange
Stricknadeln Nr. 2,5 3,5
2 Knöpfe, 14 mm Ø, farblich passend (z.B. von Union Knopf, Art. 35191, Fb 38 und 42)

Strickmuster

Bündchenmuster: 2 M re, 2 M li im Wechsel str.
Glatt rechts: In Hin-R re M, in Rück-R li M str.
Zopfmuster: Für Größe 62/68 über 17 M, für Größe 74/80 über 19 M nach der entsprechenden Strickschrift str. Es sind nur die Hin-R gezeichnet, in den Rück-R die M str, wie sie erscheinen. Die 1.–6. R stets wdh.
Streifenfolge: * 4 R in Grün, 2 R in Bleu, 2 R in Weiß, 4 R in Orange, 2 R in Gelb, 2 R in Weiß, diese 16 R ab * stets wdh.

Maschenprobe

31–32 M und 36 R im Zopfmuster gestrickt = 10 x 10 cm
24 M und 36 R im Bündchenmuster gestrickt = 10 x 10 cm
(in der Breite leicht gedehnt gemessen)

Anleitung

Rückenteil

66/74 M in Bleu anschl und für den Rollrand 1 Rück-R li M und 4 R glatt re str. Weiter in Grün 1 Hin-R re M und 4 R im Bündchenmuster str, in der letzten Rück-R gleichmäßig verteilt 21/23 M zun (= 87/97 M).
Weiter je 17/19 M in Bleu, Weiß, Grün, Orange und Gelb im Zopfmuster nach der entsprechenden Strickschrift str, beidseitig zusätzlich je 1 Rand-M in der angrenzenden Farbe str. Dabei mit verschiedenen Knäueln arb und beim Farbwechsel die Fäden auf der Rückseite der Arbeit verkreuzen.
In 27/30 cm Höhe von der rechten Kante aus 60/66 M abk, dabei über den ersten 27/31 M für die Schulter verteilt 7 x 2 M, über den folgenden 33/35 M für den Halsausschnitt verteilt je 7 x 2/9 x 2 M [mustergemäß re bzw. li] zusammenstricken.
Über den restlichen 27/31 M für die Knopfblende weiter in Grün 1 Hin-R re M str, dabei verteilt insgesamt noch 7 x 2 M zusammenstricken (= 20/24 M). Über diese M noch 2 cm im Bündchenmuster str, die 1. Rück-R mit Rand-M, 2 M li beginnen gegengleich enden. (Gesamthöhe = 29/32 cm)

Vorderteil

Wie das Rückenteil str, jedoch nach dem Bündchen die Farben der Zöpfe gegengleich einteilen.
Außerdem in 23/26 cm Höhe für den Halsausschnitt die mittleren 25/27 M gerade abk, dabei 7 x 2/9 x 2 M zusammenstricken, beidseitig davon in jeder 2. R noch 2 x 2 M abk.
Weiter über die 27/31 M der linken Seite für die re Schulter gerade hoch str und in 27/30 cm Höhe die M abk, dabei 7 x 2 M zus-str.
Über die 27/31 M der rechten Seite [li Schulter] in 25/27 cm Höhe für die Knopflochblende in Grün 1 Hin-R re M str, dabei verteilt 7 x 2 M zusammenstricken (= 20/24 M). Danach im Bündchenmuster str, die 1. Rück-R beginnen mit Rand-M 2 M li. Dabei nach 3 R für das Knopfloch von der Außenkante aus 9/13 M str, dann 2 M abk und die übrigen M str; die 2 M in der folgenden R wieder neu anschl.
In 27/30 cm Höhe die M abk.

Ärmel

38/42 M in Bleu anschl und für den Rollrand 1 Rück-R li M und 4 R glatt re str.
Weiter im Bündchenmuster in der Streifenfolge str, nach der Rand-M mit 1 M li, 2 M re beginnen und gegengleich enden.
Dabei für die Ärmelschrägungen beidseitig nach 8/4 R 1x 1 M, dann in jeder 4. R 10 x 1/13 x 1 M zun (= 60/70 M).
In 15/17 cm Höhe, nach 52/60 R im Bündchenmuster, alle M gerade abk.
Den 2. Ärmel ebenso str.

Fertigstellung

Die Teile spannen, anfeuchten und trocknen lassen.

Die rechte Schulternaht schließen.

Aus dem Halsausschnitt und den Blendenkanten 72/76 M in Grün aufnehmen und im Bündchenmuster str, die 1. Rück-R beginnen mit Rand-M, 2 M li und gegengleich enden.

In der 3. R an der vorderen Schulterkante noch 1 Knopfloch arb. Dafür am Anfang der R Rand-M und 2 M str, dann 2 M abk; die M in der folgenden R wieder neu anschl. In 2 cm Höhe die M abk.

Die vordere Knopflochblende über die rückwärtige Knopfblende legen und an der Seitenkante befestigen.

Die Ärmel annähen, Ärmel- und Seitennähte schließen.

Die Knöpfe annähen.

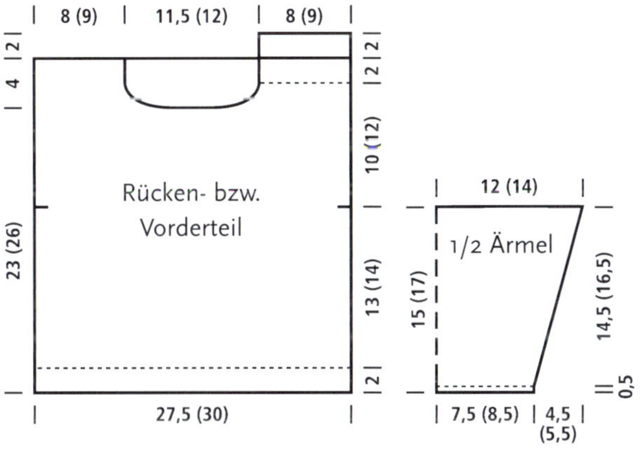

Zopfmuster für Größe 62/68

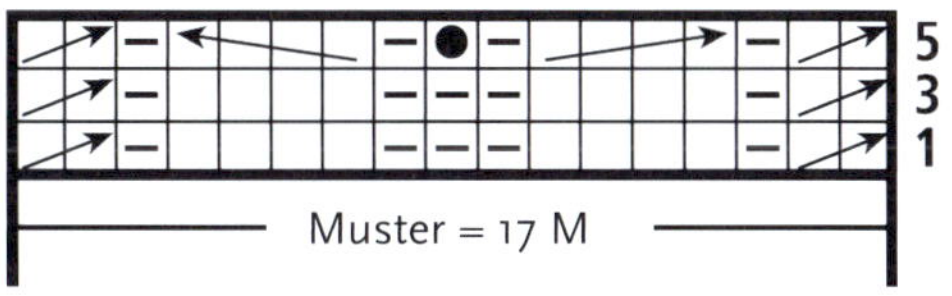

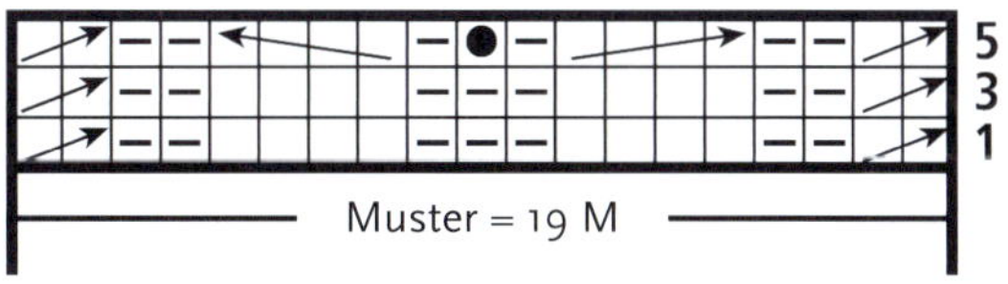

Zeichenerklärung

□ = 1 M rechts

⊟ = 1 M links

● = 1 Noppe: Aus 1 M 5 M herausstricken [abwechselnd 1 M re und 1 M re verschr], wenden, 5 M li str, wenden, dann die 5 M re zus-str

= 1 M mit einer Hilfs-Nd hinter die Arbeit legen, 1 M re, dann die M der Hilfs-Nd re str

= 2 M mit einer Hilfs-Nd hinter die Arbeit legen, 2 M re, dann die M der Hilfs-Nd re str

= 2 M mit einer Hilfs-Nd vor die Arbeit legen, 2 M re, dann die M der Hilfs-Nd re str

Babygarnitur

Über eine solche bequeme Ausfahrgarnitur für ihr Baby freuen sich frischgebackene Eltern immer. Die hoch geschnittene Latzhose unter dem Jäckchen hält Zugluft garantiert ab.

Latzhose

Größe

62/68 und 74/80

Die Angaben für Größe 62/68 stehen vor dem Schrägstrich, die für Größe 74/80 dahinter. Steht nur eine Angabe, so gilt sie für beide Größen.

Material

100/150 g Babygarn in Weiß mit bunten Sprenkeln (100 % Polyacryl; LL ca. 184 m/50 g; z.B. Schachenmayr Bravo Baby, Fb 181)

50 g Babygarn in Grün (siehe oben; Fb 170)

Stricknadeln Nr. 2–3 und 2,5–3,5

Rundstricknadeln Nr. 2–3 und 2,5–3,5 (40 cm lang) oder entsprechende Nadelspiele

2 Knöpfe, 15 mm Ø

Strickmuster

Bündchenmuster: 2 M re, 2 M li im Wechsel str.

Glatt rechts: In Hin-R re M, in Rück-R li M str; in Runden nur re M str.

Maschenprobe

24 M und 36 R mit Nd Nr. 2,5–3,5 glatt re gestrickt = 10 x 10 cm

Anleitung

Für ein Hosenbein 58/62 M mit Nd Nr. 2–3 in Grün anschl und 2 cm im Bündchenmuster str (1 R = Rück-R). Nun mit Nd Nr. 2,5–3,5 in Weiß mit Sprenkeln glatt re str, dabei nur für Größe 62/86 in der 1. R verteilt 2 M zun (= 60/64 M). Außerdem für die Seitenschrägungen beidseitig abwechselnd in jeder 4. und 6. R 7 x 1 M zun (= 74/78 M).

In 13/15 cm Höhe für den Zwickel beidseitig in jeder 2. R 1 x 3, 1 x 2 und 2 x 1 M abk, dann die restlichen 60/64 M stilllegen (= 15/17 cm Höhe).

Das 2. Hosenbein ebenso str.

Nun über beide Hosenbeine weiter mit der Rundstrick-Nd oder dem Nd-Spiel Nr. 2,5–3,5 in Rd arb (= 120/128 M).

In 34/38 cm Höhe weiter mit der Rundstrick-Nd oder dem Nd-Spiel Nr. 2–3 in Grün im Bündchenmuster str, die Rd in der rückwärtigen Mitte beginnen mit 1 M li/1 M re, 2 M li, dann 2 M re, 2 M li im Wechsel str.

In 36/40 cm Höhe die Armausschnitte str wie folgt: Von der rückwärtigen Mitte aus 24/26 M str, dann 12 M abk; für das Vorderteil 48/52 M str und stilllegen, dann 12. M abk und die übrigen 24/26 M str. Über diesen 48/52 M das Rückenteil beenden; die Hin-R beginnt mit Rand-M, 2 M re und endet gegengleich.

In 40/44 cm Höhe die mittleren 32/36 M gerade abk. Über die je 8 M beidseitig davon für die Träger noch 12/14 cm gerade hoch str, dann die M abk.

Über die stillgelegten 48/52 M das Vorderteil weiter gerade hoch str. Dabei in 38,5/42,5 cm Höhe beidseitig je 1 Knopfloch einarbeiten. Dafür am Anfang der R Rand-M und 1 M re str, 2 M re übz zus-str (= 1 M re abh, 1 M re, die abgehobene M überziehen) und 1 U arb, dann 2 M re zus-str; bis 6 M vor Ende der R str und das 2. Knopfloch ebenso arb. Aus den Umschlägen in der nächsten R je 1 M re und 1 M re verschr herausstr.

In 40/44 cm Höhe alle M gerade abk.

Fertigstellung

Das Teil spannen, anfeuchten und trocknen lassen.

Die Bein- und Zwickelnähte schließen. Die Knöpfe annähen.

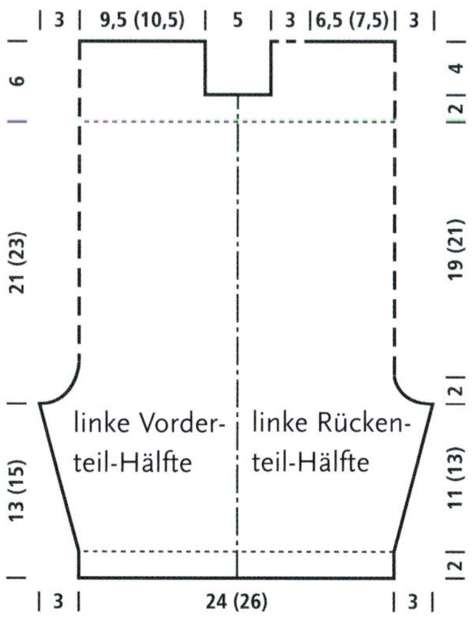

Jäckchen

Größe

62/68 und 74/80

Die Angaben für Größe 62/68 stehen vor dem Schrägstrich, die für Größe 74/80 dahinter. Steht nur eine Angabe, so gilt sie für beide Größen.

Material

100/150 g Babygarn in Weiß mit bunten Sprenkeln
(siehe Latzhose, Seite 165)
Stricknadeln Nr. 2,5–3,5
Rundstricknadeln Nr. 2–3 und 2,5–3,5 (40 cm lang)
4/5 Knöpfe, 15 mm Ø

Strickmuster

Kraus rechts: Jede R re str.
Glatt rechts: In Hin R re M, in Rück R li M str.
Lochstreifen: M-Zahl teilbar durch 6 + 2 Rand-M.
1. Reihe (Hin-R): Re M str, dabei nach jeder M 3 U arb.
2. Reihe: Rand-M, * die folgenden 6 M auf die rechte Nd heben, dabei die U der Vor-R fallen lassen und die M lang ziehen. Nun die 3 zuerst abgehobenen M mit der Linken Nd über die 3 zuletzt abgehobenen M ziehen, danach die übrigen 3 M ebenfalls auf die linke Nd zurücklegen, dann nacheinander alle 6 M re str; ab * fortlfd wdh, Rand-M.

Maschenprobe

24 M und 36 R glatt re gestrickt = 10 x 10 cm
24 M und 46 R kraus re gestrickt = 10 x 10 cm
Die 2 R Lochstreifen sind ca. 1,5 cm hoch.

Anleitung

Vorder- und Rückenteile

Vorder- und Rückenteile werden bis zu den Armausschnitten in einem Stück gestrickt.

122/146 M anschl, 7 R kraus re, 2 R Lochstreifen und 8 R kraus re str (= 5 cm), dann 8/10 cm glatt re, 6 R kraus re, 2 R Lochstreifen und weiter kraus re str.

In 13/15 cm Höhe, in der 1. kraus re R, für die Armausschnitte die Arbeit teilen und in der Hin-R 31/37 M str, dann 1 Rand-M neu anschl und über diese 32/38 M weiter das rechte Vorderteil im Muster wie beschrieben str.

In 23/25 cm Höhe für den Halsausschnitt an der linken Kante 1 x 6/1 x 8 M abk, dann in jeder 2. R 1 x 3, 1 x 2 und 1 x 1 M abk. In 26/29 cm Höhe die 20/24 Schulter-M gerade abk.

Über den folgenden 60/72 M das Rückenteil str, dabei in der 1. R beidseitig je 1 Rand-M neu anschl (= 62/74 M).

In 26/29 cm Höhe in einer Rück-R für die Schulter 20/24 M abk, dann für den Halsausschnitt die mittleren 22/26 M re str und stilllegen und die restlichen 20/24 Schulter-M abk.

Über den letzten 31/37 M das linke Vorderteil gegengleich zum rechten beenden, dabei am Anfang der 1. Hin-R 1 Rand-M neu anschl (= 32/38 M).

Ärmel

38 M anschl, 7 R kraus re und 2 R Lochstreifen str (= 3 cm). Weiter kraus re str, dabei für die Ärmelschrägungen beidseitig in jeder 6. R 2 x 1/3 x 1 M und in jeder 4. R 11 x 1/13 x 1 M zun (= 64/70 M). In 16/19 cm Höhe alle M gerade abk.
Den 2. Ärmel genauso str.

Fertigstellung

Die Teile spannen, anfeuchten und trocknen lassen. Die Schulter- und Ärmelnähte schließen, die Ärmel einnähen. Aus den vorderen Jackenkanten für die Blenden je ca. 54/58 M aufnehmen und 7 R kraus re str, dann die M abk. Dabei in eine Blende in der 3. R 4/5 Knopflöcher einarbeiten: Das 1. und das letzte Knopfloch je ca. 2 cm von der unteren bzw. oberen Kante entfernt, die übrigen 2/3 Knopflöcher gleichmäßig verteilt dazwischen im Abstand von ca. 6/7 cm arb. Für 1 Knopfloch 2 M re zus-str, dann 1 U arb und noch einmal 2 M re zus-str. In der folgenden R aus dem U 1 M re und 1 M re verschr herausstricken. Aus dem Halsausschnitt und den ersten 3 R der Blende des rechten Vorderteils ca. 19/24 M aufnehmen, die stillgelegten 22/26 M re str und aus dem Halsausschnitt und den ersten 3 R der Blende des linken Vorderteils 19/24 M aufnehmen (= 60/74 M). Nun 6 cm kraus re str, dann die M locker abk. Die Knöpfe annähen.

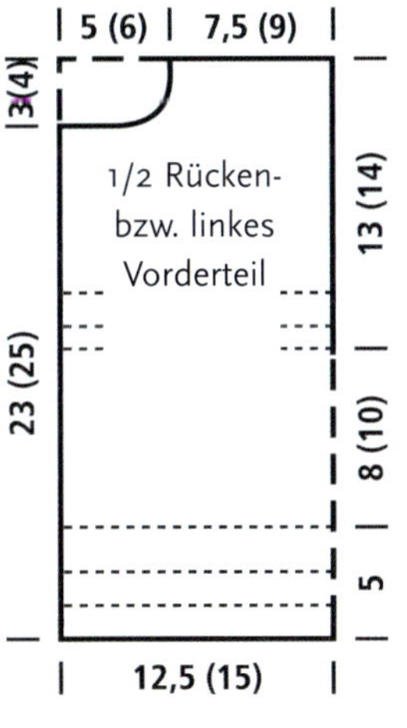

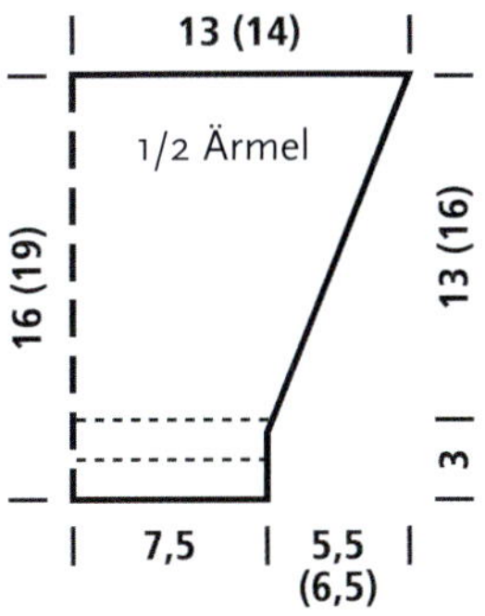

Babyschuhe

Größe
Für ca. 7 cm bzw. 8 cm Fußlänge
Die Angaben für die beiden Größen sind durch einen Schrägstrich getrennt. Steht nur eine Angabe, so gilt sie für beide Größen.

Material
Babygarn in Weiß mit bunten Sprenkeln (100 % Polyacryl; LL 184 m/50 g; z.B. Schachenmayr Bravo Baby, Fb 181)
Nadelspiel Nr. 2,5–3,5
ca. 80 cm Satinband, 11 mm breit

Strickmuster
Kraus rechts: Jede Masche rechts stricken. In Runden 1 Runde rechts, 1 Runde links im Wechsel stricken.
Glatt rechts: In Runden nur rechte Maschen stricken.

Maschenprobe
24 M und 36 R/Rd glatt rechts = 10 x 10 cm
24 M und 46 Rd = 10 x 10 cm

Anleitung
Mit dem Schaft beginnen. Rd-Wechsel ist in der hinteren Mitte. 32/36 M anschl (= 8/9 M je Nadel) und 6 Rd kraus re, dann glatt re str. In 6 cm Schafthöhe für den Banddurchzug eine Loch-Rd arbeiten. Dafür im Wechsel 2 M re zus-str und 1 U arbeiten. Noch 1 Rd re M über alle M und U str.
Nun 8/9 M der 1. Nd und 3 M der 2. Nd re str. Danach für die Fußoberseite in Reihen nur über die folgenden 10/12 M (= die letzten 5/6 M der 2. Nd und die ersten 5/6 M der 3. Nd) kraus re str, die übrigen 22/24 M stilllegen. In ca. 4/5 cm Höhe (nach 20/24 R bzw. 10/12 Rippen der Fußoberseite) in Runden über alle M weiterarbeiten. Rd-Beginn ist nun vor den 10/12 M der Fußoberseite. Mit der 1. Nd diese 10/12 M re str, mit der 2. Nd aus dem daneben liegenden Rand 10/12 M aufnehmen und von den stillgelegten M 6 M dazu re str (= 16/18 M); mit der 3. Nd für die Ferse die folgenden 10/12 M re str, mit der 4. Nd die restlichen stillgelegten 6 M re str, dazu noch 10/12 M aus dem Rand aufnehmen (= 52/60 M insgesamt).
Nun kraus re weiterarbeiten, mit 1 Rd li M beginnen. Nach 9/11 Rd bzw. in der 10./12. Rd (= Rechts-Rd) bei der 1. Nd (= vordere Mitte) und bei der 3. Nd (Ferse) Abnahmen arbeiten. Dafür jeweils die 1. M re abh, 1 M re str und die abgehobene M überziehen. Bis 2 M vor Nd-Ende str, dann 2 M re zus-str. Diese Abn in jeder 2. Rd noch 3 x/4 x wdh (= 36/40 M nach der 16./20. Rd). Auf der 1. und 3. Nd sind nun noch je 2 M. Noch 1 Rd li str, dann von der 1. und der 3. Nd je 1 M auf die 2. bzw. 4. Nd heben und die je 18/20 M beider Nd mit Maschenstichen verbinden.
Beide Schuhe gleich arbeiten.
Das Satinband in zwei Hälften teilen, die Enden schräg abschneiden. Die Bandstücke durch die Loch-Rd ziehen und vorne zur Schleife binden.

Teddybär

Flauschiges Effektgarn macht diesen reizenden Teddybären so weich, dass er bestimmt das Bett mit Ihrem Kind teilen darf. Damit er nicht friert, bekommt er einen Schal in kessem Grün.

Größe

ca. 30 cm, Schal: ca. 4 cm breit und 45 cm lang

Material

75 g Effektgarn in Blau (100 % Polyamid/Mikrofaser; LL ca. 25 m/25 g; z.B. Schachenmayr Hip Hop, Fb 87)
Rest Baumwollmischgarn in Lindgrün (50 % Baumwolle, 50 % Polyacryl; LL ca. 125 m/50 g; z.B. Schachenmayr Jazz, Fb 75)
Nadelspiel Nr. 6–7
Stricknadeln Nr. 3–4
Häkelnadel Nr. 3–4
Sticknadel ohne Spitze
Füllwatte

Strickmuster

Kraus rechts: 1 Rd re M und 1 Rd li M im Wechsel str.
Glatt rechts: Jede Rd re str.

Maschenprobe

9 M und 16 Rd mit Nd Nr. 6–7 kraus re gestrickt = 10 x 10 cm

Anleitung

Beine, Körper und Kopf

Beine, Körper und Kopf werden in Runden in einem Stück gestrickt.

Beine: Für ein Bein auf der 1. und 4. Nd je 3 M, auf der 2. und 3. Nd je 4 M (= 14 M) mit Effektgarn anschl und kraus re str. Nach 14 Rd (= 8,5 cm) die M der 1. und 2. Nd zusammen auf 1 Nd nehmen, ebenso die M der 3. und 4. Nd, dann die M stilllegen.

Das 2. Bein ebenso str.

In Runden für den **Körper** über die 28 M der Beine weiterstr. Rundenbeginn ist in der hinteren Mitte. Nach 16 Rd (= 10 cm) für den Hals eine Markierung anbringen.

Weiter den **Kopf** str.

Nach 3 Rd ab Markierung für das Gesicht nur über die beiden letzten M der 2. Nd und die beiden ersten M der 3. Nd 2 Rd re M, dann 2 Rd re M über die letzten 3 M der 2. Nd und die ersten 3 M der 3. Nd, noch 2 Rd re M über die beiden letzten M der 2. Nd und die beiden ersten M der 3. Nd str, die restlichen M wie bisher kraus re str. Danach über alle M kraus re weiterstr. Nach 12 Rd (= 7,5 cm) Kopfhöhe alle M abk.

Arme

Je 12 M mit Effektgarn anschl und jeweils 10 Rd (= 6 cm) kraus re str, alle M abk.

Beide Arme gleich arbeiten.

Fertigstellung

Augen und Nase mit Plattstichen, den Mund mit Stielstichen in Schwarz auf das Gesicht sticken (siehe auch Foto).

Kopf, Körper und Beine ausstopfen. Damit das Gesicht plastischer wird, das Gesicht zusätzlich mit Füllwatte unterlegen.

Die obere Kopfnaht schließen, dabei beidseitig die Ohren schräg abnähen (siehe Foto). Die Anschlagränder der Beine zusammennähen.

Um den Hals kleine Vorstiche nähen, dann den Hals etwas zusammenziehen.

Die Abkettränder der Arme zusammennähen, dann die Arme an den Körper nähen und ausstopfen. Die Anschlagränder zusammennähen.

Schal

14 M mit Nd Nr. 3,5–4,5 und Baumwollmischgarn anschl und 1 M re 1 M li im Wechsel str. In 45 cm Höhe alle M abk.

An die Schalenden Fransen knüpfen. Je Franse 2 ca. 15 cm langen Fäden zur Hälfte zusammenlegen, die Schlaufe mit der Häkelnadel durch den Schal, dann die losen Enden durch die Schlaufe ziehen und festziehen. Die Fransen gleichmäßig lang schneiden.

Kissenhüllen mit Strukturmustern

Einfache Strukturmuster machen diese Kissenhüllen zu Hinguckern auf Ihrem Sofa. Stricken Sie die Hüllen in sanften Naturtönen oder in leuchtenden Farben passend zu Ihrer Einrichtung!

Kissen mit Quasten

Größe: ca. 40 x 40 cm

Material

- 200 g Wollmischgarn mit Kaschmir in Hellgrün oder Natur (55 % Merino, 35 % Polyacryl, 10 % Kaschmir; LL ca. 140 m/50 g; z.B. Gedifra Cashmerino, Fb 4807 oder Fb 4825)
- 1 Reißverschluss, 40 cm lang (z.B. *Opti* S40, Fb 089)
- 4 Metallringe (von *Stöckel*, Art.Nr. M 07521)
- Stricknadeln Nr. 5–6

Strickmuster

Netzpatent: Gerade Maschenzahl.
Das Muster erscheint auf der Rückseite.
1. Reihe: Rand-M, 1 U, die folgende M li abh (der Faden liegt vor der M), 1 M re; ab * fortlfd wdh, Rand-M.
2. Reihe: Rand-M, * 2 M re, den U der Vor-R li abh (der Faden liegt hinter dem U); ab * fortlfd wdh, Rand-M.
3. Reihe: Rand-M, die folgende M mit dem U re zus-str, 1 U, 1 M li abh (der Faden liegt vor der M); ab * fortlfd wdh, Rand-M.
4. Reihe: Rand-M, * 1 M re, den U der Vor-R li abh (der Faden liegt hinter dem U), 1 M re; ab * fortlfd wdh, Rand-M.
5. Reihe: Rand-M, * 1 U, 1 M li abh (der Faden liegt vor der M), die folgende M mit dem U re zus-str; ab * fortlfd wdh, Rand-M.
Nach der 1. R die 2.–5. R stets wdh.

Maschenprobe

16 M und 37 R im Netzpatent = 10 x 10 cm

Anleitung

66 M mit der gewünschten Fb anschl und 80 cm im Netzpatent str. Alle M abk.
Die Strickarbeit spannen, anfeuchten und trocknen lassen.
Die Seitennähte schließen. Den Reißverschluss einnähen.

Quasten

4 jeweils 9 cm lange Quasten mit ca. 25 Wicklungen anfertigen (s. Seite 57) und über die Abbindung jeweils 1 Metallring ziehen. Aus den zusammengelegten Abbindefäden einen ca. 2 cm langen Zopf flechten und jede Quaste mit dem Zopf an einer Kissenecke befestigen.

Kissen mit Flechtmuster

Größe: ca. 40 x 40 cm

Material

- 300 g Wollmischgarn in Jade oder Natur (70 % Polyacryl; 30 % Schurwolle; LL 55 m/50 g; z.B. Schachenmayr Boston, Fb 71 oder 02)
- 1 Reißverschluss, 40 cm lang (z.B. Opti S40, Fb 089)
- Stricknadeln Nr. 5–6

Strickmuster

Flechtmuster: Maschenzahl teilbar durch 12 + 3 M + 2 Rand-M. In Hinreihen nach Strickschrift stricken, dabei wie gezeichnet beginnen, den Rapport von 12 M fortlfd wiederholen und wie gezeichnet enden. Die 1.–24. R stets wdh.

Maschenprobe

16 M und 21 R im Flechtmuster = 10 x 10 cm

Anleitung

65 M anschl und 80 cm im Flechtmuster str. Alle M abk.
Die Strickarbeit spannen, anfeuchten und trocknen lassen.
Die Seitennähte schließen. Den Reißverschluss einnähen.

Strickschrift für das Flechtmuster

Rapport = 12 M

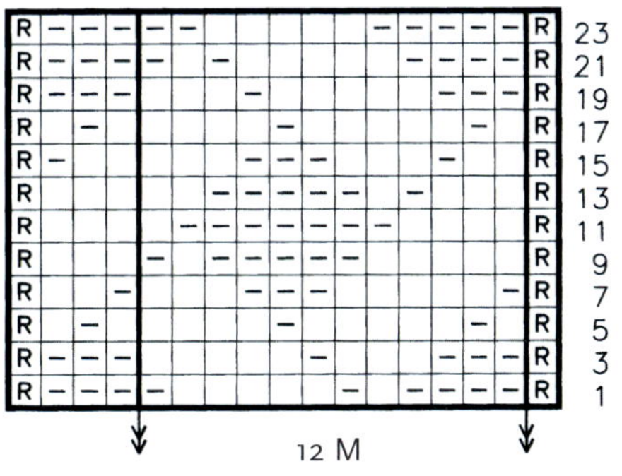

□ = 1 rechte M
⊟ = 1 linke M

Kissenhüllen mit Effektgarn

Die Kombination von glattem Wollgarn mit kuschelweichem Effektgarn ergibt hier interessant strukturierte Streifen, die zu verschiedenen geometrischen Mustern zusammengesetzt werden.

Modell A

(Abb. links hinten)

Größe

41 x 41 cm

Material

100 g Wollgarn in Rosenholz (100 % Schurwolle; LL ca. 125 m/50 g; z.B. Schachenmayr Extra, Fb 3693)

150 g Fransengarn in Rosenholz (85 % Polyacryl, 15 % Polyamid; LL ca. 135 m/50 g; z.B. Schachenmayr Dacapo, Fb 33)

Stricknadeln Nr. 3,5–4

Rundstricknadel Nr. 3,5–4 (ca. 80 cm lang)

1 Reißverschluss, 35 cm lang, farblich passend (z.B. von Opti, Art. 4800, Fb 704)

Strickmuster

Glatt rechts: In Hin-R re M, in Rück-R li M str.

Glatt links: In Hin-R li M, in Rück-R re M str.

Streifenfolge: * 8 R glatt re mit dem Wollgarn, dann 1 R re und 9 R glatt li mit dem Fransengarn str, ab * stets wdh.

Maschenprobe

19–20 M und 32 R mit dem Fransengarn glatt li gestrickt = 10 x 10 cm

19–20 M und 36 R in der Streifenfolge gestrickt = 10 x 10 cm

Anleitung

Die Pfeile in der Schnittverkleinerung geben die Strickrichtung an.

50 M mit dem Fransengarn anschl und 12 cm (38 R) glatt li str. Dann die M stilllegen.

Weiter in der Streifenfolge str. Dafür mit dem Wollgarn auf der Vorderseite aus dem rechten Seitenrand 25 M auffassen, die stillgelegten 50 M re str, dabei die 1. und die letzte M markieren, dann aus dem linken Seitenrand 25 M auffassen (= 100 M).

Für die Zunahmen beidseitig der beiden markierten M in 3. R (= Hin-R), dann in jeder folgenden Hin-R jeweils bis vor die markierte M str, dann 1 M re verschränkt aus dem Querfaden str, die markierte M str, 1 M re verschränkt aus dem Querfaden str (= jeweils 4 zugenommene M und insgesamt 312 M nach 30 cm bzw. 108 R) in der Streifenfolge.

In 41 cm Höhe, nach dem 6. Streifen mit dem Fransengarn, alle M abk.

Die Hülle rechts auf rechts zusammenlegen, 2 Seitennähte schließen und bei der 3. Seite die äußeren je 2,5 cm zusammennähen, dann den Reißverschluss einnähen.

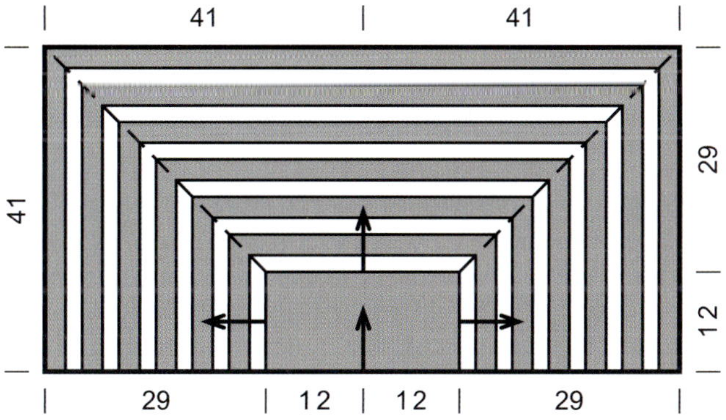

Modell B

(Abb. links Mitte)

Größe

40 x 40 cm

Material

100 g Wollgarn in Burgund (100 % Schurwolle; LL ca. 125 m/50 g; z.B. Schachenmayr Extra, Fb 3535)

150 g Fransengarn in Burgund (85 % Polyacryl, 15 % Polyamid; LL ca. 135 m/50 g; z.B. Schachenmayr Dacapo, Fb 32)

Stricknadeln Nr. 3,5–4

1 Reißverschluss, 35 cm lang, farblich passend (z.B. von Opti, Art. 4800, Fb 750)

Strickmuster

Glatt rechts: In Hin-R re M, in Rück-R li M str.

Glatt links: In Hin-R li M, in Rück-R re M str.
Streifenfolge: * 8 R glatt re mit dem Wollgarn, dann 1 R re und 9 R glatt li mit dem Fransengarn str, ab * stets wdh.

Maschenprobe

20 M und 33 R in der Streifenfolge gestrickt = 10 x 10 cm

Anleitung

Die Pfeile in der Schnittverkleinerung geben die Strickrichtung an.
Für das 1. Teil mit dem Wollgarn 82 M anschl und 1 Rück-R li M, dann in der Streifenfolge stricken.
In 40 cm Höhe, nach dem 8. Streifen mit dem Wollgarn, alle M abk.
Für das 2. Teil auf der Arbeitsvorderseite aus dem linken Seitenrand mit dem Wollgarn 82 M auffassen und 1 Rück-R li M, dann in der Streifenfolge str.
In 40 cm Höhe, nach dem 8. Streifen mit dem Wollgarn, alle M abk.
Die Hülle rechts auf rechts zusammenlegen, siehe gestrichelte Linien in der Schnittverkleinerung. Die obere und untere Seitennaht schließen. Die letzte Naht beidseitig ca. 2,5 cm breit schließen, dann den Reißverschluss einnähen, siehe * in der Schnittverkleinerung.

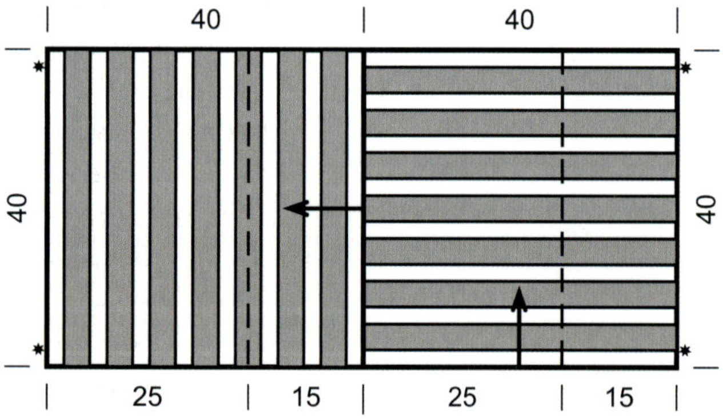

Modell C
((Abb. Seite 174 vorne)

Größe

40 x 40 cm

Material

100 g Wollmischgarn in Bernstein (55 % Schurwolle, 45 % Polyacryl; LL ca. 125 m/50 g; z.B. Schachenmayr Universa, Fb 26)
150 g Fransengarn in Bernstein (85 % Polyacryl, 15 % Polyamid; LL ca. 135 m/50 g; z.B. Schachenmayr Dacapo, Fb 26)
Stricknadeln Nr. 3,5–4
1 Reißverschluss, 35 cm lang, farblich passend (z.B. von Opti, Art. 4800, Fb 693)

Strickmuster

Glatt rechts: In Hin-R re M, in Rück-R li M str.
Glatt links: In Hin-R li M, in Rück-R re M str.
Streifenfolge: * 8 R glatt re mit dem Wollmischgarn, dann 1 R re und 9 R glatt li mit dem Fransengarn str, ab * stets wdh.
Zunahmen: Bei glatt li in Hin-R 1 M li verschr bzw. in Rück-R 1 M re verschr aus dem Querfaden str. Bei glatt re in Hin-R 1 M re verschr bzw. in Rück-R 1 M li verschr aus dem Querfaden str.

Maschenprobe

19–20 M und 36 R in der Streifenfolge gestrickt = 10 x 10 cm

Anleitung

Die Pfeile in der Schnittverkleinerung geben die Strickrichtung an. Die Kissenhülle wird in 3 Teilen gestrickt.

Streifen A

4 M mit dem Fransengarn anschl und 1 Rück-R rechte M, dann 10 R glatt li und in der Streifenfolge weiterstr.
Dabei am rechten Seitenrand in jeder Hin-R nach der Rand-M 1 M zun.
Außerdem gleichzeitig am linken Rand am Ende jeder Hin-R vor der Rand-M 1 M zun und am Beginn der folgenden Rück-R nach der Rand-M 1 M zun (= jeweils 3 zugenommene M pro 2 R).
Nach 29 R bzw. nach dem 2. Streifen mit dem Fransengarn (= 46 M auf der Nd) wie folgt weiterstr: Am Beginn jeder Hin-R weiterhin wie zuvor 1 M zun, am Ende jeder Hin-R die Rand-M mit der M davor mustergemäß re bzw. li zus-str.
In 80 cm Höhe, am rechten Seitenrand gemessen bzw. nach dem 11. Streifen mit dem Wollmischgarn am Beginn jeder Hin-R 2 M abk, am Ende jeder Hin-R wie zuvor die Rand-M mit der M davor zus-str, bis 4 M übrig sind. Diese 4 M in der folgenden Hin-R abk.

Streifen B

Den Streifen B gegengleich str. Dafür zu Beginn des Streifens am rechten Seitenrand am Beginn jeder Hin-R und am Ende jeder Rück-R je 1 M zun; am linken Seitenrand am Ende jeder Hin-R 1 M zun, bis 46 M auf der Nadel sind. Weiter bis in ca. 80 cm Höhe des linken Seitenrandes am Beginn jeder Hin-R

1 M abn und am Reihenende 1 M zun. Danach wie zuvor am Beginn jeder Hin-R 1 M abn, am Beginn jeder Rück-R 2 M abk, bis 4 M übrig sind. Diese 4 M in der folgenden R abk.

Streifen C

Für den Streifen C aus dem linken Seitenrand des Streifens A 162 M mit dem Fransengarn auffassen und 4 cm glatt li str. Alle M abk.

Fertigstellung

Den rechten Seitenrand des Streifens B an den Abkettrand von Streifen C nähen (siehe Schnittverkleinerung). Die Hülle recht auf rechts zusammenlegen und die Seitennähte schließen. Die äußeren je 2,5 cm der unteren Ränder schließen, dann den Reißverschluss einnähen.

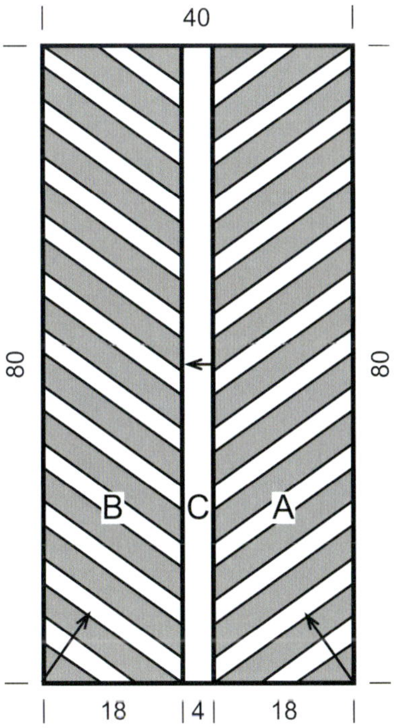

Herzkissen

Verschenken Sie Ihr Herz zusammen mit einem flauschig weichen Kissen, das nicht nur am Valentinstag große Freude bereitet. Gestrickt wird die Herzform nach einem einfachen Zählmuster.

Modell A

Größe

ca. 40 cm breit und 42 cm hoch

Material

250 g Effektgarn in Kirschrot (70 % Polyester, 30 % Polyacryl; LL ca. 50 m/50 g; z.B. Schachenmayr Nordica, Fb 31)
Stricknadeln Nr. 6–7
Füllwatte

Strickmuster

Glatt rechts: In Hin-R re M, in Rück-R li M str.

Maschenprobe

12 M und 19 R glatt re gestrickt = 10 x 10 cm.

Anleitung

Für ein Herz 3 M anschl und glatt re die rechte Teilhälfte mit Mittel-M nach Strickschema str, die linke Hälfte der R gegengleich str. Dabei wie gezeichnet beidseitig je 23 M zun (= 49 M nach der 47. R). Für die Zunahmen in Hin-R nach der Rand-M und am Reihenende vor der Rand-M jeweils 1 M re verschr, in Rück-R li verschr aus dem Querfaden str.
In der 63. R, dann 1 x in 4. R und 4 x in jeder 2. R beidseitig jeweils 1 M abn. Dafür am Reihenbeginn nach der Rand-M 2 M re übz zus-str, bis 3 M vor Reihenende str, 2 M re zus-str und die Rand-M arb.
In der 70. R die mittleren 3 M abk und zunächst die rechte Hälfte über 20 M nach Strickschema weiterstr, dabei 2 x am Beginn jeder Rück-R die Rand-M str, dann 2 M li zus-str; danach in jeder 2. R 1 x 2 M und 1 x 4 M abk.
Außerdem gleichzeitig am rechten Seitenrand in der 77. R 2 M, dann in jeder 2. R 1 x 3 M und die restlichen 4 M abk.
Die linke Hälfte gegengleich beenden.
Das 2. Herz ebenso str.
Die Teile rechts auf rechts aufeinanderlegen und zusammennähen, dabei einen Schlitz lassen. Das Kissen wenden und ausstopfen, dann den Schlitz schließen.

Zählmuster für Modell A (rechte Hälfte)

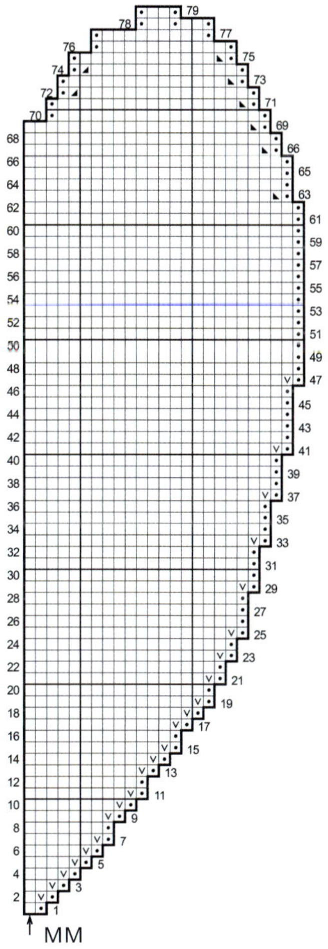

Zeichenerklärung

• = Rand-M
□ = in Hin-R 1 re M, in Rück-R 1 li M
V = in Hin-R 1 M re verschr aus dem Querfaden str, bzw. in Rück-R 1 M li verschr aus dem Querfaden str
◣ = in Hin-R 2 M re übz zus-str: 1 M re abh, die folgende M re str und die abgehobene M überziehen; in Rück-R 2 M li verschr zus-str
◢ = in Hin-R 2 M re zus-str; in Rück-R 2 M li zus-str
MM = Mittel-M

Modell B
(Abb. links, hinten)

Größe
ca. 38 cm breit und 42 cm hoch

Material
100 g Effektgarn in Rottönen (100 % Polyamid/Mikrofaser; LL 25 m/25 g; z.B. Schachenmayr Hip Hop, Fb 84)
Stricknadeln Nr. 7–8
Füllwatte

Strickmuster
Glatt rechts: In Hin-R re M, in Rück-R li M str.

Maschenprobe
7 M und 12 R glatt re gestrickt = 10 x 10 cm

Anleitung
Für ein Herz 3 M anschl und glatt re nach Strickschema str. Dabei wie gezeichnet beidseitig je 12 M zun (= 27 M nach der 23. R). In der 41. R, dann in jeder 2. R beidseitig 4 x je 1 M abn. In der 46. R die mittleren 3 M abk und zunächst die rechte Hälfte über 9 M nach Zählmuster weiterstr, dabei 2 x am Beginn jeder Rück-R die Rand-M str, dann 2 M li zus-str. Außerdem gleichzeitig am rechten Seitenrand in der 49. R 2 M und in der folgenden 2. R die restlichen 4 M abk.
Die linke Hälfte gegengleich beenden.
Das 2. Herz ebenso str.
Die Teile rechts auf rechts aufeinanderlegen und zusammennähen, dabei einen Schlitz lassen. Das Kissen wenden und ausstopfen, dann den Schlitz schließen.

Zählmuster für Modell B

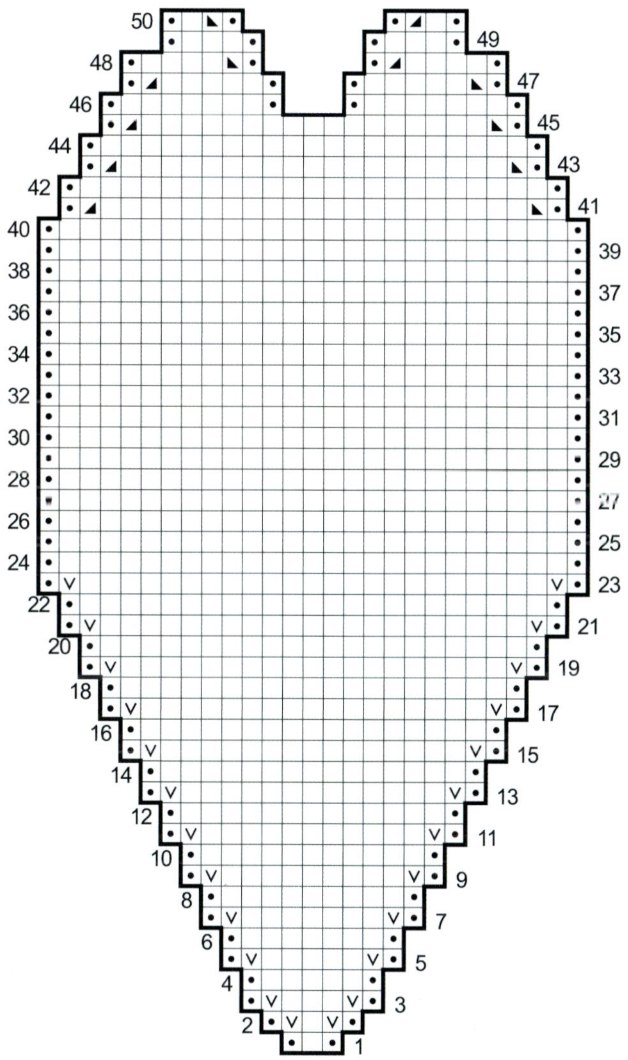

Praxis-Tipp

Effektvolle Herzen
Diese Kissen kommen in verschiedenen Effektgarnen gestrickt gut zur Geltung. Je nach Lauflänge des Garnes und erforderlicher Nadelstärke können die Maße variieren. Das ist jedoch nicht problematisch, weil die Kissenhüllen ohnehin mit Füllwatte ausgestopft werden und nicht auf eine bestimmte Kissengröße passen müssen.

Zeichenerklärung
[•] = Rand-M
[ ] = in Hin-R 1 re M, in Rück-R 1 li M
[V] = in Hin-R 1 M re verschr aus dem Querfaden str, in Rück-R 1 M li verschr aus dem Querfaden str
[◣] = in Hin-R 2 M re übz zus-str: 1 M re abh, die folgende M re str und die abgehobene M überziehen; in Rück-R 2 M li verschr zus-str
[◢] = in Hin-R 2 M re zus-str; in Rück-R 2 M li zus-str

Tasche „Hüttenzauber“

Filz liegt im Trend – besonders für modische Accessoires. Diese witzige Tasche wird gestrickt und anschließend in der Waschmaschine gefilzt. Details werden mit der Nadel aufgefilzt.

Größe

ca. 23 x 32 cm

Material

150 g Wollgarn zum Filzen in Hellblau (100 % Schurwolle; LL 50 m/50 g; z.B. Coats Wash + Filz-it!, Fb 0008)
50 g Wollgarn zum Filzen in Weiß (s.o.; z.B. Coats Wash + Filz-it!, Fb 0002)
50 g Wollgarn zum Filzen in Burgund (s.o.; z.B. Coats Wash + Filz-it!, Fb 0006)
Rest Wollgarn zum Filzen in Grün (s.o.; z.B. Coats Wash + Filz-it!, Fb 0012)
Stricknadeln Nr. 6,5
Häkelnadel Nr. 6
Filznadel
Filzunterlage
Evtl. 1 Flasche Filzbeschleuniger (z.B. Coats Filz-it!-Turbofilzer)
1 Glöckchen in Platin, 15 mm
2 Knöpfe in Silber mit Edelweißmotiv, Ø 22 mm
1 Paar Stricknadeln Nr. 6,5

Strickmuster

Glatt rechts: In Hin-R re M, in Rück-R li M str.

Anleitung

Stricken

52 M in Weiß anschl und 3 R glatt re str. 9 weitere R glatt re in Hellblau str (= Taschenklappe).
In Hellblau weitere 80 R str.
Den Musterstreifen wie folgt str:
4 R in Burgund,
8 R: 22 M in Burgund, 8 M in Weiß, 22 M in Burgund,
8 R: 14 M in Burgund, 24 M in Weiß, 14 M in Burgund,
8 R: 22 M in Burgund, 8 M in Weiß, 22 M in Burgund,
abschließend wieder 4 R in Burgund.
Zum Abschluss 12 R in Hellblau str und alle M abk.

Nähen und Dekorieren

Die Tasche an den Seiten zusammennähen (siehe Foto).
Für das Umhängeband mit der Häkelnadel Luftmaschen auf eine Länge von ca. 1,50 m anschl, darauf 2 R feste Maschen häkeln. Für die Knopfschlaufen jeweils 16 Luftmaschen in Weiß häkeln und diese im gleichen Abstand zur Mitte an der Kante der Taschenklappe festnähen.
Für den Anhänger mit 2-fädiger Wolle in Burgund 12 M anschl, 5 R kraus re str (= Hin- und Rück-R re), abk und Endfäden ca. 30 cm lang hängen lassen. Mittig auf dieses Stück in Weiß ein kleines Edelweiß sticken. Eine kleine, hellblaue Wollkugel als Blütenmitte mit der Filznadel festfilzen (dazu das Werkstück auf die Filzunterlage legen). Nun die beiden grünen Blätter seitlich festfilzen.

Filzen

Alle Teile in der Waschmaschine bei 40 °C mit etwas Turbofilzer oder Feinwaschmittel waschen. Normales Programm mit niedrigem Wasserstand und Schleudern wählen.
Nach der Wäsche die Tasche in Form ziehen. Sollte sie noch zu groß sein, ein weiteres Mal waschen.
Die Filzteile trocknen lassen und währenddessen immer wieder in Form ziehen. Größe und Form des Modells können beim Filzen in der Waschmaschine nicht hundertprozentig vorhergesagt werden. Der exakte Schrumpfungsgrad hängt von vielen Faktoren ab. Meist beträgt er jedoch 30 bis 40 Prozent.
Das Umhängeband mit weißem Garn an die Tasche nähen und den Anhänger befestigen. Das Glöckchen festknoten und die beiden Knöpfe annähen.

Reißverschlusstäschchen

Solche Reißverschlusstäschchen kann man immer brauchen: für Schminksachen oder Stifte, Taschentücher oder Haarspangen. Das Fransengarn in kessen Leuchtfarben verleiht ihnen eine topmodische Note.

Größe

ca. 24 x 13 cm

Material

Für Modell A:

Je 50 g Fransengarn in Neon-Orange und Neon-Pink (100 % Polyester; LL ca. 90 m/50 g; z.B. Schachenmayr Brazilia, Fb 25 und 39)

50 g oder ein Rest dünnes Kunstfasergarn in Neon-Orange (100 % Polyacryl; LL ca. 200 m/50 g; z.B. Schachenmayr Glanzperle, Fb 1426)

Stricknadeln Nr. 4,5–5,5

Häkelnadel Nr. 2–3

1 Reißverschluss, 22 cm lang, farblich passend (z.B. von Opti, Art. 4801, Fb 693)

1 Applikation (z.B. von Goldzack, Art. 926 143)

Für Modell B:

50 g Fransengarn in Neon-Grün (100 % Polyester; LL ca. 90 m/50 g; z.B. Schachenmayr Brazilia, Fb 76)

50 g oder ein Rest Kunstfasergarn in Neon-Grün (100 % Polyacryl; LL ca. 200 m/50 g; z.B. Schachenmayr Glanzperle, Fb 1427)

Stricknadeln Nr. 4,5–5,5

Häkelnadel Nr. 2–3

1 Reißverschluss, 22 cm lang, farblich passend (z.B. von Opti, Art. 4801, Fb 547)

2 Applikationen (z.B. von Goldzack, Art. 925 208)

Strickmuster

Glatt rechts: In Hin-R re M, in Rück-R li M str.

Maschenprobe

18 M und 28 R glatt re gestrickt = 10 x 10 cm

Anleitung

Modell A (Abb. links, hinten)

45 M mit dem Fransengarn in Neon-Orange anschl und glatt re 5 cm in Neon-Orange, 16 cm in Neon-Pink und 5 cm in Neon-Orange str (= 26 cm insgesamt). Alle M abk.

Anschlag- und Abkettrand aufeinanderlegen, dann die Seitenränder zusammennähen.

Die Applikation anbringen (siehe Foto).

Den Tascheneingriff mit dem dünnen Kunstfasergarn und festen M umhäkeln. Den Reißverschluss einnähen.

Modell B (Abb. links, vorne)

45 M mit dem Fransengarn anschl und glatt re 26 cm str. Alle M abk.

Anschlag- und Abkettrand aufeinanderlegen, dann die Seiten ränder zusammennähen.

Die Applikationen anbringen (siehe Foto).

Auf den Tascheneingriff Spiralen mit dem dünnen Kunstfasergarn häkeln. Dafür den Faden anschlingen und 1 Luft-M häkeln. Weiter * 1 Kett-M, für die Spirale 9 Luft-M, dann in die 2. Luft-M und in jede folgende Luft-M 2 feste M häkeln, 1 M des Gestricks übergehen, 1 Kett-M; ab * fortlfd wdh. Dann 1 Rd feste M häkeln.

Den Reißverschluss einnähen.

Praxis-Tipp

Variationen über ein Thema

Wenn Ihnen das Effektgarn zu flippig erscheint, können Sie die Täschchen auch aus Baumwollgarn einfarbig oder in einem beliebigen Streifenmuster stricken. Oder passen Sie das Format dem Einsatzzweck an: beispielsweise lang und schmal für die Blockflöte Ihres Kindes oder im Postkartenformat für Notizblock samt Stift.

Modische Handyhüllen

Mit einer individuellen Hülle wird das Handy zum unverwechselbaren Einzelstück. Fußballfans verpacken das Telefon in ein „Rasenstück“ mit Deutschlandfahne und Ball, Romantikerinnen schmücken ihres mit Blumen.

Handyhülle „Fußball“

Größe
Ca. 6 x 10 cm

Material
Rest Fransengarn in Golfgrün (100 % Polyester; LL ca. 90 m/50 g; z.B. Schachenmayr Brazilia, Fb 78)
Reste Mikrofasergarn in Schwarz, Kirschrot und Sonnengelb (100 % Polyacryl/Mikrofaser; LL ca. 200 m/50 g; z.B. Schachenmayr Micro Fino, Fb 99, 30 und 22)
Nadelspiel Nr. 2,5–3
1 Fußballknopf, 18 mm Ø

Strickmuster
Glatt rechts: In Runden jede Rd re str.

Maschenprobe
26 M und 30 Rd glatt re gestrickt = 10 x 10 cm

Anleitung
32 M in Golfgrün auf das Nd-Spiel verteilt anschl (= 8 M je Nd). 1 Rd li M, dann glatt re 6 Rd in Grün, je 3 Rd in Schwarz, Kirschrot, Sonnengelb und weiter glatt re in Golfgrün str.
In 10 cm Höhe alle M stilllegen.
Die M der 1. und 2. Nd mit den M der 3. und 4. Nd mit Maschenstichen verbinden.
Den Fußballknopf aufnähen (siehe Foto).

Handyhülle „Frühling“

Größe
Ca. 6 x 8 cm

Material
Rest Fransengarn in Grasgrün (100 % Polyester; LL ca. 90 m/50 g; z.B. Schachenmayr Brazilia, Fb 77)
Rest Mikrofasergarn in Weiß (100 % Polyacryl/Mikrofaser; LL ca. 200 m/50 g; z.B. Schachenmayr Micro Fino, Fb 01)
Nadelspiel Nr. 2,5–3
2 Blumenknöpfe in Orange und Pink

Strickmuster
Glatt rechts: In Runden jede Rd re str.

Maschenprobe
26 M und 30 Rd glatt re gestrickt = 10 x 10 cm

Anleitung
32 M in Grasgrün auf das Nd-Spiel verteilt anschl (= 8 M je Nd). 1 Rd re M und 1 Rd li M str. Dann glatt re 3 Rd in Grasgrün und 3 Rd in Weiß im Wechsel str. In 8 cm Höhe, nach 3 Rd in Grasgrün, die M stilllegen und die M der 1. und 2. Nd mit den M der 3. und 4. Nd im Maschenstich verbinden.
Die Blumenknöpfe annähen (siehe Foto).

Faschingsperücken

Aus langflorigem Fransengarn lassen sich nicht nur effektvolle Pullover und Accessoires stricken, sondern sogar witzige Perücken für Fasching, Fastnacht, Karneval ...

Perücke „Meerjungfrau“

Material

150 g langfloriges Fransengarn in Ultramarinblau (100 % Polyester; LL 60 m/50 g; z.B. Schachenmayr Brazilia Lungo, Fb 251)
Nadelspiel Nr. 4,5–5,5
Stricknadeln Nr. 4,5–5,5

Strickmuster

Rippenmuster: 2 M re, 2 M li im Wechsel str.

Maschenprobe

18 M und 20 R im Rippenmuster gestrickt = 10 x 10 cm

Anleitung

Die Perücke wird am Hinterkopf begonnen. 64 M anschl und im Rippenmuster str, in der 1. Hin-R nach der Rand-M mit 2 M re beginnen.
In 19 cm Höhe die M auf 4 Nd verteilen und für das Stirnteil 28 M neu anschl (= 92 M). Dafür nach einer Rück-R 9 M auf die 1. Nd, dann je 23 M auf die 2. und 3. Nd str, 9 M auf die 4. Nd str und 14 M dazu anschl (= 23 M) und zu den 9 M der 1. Nd 14 M anschl (= 23 M). Weiter in Rd 5 cm über alle M im Rippenmuster str.
Danach auf der 1. Nd die 15. M, die folgende 17. M (= 9. M auf der 2. Nd), die folgende 29. M (= 15. M auf der 3. Nd) und die folgende 17. M (= 9. M auf der 4. Nd) markieren.
In der folgenden Rd auf der 1. Nd die markierte M mit der M davor li zus-str, auf der 2. Nd die markierte M re abh, die folgende M rechts str und die abgehobene M überziehen, auf der 3. Nd die markierte M mit der M davor re zus-str und auf der 4. Nd die markierte mit der folgenden M li zus-str (= 88 M). Diese Abn noch 3 x in jeder 2. Rd und danach 10 x in jeder Rd. Die restlichen 36 M abk. Die obere Perückennaht schließen.

Kinderperücke „Wassermann“

Material

100 g langfloriges Fransengarn in Grasgrün (100 % Polyester; LL 60 m/50 g; z.B. Schachenmayr Brazilia Lungo, Fb 270)
Nadelspiel Nr. 5–6
Stricknadeln Nr. 5–6

Strickmuster

Rippenmuster: 1 M re, 1 M li im Wechsel str.
Kraus rechts: Jede R re str.
Glatt rechts: Hin-R re, Rück-R li str; in Runden jede Rd re str.

Maschenprobe

15 M und 24 R/Rd im Rippenmuster gestrickt = 10 x 10 cm

Anleitung

Für ca. 48 cm Kopfumfang 72 M auf das Nd-Spiel verteilt anschl und 2 cm im Rippenmuster, dann glatt re str. In 10 cm Höhe für die Abn 9 x jede 8. M markieren und mit der M davor re zus-str (= 63 M). Diese Abn in jeder 2. Rd noch 6 x wdh. Die restl 9 M mit dem Arbeitsfaden zusammenziehen und den Faden vernähen. (Mützenhöhe: ca. 15,5 cm)
Aus dem Anschlagrand mit den Strick-Nd 42 M auffassen, dabei die vorderen ca. 18 cm frei lassen. Über die äußeren je 2 M kraus, über die mittleren 38 M glatt re str (1. R = Rück-R). Nach 11 cm ab dem Auffassen beidseitig 1 M, dann in jeder 2. R 1 x 1 M und 2 x 2 M abk, dabei weiterhin über die äußeren je 2 M kraus str (= 30 M). Nun über alle M noch 2 R im Rippenmuster str, dann die M abk.

Register

Konzeption und Realisation
Helene Weinold-Leipold, Violau
Waldmann & Weinold Kommunikationsdesign, Augsburg
Strickmuster (Entwurf, Arbeitsproben, Strickschriften)
Dorothea Neumann, Hamburg
Modelle
Coats GmbH, Salach
Fotos
Coats GmbH, Salach (Modelle und Seite 14 rechts unten)
Klaus Lipa, Diedorf-Hausen (alle übrigen)
Gesamtherstellung
Naumann & Göbel Verlagsgesellschaft mbH, Köln

ISBN 978-3-625-11486-4

www.naumann-goebel.de